A arte de

Steve Jobs

A arte de

Steve Jobs

Princípios revolucionários
sobre inovação para o sucesso
em qualquer atividade

Carmine Gallo

Colunista da revista eletrônica *BusinessWeek.com*

1ª reimpressão

Tradução
Carlos Szlak

lua de papel

Título original: *The innovation secrets of Steve Jobs: insanely different principles for breakthrough success*

Direção editorial: Pascoal Soto
Editor: Pedro Almeida
Produção editorial: Gabriela Ghetti
Preparação de texto: Margô Negro
Revisão: Flávia Yacubian
Diagramação: S4 Editorial
Capa: Osmane Garcia Filho
Imagem de capa: Reuters/Lou Dematteis

DADOS INTERNACIONAIS DE CATALOGAÇÃO NA PUBLICAÇÃO (CIP)
(Câmara Brasileira do Livro, SP, Brasil)

Gallo, Carmine
A arte de Steve Jobs: princípios revolucionários sobre inovação para o sucesso em qualquer atividade / Carmine Gallo; tradução Carlos Szlak. - São Paulo: Lua de Papel, 2010.

Título original: *The innovation Secrets of Steve Jobs : Insanely Different principles for breakthrough success.*

ISBN 978-85-63066-56-5

1. Administração de empresas 2. Sucesso 3. Sucesso em negócios 4. Tomada de decisão I. Gallo, Carmine, 2011 II. Título.

ÍNDICES PARA CATÁLOGO SISTEMÁTICO:
1. Sucesso em negócios : Administração de empresas

TEXTO EDITORES LTDA.
[Uma editora do grupo LeYa]
Av. Angélica, 2163 – Conj. 175/178
01227-200 – Santa Cecília – São Paulo – SP
www.leya.com.br/luadepapel
Twitter: @luadepapel_BRA / @EditoraLeya

Sumário

Agradecimentos

Agradeço aos leitores de todo o mundo que tornaram *Faça como Steve Jobs* um best-seller internacional. Fiquei emocionado ao ouvir suas histórias. Espero que vocês também considerem este livro muito proveitoso. A paixão de vocês me inspira. Também sou grato a analistas como Rob Enderle e a diversos outros que endossaram o livro com entusiasmo nos seus blogs e no Twitter.

John Aherne, meu ex-editor na McGraw-Hill, acreditou muito no livro desde o início. Em 2010, ele decidiu seguir seu coração e, com certeza, embarcou numa jornada maravilhosa. Obrigado por tudo, John.

Todas as pessoas da McGraw-Hill são fantásticas. Vocês são uma equipe maravilhosa.

Com sempre, meus agradecimentos a Ed Knappman, meu agente literário, que me aconselhou e orientou ao longo de minha carreira literária.

Agradeço especialmente a Tom Neilssen e a todos da BrightSight por encontrarem oportunidades para eu compartilhar insights e conhecimentos com outras pessoas.

Nick Leiber, da *Bloomberg BusinessWeek*, merece meu muito obrigado. Ele edita minhas colunas e partilha do meu entusiasmo. É um colaborador inestimável.

Fauzia Burke, Julie Harabedian e a equipe da FSB Associates continuam a fornecer uma perspectiva estimulante e um insight único sobre o mundo sempre em transformação do marketing e da publicidade on-line. Sou grato por me ensinarem algo novo!

Vanessa, minha mulher, merece um agradecimento especial, ajudando-me nas notas, na edição e na preparação do material para apresentação à editora. Minhas filhas, Josephine e Lela, são sempre uma fonte de inspiração, como todos os outros de minha família.

Introdução

O que o mundo precisa agora é de mais profissionais como Steve Jobs

Em uma carta aberta para o presidente Barack Obama, Thomas Friedman, colunista do jornal *The New York Times*, desafiou Obama a criar mais empregos para profissionais ao estilo Steve Jobs. "Temos de voltar a estimular as milhões de crianças norte-americanas, não apenas as geniais, no sentido da inovação e do empreendedorismo."[1] Se quisermos mais empregos de boa qualidade, Friedman sustentou, o país deve fomentar um ambiente em que a inovação seja estimulada e possa florescer. Em resumo, o país precisará de mais pessoas como Steve Jobs, cofundador e presidente da Apple. Afinal, graças, em grande parte, ao revolucionário iPhone, um dos aparelhos mais inovadores da década, a Apple ultrapassou a Microsoft em 2010, tornando-se a empresa de tecnologia mais valiosa do mundo. É um feito impressionante para qualquer empresa e, em particular, notável para uma que começou em um quarto de hóspedes.

Todos os países enfrentam diversos problemas no limiar da segunda década do novo milênio. Milhões de pessoas estão desempregadas ou perdendo suas casas; muitas vezes as duas coisas. Um em cada seis norte-americanos vive à base de vale-alimentação do governo, a educação pública precisa desesperadamente de uma reforma radical e os negócios em cada esquina do país estão lutando para manter suas portas abertas. A Grande Recessão espalha-se para diversas regiões do mundo, contagiando países que já enfrentavam economias fracas, infraestruturas saturadas, problemas ambientais e pobreza inimaginável. Na próxima década, o progresso real exigirá ideias diferentes, criativas e inovadoras. A solução é manter a inovação, afirmou Bill Gates, cofundador da Microsoft: "Nos últimos dois séculos, a inovação mais do que dobrou nossa expectativa de vida e nos deu energia barata e mais comida. Se projetarmos o que o mundo será daqui dez anos sem a inovação contínua em saúde, energia ou alimentos, o quadro será pior".[2] Na próxima década, as empresas e as pessoas devem adotar os pilares gêmeos da criatividade e da inovação. O progresso será contido se isso não acontecer, em um período da história em que o progresso é fundamental.

A boa notícia é que, frequentemente, as recessões atuam como catalisadoras da inovação. Segundo Adalio Sanchez, gerente-geral da IBM, "numa situação em que temos realmente de ser criteriosos, de fazer mais com menos, isso, de fato, condiciona a necessidade da inovação e de um nível de criatividade que não teríamos em tempos normais. A maior inovação nem sempre tem de consistir em mais dólares, mas em como usar esses dólares".[3]

A história demonstra que as grandes inovações foram lançadas em períodos de grave crise econômica. Um relatório da Booz & Company, de 2009, observou: "A televisão, a xerografia, o barbeador elétrico, o rádio com FM e diversos outros avanços foram produzidos durante a Grande Depressão. Empresas como a DuPont, que, em 1937, estavam gerando 40% das suas receitas com produtos lançados depois de 1930, perseguiram a inovação não só para sobreviver à Depressão, mas também para preparar o terreno para décadas de crescimento lucrativo sustentável".[4] O estudo da Booz & Company constatou que os inovadores lendários foram moldados em tempos de crise. Diante da adversidade, os inovadores bem-sucedidos tiraram proveito de suas forças e agiram com coragem na procura de novas oportunidades para a criação de valor.

De fato, a crise, o conflito e a necessidade parecem ser o modo natural de dizer: "Encontre um novo caminho". Em uma visita a Paso Robles, na Califórnia, aclamada como uma das regiões viticultoras mais promissoras do mundo, entrei em um estabelecimento vinícola com um expositor de pedras sobre o balcão. "O que são essas pedras?", perguntei. "São amostras de pedras calcárias que compõem o solo da região", a mulher respondeu com orgulho, enquanto servia amostras do premiado zinfandel da vinícola. "Para sobreviver no solo cascalhento, as raízes da vinha precisam trabalhar arduamente para alcançar a água. Por isso, os cachos apresentam sabores mais intensos e, como qualquer vinicultor sabe, os grandes vinhos começam com grandes frutos."

As crises são desconfortáveis, mas, sem dúvida, a mesma força que age nas vinhas também está trabalhando sua magia em uma geração inteira de empreendedores. Nos últimos dois anos, recebi centenas de e-mails de homens e mulheres que perderam seus empregos, mas que consideram a situação uma oportunidade de seguir suas paixões e criar algo novo e inovador. Para o *Wall Street Journal*, uma quantidade cada vez maior de recém-formados do ensino superior, diante de um mercado de trabalho hostil, decidiu abrir mão completamente do caminho corporativo criando suas próprias empresas. Constata-se que os membros da Geração do Milênio – frequentemente descrita como insolente, mimada e impaciente – estão criando empresas importantes em um ritmo sem precedentes. Não ficaria surpreso se daqui a dez anos descobrirmos que a década perdida foi realmente a década que inspirou inúmeros novos produtos, serviços, métodos e ideias. Em cada canto do mundo, enfiados em garagens, cubículos, laboratórios e salas de aula, uma nova onda de inovadores está trabalhando em novidades em tecnologia, saúde, ciência e meio ambiente.

"Nosso medo pode ser nossa salvação", escreveu Rick Hampson, em um artigo do *USA Today*. "Frequentemente, os norte-americanos desconfiam que enfrentam o pior dos tempos e, em consequência, esforçam-se arduamente para tirar o máximo dele. Quer seja o lançamento do Sputnik, em 1957, a queda de Saigon, em 1975, ou o desafio econômico do Japão, na década de 1980, há essa convicção persistente de que nossos melhores dias ficaram para trás... No entanto, a suposição dos norte-americanos de que estão à beira do precipício é aquilo que nos salva. Em vez de subestimar os desafios, reagimos de forma intensa. Em um mundo competitivo, é a chave do nosso sucesso."[5]

A inovação é necessária para tirar o país do desânimo. Ideias grandes, ousadas e criativas para reviver e rejuvenescer países desesperados, empresas batalhadoras e carreiras estagnadas. Quem melhor do que Steve Jobs, o "presidente de empresa da década", de acordo com a revista *Fortune*, para fornecer o roteiro?

Em outubro de 2009, a McGraw-Hill lançou *The presentation secrets of Steve Jobs: how to be insanely great in front of any audience* [Faça como Steve Jobs – e realize apresentações incríveis em qualquer situação]. Rapidamente, o livro se tornou um best-seller internacional. No entanto, uma coisa engraçada aconteceu no caminho para o topo. O título começou a aparecer em listas de best-sellers ao lado de sucessos lendários e livros de autoajuda, tais como O segredo, de Rhonda Byrnes, e *Os 7 hábitos das pessoas altamente eficazes*, de Stephen R. Covey. Os leitores começaram a compartilhar histórias de como mudaram suas abordagens nas suas empresas e nas suas carreiras como resultado do que aprenderam no livro. Em um artigo para o site Java World, uma jornalista escreveu que decidiu ler o livro para melhorar suas habilidades nas apresentações, mas descobriu sugestões que eram capazes de ajudar gerentes de TI e diretores de informática a se tornarem líderes melhores. Fiquei satisfeito com o feedback. Sem dúvida, o livro tinha impactado leitores que estavam buscando ferramentas de sucesso que iam além da realização de apresentações melhores. Você está lendo um livro que faz companhia a *Faça como Steve Jobs*. Embora este livro aborde a importância da comunicação (a inovação não significará nada se você não conseguir empolgar as pessoas sobre ela), o conteúdo vai muito mais fundo nos princípios que orientaram Steve Jobs durante boa parte de sua vida, ou seja, lições que o ajudarão a desencadear seu potencial nos negócios e na vida.

Antes de analisarmos os princípios que tornam Steve Jobs um dos inovadores mais bem-sucedidos do mundo, devemos concordar com a definição de inovação que se aplica a todas as pessoas, independentemente do cargo ou função: presidentes de empresa, gerentes, funcionários, cientistas, professores, empreendedores e estudantes. Em uma frase: a inovação é um novo modo de fazer coisas que resultam em uma mudança positiva. Isto é, melhora a vida.

"Há uma concordância geral de que a inovação é a melhor maneira de sustentar a prosperidade econômica", disse-me o economista Tapan Munroe. "A inovação incrementa a produtividade, e a produtividade aumenta a possibilidade de renda maior, lucros maiores, novos empregos, novos produtos e uma economia próspera. Uma vez que abrimos as cortinas para a economia mundial, vemos a luz do sol. Não está tudo nublado. Precisamos transformar ideias inteligentes, que enfrentam e lidam com problemas reais, em produtos e serviços que todos desejam."[6] Munroe, junto com Gates e Friedman, acredita que a inovação deve ser nosso mantra.

"A inovação é um conceito amplo", afirma Munroe. "Há inovação com 'i' minúsculo e inovação com 'i' maiúsculo. O 'i' maiúsculo envolve coisas como a invenção da internet, do motor a combustão interna e do código de barras. Contudo, a inovação também inclui melhorias pequenas e contínuas, que o ajudam a conduzir melhor sua vida, a fazer seu negócio crescer ou a melhorar o produto ou a produtividade da sua empresa."[7] Essas pequenas inovações ocorrem todos os dias e melhoram a vida de todas as pessoas.

"Os hábitos consagrados são uma receita para o desastre", escreve Curtis Carlson, no livro *Innovation*. "A capacitação profissional tradicional não é suficiente para a adaptação e o sucesso no mundo empresarial turbulento; também devemos ter habilidades de inovação novas. Se soubermos como criar valor para o consumidor, independentemente do nosso empreendimento específico, teremos uma chance muito maior de ter sucesso e de permanecer empregáveis em nossos anos úteis de trabalho. Caso contrário, podemos nos tornar obsoletos."[8] Para Carlson, não importa se temos uma formação avançada em ciência aeroespacial ou se somos capacitados como analista financeiro, contador ou corretor de seguros; nossa expertise deve se adaptar ao mundo novo. E adaptar-se significa maneiras novas e criativas de considerar problemas existentes e potenciais.

A criatividade exige trabalho. "A inovação não é algo que você faz uma vez e, em seguida, senta-se e relaxa", afirmou Munroe. A inovação é um compromisso com a melhoria contínua da parte de todos. Ele apresenta o seguinte exemplo: "Consideremos um pequeno escritório de consultoria, que oferece previsões econômicas. A primeira coisa que faria se quisesse realmente ser inovador seria oferecer serviços que levam em conta suas forças máximas. Se o meu serviço for igual ao de cinco outros escritórios da minha região, inovaria me diferenciando nas seguintes áreas: ofereceria um melhor serviço ao cliente, uma qualidade superior de pesquisa, mais serviços exclusivos, melhor comunicação (mais transparente) e material mais amigável ao usuário, que os clientes podem utilizar para agir. Munroe formula uma pergunta que nos diferenciará: "Como posso ajudar meus clientes ou consumidores a serem mais eficazes?". "Descobrir uma resposta para essa pergunta é inovação", afirma Munroe.[9]

Para diversas empresas e indivíduos, repetir os mesmos processos que desencadearam o colapso financeiro global simplesmente levaria ao mesmo resultado. Integrar a inovação ao nosso DNA significa aplicar o mantra da Apple ao nosso negócio, à nossa carreira e à nossa vida: *Think different* [Pense diferente]. Se nossos produtos não conseguirem empolgar os compradores, precisaremos pensar diferente sobre como revigorar nossas ofertas. Se nossas vendas estiverem despencando, precisaremos pensar diferente acerca de melhorar a experiência do consumidor. Se trocarmos constantemente de emprego, precisaremos pensar diferente acerca da administração da nossa carreira.

Pensar mais como Steve Jobs pode ajudar as empresas e os educadores. "Nos Estados Unidos, a educação pode utilizar uma grande dose de inovação", escreveu Robert Kiyosaki, autor de *Pai rico, pai pobre.* "As escolas norte-americanas precisam estudar as empresas que foram criadas por empreendedores como Henry Ford e Steve Jobs. Eles nos deram um roteiro. O sistema educacional norte-americano precisa de uma injeção de inovação, que é exatamente o que os empreendedores fazem. Precisamos de dois currículos escolares: um para empregados e outro para empreendedores... Capacitar empreendedores é diferente de capacitar pessoas para serem empregadas."[10]

Este livro evitará a discussão das teorias da inovação arcanas e complexas, que estão relegadas às estantes empoeiradas da academia. "Em sua maioria, os trabalhos de acadêmicos sobre inovação são densos e complexos, pois não são escritos para leigos", um economista me disse. "Os trabalhos são escritos por doutores e para doutores. Em diversos casos, quanto mais confusa a teoria, mais conceituados os autores ficam aos olhos dos seus colegas. Pratiquei esse jogo durante anos."

Saindo de uma recessão global, não temos tempo para jogos. Precisamos de ferramentas e princípios práticos para ajudar a liberar o potencial criativo existente dentro de cada um de nós. Os princípios que estamos prestes a aprender são simples, significativos e alcançáveis para todos os profissionais, em todos os campos de atividade: presidentes de empresa, gerentes, empreendedores, consultores, profissionais criativos, proprietários de pequenas empresas, professores, médicos, advogados, corretores de imóveis, donas de casa e, sim, doutores que realmente acreditam no emprego de suas pesquisas para melhorar a condição humana.

Frequentemente, a inovação é confundida com a invenção. As duas noções são complementares, mas diferentes. O ato de inventar significa projetar, criar e construir novos produtos ou processos. A inovação começa com ideias criativas, que, no final, são convertidas em invenções, serviços, processos e métodos. Nem todos podem ser inventores, mas qualquer um pode ser um inovador. Você é dono de um pequeno negócio que teve uma nova ideia para converter visitantes em compradores? Você é um inovador. Você é um gerente que criou um novo modo de motivar seus subordinados? Você é um inovador. Você é um empreendedor que reinventou sua carreira após perder um ou mais empregos? Você é um inovador. Você é uma dona de casa que descobriu uma maneira de revitalizar a escola pública da vizinhança? Você é uma inovadora.

A inovação é algo que pessoas comuns fazem todos os dias para levar vidas extraordinárias. Você conhecerá muitas delas nas páginas a seguir: homens e mulheres que estão transformando empresas, comunidades e vidas, inovando ao estilo Steve Jobs.

O estudo da inovação também pode manter sua mente aguçada. Os cientistas estão descobrindo que, à medida que envelhecemos, aquilo que sabemos em nossos cérebros não desaparece; simplesmente se perde nas dobras dos nossos neurônios. Conforme o cérebro envelhece, ele melhora na visualização do quadro global. Para os cientistas, o truque é manter as conexões em ignição. De acordo com os especialistas, o melhor modo de agitar as sinapses é nos expormos a pessoas e ideias diferentes, que desafiam nossa maneira de pensar. Talvez Steve Jobs, com 19 anos, tivesse a ideia certa quando deixou os subúrbios arborizados da Califórnia para passear de mochila pela Índia com seu amigo Daniel Kottke. A viagem fez Jobs questionar muitas das ilusões que ele tinha acerca de terras exóticas: "Foi uma das primeiras vezes que comecei a achar que talvez Thomas Edison fez muito mais para melhorar o mundo do que Karl Marx e Neem Karolie Baba juntos".[11]

Incapaz de encontrar iluminação espiritual em sua jornada, Jobs voltou para a casa dos pais em Los Altos, na Califórnia, determinado a trilhar um caminho próprio. Nas três décadas seguintes, o caminho de Jobs levaria a altos e baixos espetaculares, tanto em sua vida pessoal quanto profissional. Ele vivenciou o sucesso, o fracasso e a redenção, e, a partir de 2004, o homem que anteriormente fora à Índia em busca de respostas para os mistérios mais enigmáticos da vida alcançou uma sabedoria incomum depois de sobreviver não somente a uma, mas a duas doenças graves. "A lembrança de que eu morreria em pouco tempo foi a ferramenta mais importante que já encontrei para me ajudar a fazer as grandes escolhas da vida", afirmou Jobs.[12]

Se, como Thomas Friedman acredita, os Estados Unidos precisam de mais líderes como Steve Jobs, então devemos considerar Steve como guia. Jobs é extremamente reservado, mas ele deixou muitas pistas no seu caminho para o sucesso revolucionário. Tudo o que temos de fazer é prestar atenção.

CAPÍTULO 1

O que Steve faria?

A inovação diferencia um líder de um seguidor.

STEVE JOBS

A inovação é o molho secreto da Apple, mas o cofundador e presidente Steve P. Jobs não acredita em "sistemas" para criar a inovação. Os funcionários da Apple não frequentam seminários para se exercitar na inovação. Não encontraremos Legos espalhados na sede da Apple para desencadear a inovação, nem veremos funcionários procurando itens nos salões, numa caçada liderada por um "consultor de inovação", numa atividade planejada de criação de equipes. Na realidade, Steve Jobs desdenha exercícios triviais. "Não pensamos: vamos às aulas! Aqui estão as cinco regras da inovação; vamos usá-las em toda a empresa!", Jobs disse certa vez para Rob Walker, do *The New York Times.* Walker pressionou Jobs durante a entrevista e sugeriu que muitas pessoas tentam criar sistemas – ou métodos – para despertar a inovação. "É claro que sim", Jobs afirmou. "É como alguém que não é bacana tentando ser bacana. É chato... É como ver Michael Dell tentando dançar. É muito chato."[1]

Este livro elimina a chatice em relação à inovação. Não pretende criar um método rígido, passo a passo, para a inovação, pois é a última coisa que Jobs recomendaria. Pretende, sim, revelar os princípios gerais que orientaram Steve Jobs na conquista do seu sucesso revolucionário, princípios que podem ativar nossa imaginação, aprimorar nossa criatividade, ajudar-nos a desenvolver ideias novas para expandir nossa empresa e carreira e nos inspirar a mudar o mundo.

Embora os princípios sejam baseados no modelo de Steve Jobs, ícone lendário da tecnologia, a inovação não consiste apenas em tecnologia; fundamenta-se em criar novas ideias para solucionar problemas. Philippe Starck, famoso designer francês, que é fã de Jobs (e vice-versa), afirmou, certa vez, que um "bom" produto é aquele que nos ajudará a levar uma vida melhor. Além de projetar saguões estonteantes de hotéis em alguns dos destinos turísticos mais cobiçados do mundo, Starck "democratizou o design" projetando itens comuns com estilo incomum, elegância e simplicidade, incluindo balanças de banheiro, babás eletrônicas e dezenas de outros produtos cotidianos para cadeias varejistas como a Target. Se utilizarmos a definição de Starck sobre "bom", então Steve Jobs tem feito produtos bons – muito bons – por mais de três décadas. O mesmo espírito que move Starck inspira Jobs, que torna produtos existentes (computadores, tocadores de MP3 e smartphones) mais acessíveis, agradáveis e prazerosos de usar. Se as ideias deste livro nos inspirarem a criar o próximo grande dispositivo, será maravilhoso, mas, de modo mais geral, esses princípios proporcionarão um sistema para instigar nossa empresa e nossa carreira, ideias que nos estimularão a ir mais além do que já achamos possível.

> *"Quando uma organização manda seus executivos descer um rio em uma balsa, para que eles aprendam a trabalhar em equipe, ou os faz construir aviões de papel muito colorido, para que eles aprendam a ser criativos, algo está profundamente errado."*[2]
>
> CURTIS CARLSON E WILLIAM WILMOT, *INNOVATION*

A experiência de Steve Jobs

Como sabemos o que Steve Jobs tem a dizer? Afinal, ele é um dos presidentes de empresa mais reclusos do mundo. Jobs raramente é visto em público, a maioria dos funcionários da Apple nunca o conheceu pessoalmente, ele evita aparições regulares na mídia e criou um complexo tão protegido na sede da Apple que achamos que cruzamos a zona desmilitarizada para a Coreia do Norte. Não obstante, Jobs tem tido muito a dizer desde a escola do ensino médio, quando conheceu Steve Wozniak e começou a construir computadores em um quarto na casa dos seus pais. (Ao contrário da voz corrente, a Apple começou em um quarto antes de se transferir para a cozinha e, finalmente, para a "garagem", onde o mito nasceu.)

Embora sejam necessários milhares de funcionários para materializar a visão de Steve Jobs em seu centro, a experiência da Apple é, de fato, a experiência de Steve Jobs. Poucas pessoas estão mais intimamente associadas à inovação do que Jobs. No Google, uma busca por "Steve Jobs + Innovation" ["Steve Jobs + Inovação"] gerará mais de 2,7 milhões de links. Uma busca similar usando o nome "Walt Disney" nos fornecerá 1,5 milhão de links e "Henry Ford", pouco mais de um milhão de links. Acredito que as pessoas que estão realizando essas buscas estão procurando mais do que uma biografia; elas buscam inspiração.

Este livro não é uma biografia de Steve Jobs. Em vez disso, procura revelar os princípios que o levaram a criar ideias ilimitadas, que, de fato, mudaram o mundo, ou seja, princípios que você pode aplicar hoje para desencadear seu potencial. Considere este livro como o guia fundamental para o sucesso revolucionário na empresa e na vida. Os princípios são resultantes da análise completa das próprias palavras de Jobs nas últimas três décadas, dos insights de ex-funcionários da Apple, dos especialistas que estudaram a empresa por décadas e de diversos líderes, empreendedores, educadores e proprietários de pequenas empresas que se inspiram formulando para si mesmos uma pergunta simples: *O que Steve faria?*

O grande herói

Paul Krugman, economista, prêmio Nobel de Economia e colunista do *The New York Times*, denominou a última década como "The Big Zero" ("O Grande Zero"), pois, em sua opinião, "nada bom aconteceu".[3] Mas algo bom aconteceu. Das cinzas do grande zero ascendeu o grande herói, Steve Jobs. A revista *Fortune* reconheceu Jobs por desafiar a crise econômica, por ludibriar a morte e mudar o mundo. Em um período de dez anos, incluindo duas recessões, escândalos financeiros, uma crise bancária, grandes perdas no mercado acionário e uma economia cambaleante, Jobs obteve vitórias consecutivas. Ele ressuscitou a Apple (em 1996, a empresa estava para falir quando

Jobs voltou) e, radicalmente, reinventou as indústrias dos computadores, da música, do cinema e das telecomunicações. Refazer um setor empresarial na carreira de alguém é uma realização rara, mas, como a *Fortune* assinala, refazer quatro é sem precedentes. Para a *Fortune*, a influência de Jobs na cultura global não pode ser subestimada. "Cotidianamente, em diversas horas do dia, algum estudante, empreendedor, designer industrial ou presidente de empresa considera um problema e se pergunta: O que Steve Jobs faria?"[4]

A década de 2000 consistiu toda no sucesso de Jobs. Trimestre após trimestre, a Apple apresentou recordes de receitas e lucros enquanto explodiam as vendas de Macs, iPods e iPhones. Em janeiro de 2010, a Apple havia vendido 250 milhões de iPods, controlando mais de 70% do mercado de tocadores de MP3 e mudando a maneira como as pessoas descobriam, adquiriam e ouviam suas músicas. A empresa aumentou a participação no mercado de computadores pessoais para 10%, apesar dos preços médios de venda muito acima daqueles praticados pelos outros fabricantes. As Apple Stores alcançaram a marca de 280 lojas e atraíram cerca de 50 milhões de visitantes em um único trimestre. No curto período de dezoito meses desde o lançamento da Apple Store, em 10 de julho de 2008, foram realizados 3 bilhões de downloads de aplicativos para uso no iPhone e no iPod Touch. A Apple, que iniciou suas atividades em primeiro de abril de 1976, transformou-se numa empresa de 50 bilhões de dólares. "Gosto de esquecer isso, pois não é assim que pensamos a respeito da Apple", Steve Jobs afirmou, em 27 de janeiro de 2010, "mas é incrível". Desde seu retorno à Apple, em 1996, Steve Jobs gerou 150 bilhões de dólares em patrimônio para os acionistas e transformou o cinema, as telecomunicações, a música, o varejo, a indústria editorial e o design. Se você estiver procurando alguém para servir de modelo, será justo se perguntar: "O que Steve faria?".

Wall Street valoriza Steve Jobs por trazer a Apple de volta à saúde financeira. Em janeiro de 2010, a revista *Harvard Business Review* elegeu Steve Jobs o melhor presidente de empresa do mundo por gerar "um colossal retorno corrigido de 3.188% (34% ao ano) após o regresso dele à Apple".[5] Na época da redação deste livro, a Apple possuía uma capitalização de mercado maior do que a Dell e a HP juntas. No entanto, Michael Arrington, editor da revista eletrônica *TechCrunch*, prefere enfocar o que a Apple significa para o mundo além de Wall Street. O mundo, ele afirma, teria olhado muito diferente se Jobs não tivesse retornado.

Um mundo sem Steve Jobs

Jobs encabeçou o desenvolvimento de alguns dos produtos mais atraentes do mundo: iMacs, MacBooks, iPhones, iPods e, mais recentemente, o iPad. "Contudo, o hardware é apenas o começo do que a Apple fez nos últimos doze anos", escreve Arrington. "A empresa acelerou o ritmo da mudança nas indústrias da música, do cinema e da televisão e redefiniu o telefone celular." Se Jobs não tivesse retornado, Arrington duvida que outro presidente de empresa tivesse ingressado no mercado já saturado de tocadores de MP3 com o iPod. Ele questiona se qualquer outra pessoa teria lançado o iPhone ou o iPad. Mesmo se você não possui esses produtos, Arrington sugere, o mundo seria muito diferente caso Job não estivesse nele: "Provavelmente, ainda estaríamos no inferno do celular comum. A probabilidade é que ainda não teríamos uma experiência boa de navegação no telefone e, sem dúvida, não estaríamos desfrutando dos aplicativos de terceiros, como o Pandora e o Skype, em relação a qualquer ferro-velho que as operadoras nos davam. Steve Jobs também foi o homem que quase sozinho abalou toda a indústria da música. Além disso, atualmente, é espantoso como diversos laptops e desktops imitam a aparência dos MacBooks e iMacs. Sem Steve Jobs, o mundo seria um lugar menos colorido. O homem é uma lenda viva e merece seu lugar na história".[6]

A influência da Apple ficou evidente em todos os andares do Barcelona Mobile World Congress, em fevereiro de 2010, ainda que não fosse um expositor. Os concorrentes, tais como Samsung, Nokia, LG e Research in Motion, adotaram aparelhos com telas de toque e lojas de aplicativos, duas inovações popularizadas pelo iPhone.

As inovações da Apple envolvem sua vida todos os dias. Talvez você nunca tenha tido um Mac, mas você já usou um PC com o Windows 7. No lançamento do Windows 7, um gerente de grupo da Microsoft foi criticado ao anunciar que o novo sistema operacional (OS) se inspirava no OS X, da Apple. A Microsoft removeu o código para otimizar o sistema, tornando-o mais eficiente e estável – um gesto ao estilo Apple. Além disso, segundo o gerente, o que a Microsoft tentou fazer com o novo sistema operacional foi criar uma sensação e um aspecto gráfico semelhantes aos do Mac. Quer sua preferência seja Mac ou PC, as inovações da Apple estão todas ao seu redor.

Alguém sugeriu que se igualar ao sucesso de Steve Jobs seria inatingível para a maioria das pessoas. Não insultarei sua inteligência afirmando que este livro o converterá num bilionário, muito mais rico que Steve Jobs, nem prometo que o ajudará a inventar o próximo iPod. Uma promessa como essa tem parentesco com a de um técnico de basquete da escola do ensino médio afirmando que pode ensinar um jovem atleta a encestar bolas como Michael Jordan. As chances de que o menino será o próximo Jordan são pequenas. No entanto, sem dúvida, suas habilidades melhorarão e talvez esse jovem atleta se transforme em um astro na escola do ensino médio e na faculdade e, se ele trabalhar com afinco, até assinará um contrato milionário para disputar a NBA, a principal liga de basquete do mundo. Ele pode nunca ter a influência que Jordan teve no basquete, mas terá uma carreira esportiva mais bem-sucedida do que a grande maioria dos atletas das escolas de ensino médio poderia esperar alcançar.

Quem são seus heróis?

Certa vez, escutei que somente 3% das pessoas estão empenhadas em idealizar a vida dos seus sonhos. Isso parece mais ou menos certo. A maioria das pessoas passa mais tempo elaborando listas de compras no supermercado do que pensando acerca do seu futuro. No entanto, talvez a Grande Recessão tenha atuado como um despertador, lembrando às pessoas que elas precisam controlar suas vidas, em vez de deixar seu futuro nas mãos dos outros, que podem não ter as melhores intenções em mente.

Os jovens estão procurando orientação e muitos estão olhando para Steve Jobs. Em 2009, em uma pesquisa da Junior Achievement, mil adolescentes, com idades entre 12 e 17 anos, foram solicitados a classificar os empreendedores que mais admiravam. Steve Jobs ficou em primeiro lugar, com 35% dos votos. A apresentadora Oprah, o skatista Tony Hawk, as gêmeas Olsen e Mark Zuckerberg, fundador do Facebook, receberam menos votos. Ao serem perguntados a respeito do motivo pelo qual escolheram Jobs, quase dois terços dos entrevistados (61%) deram respostas do tipo "porque ele faz a diferença", "ele melhorou a vida das pessoas" ou "ele transformou o mundo num lugar melhor".[7] Somente 4% mencionaram a riqueza ou a fama de Jobs como um motivo para selecioná-lo, levando-nos a crer que os adolescentes são mais altruístas do que os adultos acreditam. Fazer a diferença no mundo parece fazer a diferença para os adolescentes norte-americanos.

"Podemos falar muito acerca de uma pessoa sabendo quem são seus heróis", Jobs afirmou, explicando o famoso anúncio de tevê *Think different* [Pense diferente], que apresentava inovadores tão eminentes – e heróis de Jobs – como Albert Einstein, Bob Dylan, Mahatma Gandhi e Amelia Earhart.[8] A campanha publicitária estreou em 28 de setembro de 1997, menos de um ano depois do dramático retorno de Jobs à Apple, após onze anos de ausência. A marca Apple estava maculada, e a primeira função de Jobs foi revitalizar a imagem da empresa. Depois que Jobs aprovou a campanha, ele não permaneceu como um observador passivo. Ele se envolveu em cada aspecto da campanha, revisando o trabalho de arte todos os dias. Jobs também foi providencial na obtenção de autorizações, ligando para Yoko Ono ou para os responsáveis pelo espólio de Albert Einstein.

O ator Richard Dreyfuss leu a narrativa em *off* para o anúncio da tevê, enquanto imagens em branco e preto de pensadores, cientistas e iconoclastas preenchiam a tela. É fácil perceber por que Jobs assumiu tal função controladora no projeto; não foi porque ele achou que a campanha sozinha reviveria o sucesso da Apple, mas porque, sob vários aspectos, Dreyfuss o estava descrevendo: "Eis os malucos... aqueles que enxergam as coisas diferentes... aqueles que mudam as coisas. Eles inventam. Eles imaginam. Eles investigam. Eles criam. Eles inspiram. Eles impulsionam a humanidade".[9] A campanha significava muito para Jobs, pois ele estava construindo seu legado e, como em relação aos grandes inovadores antes dele, havia impulsionado a humanidade.

Nancy F. Koehn, professora de Harvard, situa Jobs na mesma categoria de outros empreendedores importantes dos últimos dois séculos, homens e mulheres como Josiah Wedgwood, John D. Rockefeller, Andrew Carnegie, Henry Ford e Estée Lauder. Eles todos compartilham certos traços: motivação profunda, curiosidade incansável e imaginação aguçada. "Jobs chegou à maturidade em um momento de intensa mudança econômica, social e tecnológica, que agora denominamos Revolução da Informação", escreveu Koehn. "Wedgwood, a fabricante britânica de louça de porcelana do século

XVIII, que criou a primeira marca real de consumo, cresceu na Revolução Industrial, outro período de mudança profunda. E Rockefeller preparou o terreno para a moderna indústria do petróleo nas décadas de 1870 e 1880, quando as estradas de ferro e a chegada da produção em massa estavam transformando os Estados Unidos de uma sociedade rural em uma sociedade industrial."[10] Para Koehn, em um tempo de transformação significativa, muita coisa está disponível para ser agarrada. Inovadores como Jobs, Rockefeller e outros agarram esses momentos de ruptura.

Revolução no ar

Sem dúvida, em 1776, a ruptura estava no ar na América colonial, quando 56 homens, entre os líderes mais inovadores do seu tempo, acrescentaram suas assinaturas a um documento que provocaria uma revolução nos Estados Unidos e se espalharia para diversas regiões do mundo. A Declaração de Independência dos Estados Unidos pôs o poder do governo nas mãos do povo. Quando os Estados Unidos celebraram o bicentenário da independência, dois homens – Steve Jobs e Steve Wozniak – acrescentaram suas assinaturas a um documento de fundação que desencadearia uma revolução, colocando o poder da informática nas mãos das pessoas comuns. Da mesma forma que Thomas Jefferson afirmou o direito da revolução – a ideia de que o povo tinha direitos e que quando um governo viola esses direitos e as condições ficam intoleráveis o povo tem a obrigação de mudar ou abolir esse governo –, Jobs e Wozniak assumiram a responsabilidade de mudar um sistema que, sob vários aspectos, tinha ficado intolerável. Os computadores eram caros, difíceis de montar e relegados a praticantes de um hobby, a elite. Jobs e Wozniak partilhavam de uma visão comum: criar um computador que todos pudessem pagar e utilizar. "Quando criamos a Apple, desenvolvemos o primeiro computador porque realmente queríamos um", afirmou Jobs. "Então, projetamos o novo computador denominado Apple II, com cores e muitas outras coisas. Tínhamos o entusiasmo de fazer uma coisa simples, que era criar alguns computadores para nossos amigos, para que eles pudessem se divertir com eles tanto quanto nós."[11]

Embora o Altair 8800 fosse o primeiro computador pessoal, a revista *Time* reconheceu o Apple II como o início da revolução do computador pessoal.

Da mesma forma que ocorreu na revolução pela independência, nem todos estavam confiantes que a revolução da informática levaria a uma sociedade melhor. Na década de 1970, alguns analistas acharam que os computadores ampliariam o fosso entre os ricos e os pobres, em virtude dos elevados níveis de preço dos primeiros computadores. Outros expressaram preocupação de que as pessoas perderiam a capacidade de pensar por meio de problemas ou ficariam cada vez mais isoladas da sociedade. Naturalmente, muitos livros podem ser escritos a respeito do impacto positivo que os computadores têm tido sobre a humanidade, envolvendo e melhorando nosso cotidiano. Alguém pode sustentar que as forças subjacentes à revolução da informática teriam conduzido à democratização da tecnologia sem Jobs e Wozniak, mas seria difícil refutar a proposição de que Jobs a fez decolar. É preciso confiança para iniciar uma revolução, confiança em nossas próprias habilidades e confiança de que nossa visão promoverá o avanço da sociedade.

Sete princípios que orientam Steve Jobs

Acredito na possibilidade de reproduzir a experiência de Steve Jobs no seu negócio, na sua carreira e na sua vida se você entender os sete princípios que o orientam. Os mesmos princípios atuam por trás de outros indivíduos e organizações bem-sucedidos. Nas páginas a seguir, aprenderemos como o mais famoso sushiman do mundo, Nobuyuki Matsuhisa, aplica os mesmos princípios em suas receitas premiadas, da mesma forma que Steve Jobs faz em relação às suas criações premiadas. Descobriremos o princípio único da inovação que estimulou Jobs a criar o Mac e estimulou Rachael Ray a criar refeições em trinta minutos. Aprenderemos como John F. Kennedy utilizou um segredo da inovação para inspirar o homem a pousar na Lua e como o mesmo princípio inspirou a criação do Mac. Conheceremos um grupo de donas de casa que aplicaram o mesmo princípio que Jobs utiliza para inspirar sua equipe e o fizeram funcionar na revitalização de uma escola de bairro decadente e escutaremos ex-funcionários da Apple que criaram suas próprias empresas recorrendo aos princípios de sucesso que aprenderam com o ex-patrão.

Certa vez, escutei a história de uma avó que estava tentando decidir o que dar aos seus netos no Natal. Ela queria presenteá-los com algo que demonstrasse seu amor e que lhes fosse útil muito tempo depois da sua morte.

Comprou quatro maçãs verdes, uma para cada neto, e as embalou em uma caixa de presente. As crianças abriram suas caixas e encontraram as maçãs. Sob cada maçã havia um bilhete oferecendo um computador da Apple. O bilhete explicava que, como uma maçã de verdade, cada neto tinha, em seu centro, as sementes da grandeza, e que o novo computador da Apple os ajudaria a conquistar sua verdadeira riqueza. A avó morreu, mas os netos conservaram o bilhete, referindo-se ao presente como a "experiência Apple".[12] Quer você tenha ou não um produto da Apple, pode se beneficiar do presente que Steve Jobs deu ao mundo: os segredos relativos à inovação. Diversos líderes empresariais, empreendedores e ex-funcionários da Apple descobriram os segredos e os aplicaram para obter um sucesso revolucionário. É bom você se perguntar "O que Steve faria?", mas você não obterá uma boa resposta se não entender primeiro os sete princípios que orientam a abordagem dele em relação aos negócios e à vida.

Neste livro, os sete princípios apresentados o pressionarão a pensar diferente a respeito da carreira, da empresa, dos clientes e dos produtos. Eles aparecem na seguinte sequência:

- **Princípio 1: "Faça o que você gosta".** Steve Jobs seguiu seu coração durante toda a vida e isso, ele afirma, fez toda a diferença.
- **Princípio 2: "Cause impacto no universo".** Jobs atrai pessoas com ideias afins, que compartilham sua visão e que ajudam a transformar suas ideias em inovações que mudam o mundo. A paixão abastece o foguete da Apple e a visão de Jobs cria o destino.
- **Princípio 3: "Ponha seu cérebro para funcionar".** A inovação não existe sem a criatividade, e, para Steve Jobs, a criatividade é o ato de conectar as coisas. Jobs acredita que um conjunto amplo de experiências amplia nossa compreensão da experiência humana.
- **Princípio 4: "Venda sonhos em vez de produtos".** Para Jobs, as pessoas que compram produtos da Apple não são "consumidores". São pessoas com sonhos, esperanças e ambições. Jobs desenvolve produtos para ajudá-las a materializar seus sonhos.
- **Princípio 5: "Diga não para mil coisas".** A simplicidade é a sofisticação máxima, de acordo com Jobs. Dos projetos do iPod ao iPhone, da embalagem dos produtos da Apple à funcionalidade do

site da Apple, a inovação significa eliminar o desnecessário para que o necessário possa falar.

- **Princípio 6: "Crie experiências incríveis".** Jobs converteu as Apple Stores no padrão ouro do serviço ao consumidor. A Apple Store tornou-se a melhor loja do mundo, introduzindo inovações simples que qualquer empresa pode adotar para estabelecer conexões profundas e duradouras com seus clientes.
- **Princípio 7: "Domine a mensagem".** Jobs é o narrador de histórias corporativo mais proeminente do mundo, convertendo o lançamento de produtos em uma forma de arte. Você pode ter a ideia mais inovadora do mundo, mas, se você não for capaz de empolgar as pessoas, sua inovação não terá importância.

Você constatará que dois capítulos foram dedicados a cada um dos sete princípios. O primeiro capítulo relativo a cada um revela como aquele princípio condicionou as inovações bem-sucedidas de Jobs, e o segundo capítulo demonstra como outros profissionais, líderes e empreendedores utilizaram o mesmo princípio para pensar diferente em suas vidas pessoais e profissionais, permitindo-lhes criar e inovar de um modo impactante. Nesses capítulos corroborativos, os indivíduos e as marcas apresentados o desafiarão a "pensar diferente" sobre os seguintes aspectos da sua vida:

- Carreira (**Princípio 1**: "Faça o que você gosta").
- Visão (**Princípio 2**: "Cause impacto no universo").
- Pensamentos (**Princípio 3**: "Ponha seu cérebro para funcionar").
- Clientes (**Princípio 4**: "Venda sonhos em vez de produtos").
- Design (**Princípio 5**: "Diga não para mil coisas").
- Experiência (**Princípio 6**: "Crie experiências incríveis").
- História (**Princípio 7**: "Domine a mensagem").

Esses sete princípios incrivelmente diferentes para o sucesso revolucionário funcionarão somente se, independentemente do seu cargo ou função, você se enxergar como uma marca. Quer você seja um empreendedor calculando um quarto de hóspedes, um veterano de vinte anos de um setor passando por mudanças importantes, um recém-formado em uma entrevista para o primeiro emprego ou o dono de uma pequena empresa procurando ideias para melhorar seu negócio, você representa a marca mais importante de todas: você mesmo. O modo como fala, anda e age reflete a marca. Mais importante, o modo como você *pensa* acerca de si mesmo e do seu negócio terá o maior impacto sobre a criação de novas ideias que desenvolverão seu negócio e melhorarão as vidas dos seus clientes.

Steve Jobs é o presidente de empresa de duas marcas lendárias: Apple e Pixar. No entanto, esse é o Steve Jobs de hoje. Trinta e cinco anos atrás, ele estava montando computadores na casa dos pais. Em 1976, ninguém enxergava Jobs como uma "marca", mas ele sim. Mesmo com 21 anos de idade, quando Jobs e seu amigo Steve Wozniak estavam montando placas de circuito impresso no quarto, na cozinha e na garagem da casa de Paul e Clara Jobs, o jovem Steve se via como uma marca. Jobs providenciou um endereço comercial alugando uma caixa postal em Palo Alto. Ele até contratou um serviço de atendimento telefônico automatizado, para que os clientes e os fornecedores achassem que ele era dono de um negócio legítimo e não um jovem concorrendo com sua mãe pelo acesso à mesa da cozinha. Jobs queria aparentar ser maior do que era, pois, em sua própria mente, ele já era.[13]

A Michelangelo é creditada a seguinte afirmação: "O maior perigo para a maioria de nós está não em fixar nosso objetivo muito alto e falhar, mas, sim, em fixar nosso objetivo muito baixo e atingir nosso alvo". Michelangelo, assim como Jobs, conseguia ver coisas que os outros não viam. Michelangelo observou um bloco de mármore e viu Davi; Steve Jobs observou um computador e viu uma ferramenta para desencadear o potencial humano.

Que potencial você enxerga em si mesmo? Imagine o que você pode obter no negócio com o insight e a inspiração corretos. Imagine aonde você pode levar sua carreira se tiver Steve Jobs orientando suas decisões. *O que Steve faria?* Vamos descobrir.

PRINCÍPIO 1

Faça o que você gosta

Tenha coragem de seguir seu coração e sua intuição. Eles, de alguma forma, já sabem o que você realmente quer ser.

STEVE JOBS

CAPÍTULO 2

Siga seu coração

Siga sua felicidade e o universo abrirá portas para você onde somente existiam paredes.

JOSEPH CAMPBELL, *O PODER DO MITO*

Em 1972, Steve Jobs decepcionou seus pais quando abandonou a Reed College após apenas um semestre letivo. Reed é uma faculdade de belas-artes pequena e liberal, em Portland, no Oregon. Na década de 1970, Reed era conhecida pelas turmas pequenas, pelos alunos inteligentes e por um ambiente tolerante em relação a estilos de vida e personalidades diferentes. Se você fosse um aluno desajustado na escola do ensino médio, se encaixaria na Reed.

Paul e Clara, pais adotivos de Jobs, estavam preparados para gastar suas economias com a onerosa mensalidade da faculdade particular. Foi um compromisso que eles assumiram com a mãe biológica de Jobs, uma estudante universitária solteira, dezessete anos antes. Nem Paul nem Clara tinham formação superior. De fato, Paul nem mesmo se formou no ensino médio. A mãe biológica de Jobs assinou os papéis finais da adoção só quando Paul e Clara prometeram que o menino cursaria uma faculdade. "Depois de seis meses, não conseguia ver valor naquilo", afirmou Jobs. "Não tinha a mínima ideia do que queria fazer da minha vida e menos ainda de como a faculdade me ajudaria a descobrir. E ali estava eu gastando todo o dinheiro que meus pais economizaram a vida inteira. Então decidi cair fora e confiar que tudo daria certo."[1]

Menos de uma década depois, Jobs, egresso da faculdade, tinha um patrimônio de 100 milhões de dólares. Em 1984, ele e seu sócio nos negócios, Steve Wozniak, estavam recebendo a National Medal of Technology, do presidente Ronald Reagan. Jobs multiplicaria seu patrimônio muitas vezes e se converteria no maior acionista da Disney, no presidente de empresa da década pela revista *Fortune* e num ícone global, cuja influência sobre as indústrias da informática, das telecomunicações, da música e do entretenimento se tornaria lendária. Sim, sem dúvida, tudo deu certo.

Uma fonte caligráfica

O abandono do curso da Reed College pôs tudo em movimento para Jobs, mas não pelo motivo que possamos imaginar. Ao contrário do seu rival Bill Gates – também egresso da faculdade (ele abandonou Harvard para fundar a Microsoft) –, Jobs não sabia o que queria fazer da vida. Tudo o que ele sabia era que estava seguindo seu coração. "No minuto em que abandonei o curso pude parar de frequentar as matérias obrigatórias, que não me interessavam, e comecei a procurar as que pareciam interessantes", afirmou Jobs.[2] Por dezoito meses, Jobs levou a vida típica de um hippie universitário dos anos 1970, dormindo no chão dos dormitórios dos amigos, retornando garrafas de Coca-Cola para ganhar algum dinheiro e caminhando mais de dez quilômetros todos os domingos para conseguir uma refeição quente em um templo hare krishna.

Aparentemente, uma vida dura, mas não foi. Segundo Jobs, ele amou cada minuto dela, pois seguiu sua curiosidade, deixando sua intuição guiar seus passos. O desejo de Jobs o levou a um caminho que, naquele momento, parecia aleatório e inútil: ele fez um curso de caligrafia. Jobs tinha visto alguns cartazes no *campus* com belas letras, fontes e estilos. Reed tinha um dos melhores departamentos de caligrafia do país, e Jobs tomou a decisão de buscar essa bela forma de arte; uma decisão que mudaria sua vida, não naquele momento, mas de um modo tão profundo que mudaria o mundo.

"Aparentemente, nada daquilo [caligrafia] tinha qualquer aplicação prática na minha vida", afirmou Jobs. "Mas dez anos depois, quando estávamos projetando o primeiro Macintosh, lembrei de tudo. Foi o primeiro computador com uma bela tipografia. Se eu não tivesse feito aquele curso, o Mac jamais teria múltiplas fontes ou fontes proporcionalmente espaçadas. E, como o Windows copiou tudo do Mac, provavelmente nenhum computador teria. Se eu nunca tivesse abandonado meu curso, jamais teria entrado no curso de caligrafia, e os computadores pessoais não teriam a maravilhosa tipografia que possuem."[3]

Jobs fez o curso de caligrafia por um único motivo: ele o considerou fascinante. Ele não sabia como os pontos se ligariam em sua vida, mas se ligaram. Os pontos não se ligam olhando para frente, Jobs diria. Os pontos se ligam só quando olhamos para trás. Devemos confiar que, ao seguir nossa curiosidade, as peças, no fim, se encaixarão.

Provavelmente nossa vida seria diferente hoje se a vida de Jobs não tivesse tomado esse rumo. O Macintosh tornou os computadores pessoais acessíveis a todos; substituiu linhas de comando por imagens coloridas e ícones: a interface gráfica do usuário. Introduziu um dispositivo denominado mouse. Nas mãos de milhões de pessoas criativas, o Macintosh marcou o início de uma era de editoração eletrônica, inspirou novos modos de ensino e enriqueceu o mundo de modo imensurável. E não esqueçamos que, se não fosse o sucesso do Macintosh, a própria Apple poderia ter desaparecido, Steve Jobs não teria tido nada para voltar, em 1996, e o mundo teria ficado sem inovações como o iPod, o iPhone, o iMac, a Apple Store e o iPad. Mesmo se você nunca utilizou um Mac, pode ainda agradecer Jobs por ter feito o curso de caligrafia; se ele não tivesse feito, nosso mundo poderia ser muito diferente de como é atualmente.

Em 2005, pela primeira vez, Jobs contou publicamente a história da caligrafia. Além de provar ser um ponto crucial em nossa compreensão de como Jobs desenvolveu ideias incrivelmente criativas, também contém o segredo definitivo para o sucesso nos negócios e na vida: siga o coração. Não descarte essa lição como algum chavão sem importância, supérfluo. Garanto que não é. "Qual é o segredo por trás da criatividade de Jobs?", perguntei certa vez para uma analista que cobria a Apple há trinta anos. "A história da caligrafia conta tudo que você precisa saber acerca do que impulsiona Steve Jobs", ele respondeu.

O estilo Baron

Ron Baron comanda uma conhecida empresa de investimentos em Nova York denominada Baron Capital Group. O conjunto de fundos de investimentos possui 700 mil investidores e 16 bilhões de dólares sob administração. Baron é um sujeito interessante. Ele é muito rico (comprou uma casa avaliada em mais de 100 milhões de dólares) e as conferências anuais da sua empresa apresentam artistas como Elton John e Rod Stewart. Baron cresceu em Asbury Park, em Nova Jersey, e tem outra coisa em comum com Bruce Springsteen, que é outra história de sucesso de Asbury: os dois possuem uma ética de trabalho severa. Baron foi capaz de transformar mil dólares obtidos removendo neve com uma pá e servindo sorvetes em 4 mil dólares investindo na Bolsa de Valores.

Baron afirma que seu mantra é investir nas pessoas e não em prédios. "Recentemente, li um discurso que Steve Jobs fez como paraninfo para a turma de 2005 de Stanford", disse Baron para 4 mil investidores que estavam presentes em sua conferência anual, em 23 de outubro de 2009. "Achei o discurso especialmente tocante e adequado com respeito ao tipo de pessoa em quem investimos", afirmou.[4] Baron relatou a história que Jobs contou respeito da época em que foi demitido da Apple após uma desavença com a diretoria, um acontecimento que devastou Jobs. "A única coisa que me manteve em pé", afirmou Jobs, "foi que eu gostava do que fazia. O único modo de fazer um ótimo trabalho é gostar do que você faz".[5] Baron terminou com esse pensamento: "É nossa experiência que os melhores executivos são aqueles que são os mais apaixonados pelo que fazem... como Steve".

Na última década, os fundos de investimentos de Baron superaram consistentemente em desempenho o mercado geral de ações, um feito que poucos fundos podem igualar. O "dom" de Baron tem sido uma capacidade incomum de julgar executivos. Realmente, esse dom caracteriza-se pela avaliação da personalidade, juízos geralmente baseados em se um executivo e sua equipe possuem a paixão para materializar a visão deles. Esse é o "estilo Baron".

Dois Steves com muito em comum

Para Steve Jobs, o Vale do Silício, na Califórnia, foi um lugar maravilhoso para crescer. Não pelo clima, pelo cenário, pelas escolas, pela proximidade com as praias ou as montanhas, ou por diversas outras coisas que fazem as pessoas se apaixonar pela Califórnia. Mas, sim, porque era um lugar mágico, em que Jobs estava cercado por engenheiros. Larry Lang era um deles. Ele morava perto da rua dos Jobs. Em 1995, numa entrevista para o Smithsonian Oral History Project, Steve Jobs refletiu sobre Lang e o que significou crescer no Vale do Silício desde a infância:

> Ele era incrível. Ele costumava montar... esses produtos [eletrônicos] comprados na forma de kit. Esses Heathkits vinham com manuais detalhados sobre como juntar as coisas, e todas as peças eram expostas de um certo jeito e segundo um código de cores. Na realidade, você montava por conta própria. Diria que isso dava diversas coisas a uma pessoa. Dava o entendimento do que estava dentro de um aparelho e como ele funcionava, pois incluía uma teoria da operação, mas, talvez ainda de modo mais importante, dava o senso de que a pessoa podia montar as coisas que via ao seu redor, no universo. Essas coisas não eram mais misteriosas. Ou seja, você olhava para um televisor e pensava: "Não montei um desses, mas posso montar". Nesse sentido, tive muita sorte na infância.[6]

> *"Espero que vocês sejam tão sortudos quanto eu. O mundo precisa de inventores; grandes inventores. Vocês podem ser um deles. Se vocês gostam do que fazem e estão dispostos a fazer tudo o que for preciso, isso está ao seu alcance. E valerá a pena cada minuto que vocês passarem sozinhos à noite, pensando muito sobre o que querem projetar ou construir. Valerá a pena, prometo."*[7]
>
> STEVE WOZNIAK, COFUNDADOR DA APPLE

Jobs teve uma infância "afortunada", em que pôde se entregar à sua paixão pela eletrônica, descobrindo como as coisas funcionavam e como torná-las melhor. Ele procurou amigos com a mesma paixão, incluindo um jovem chamado Steve Wozniak. "Woz" era cinco anos mais velho do que Jobs e cursava a faculdade, enquanto Jobs era aluno do terceiro ano da Homestead High School, de Cupertino, a *alma mater* de Woz. Eles moravam a cerca de 1,5 quilômetro de distância um do outro e foram apresentados por um amigo comum. "Steve e eu nos entendemos imediatamente", revelou Wozniak. "Lembro que ficávamos sentados na calçada o máximo de tempo possível contando histórias; a maioria acerca de brincadeiras que pregávamos e também sobre que tipo de projetos eletrônicos faríamos... Nós, os dois Steves, tínhamos muito em comum. Conversávamos sobre eletrônica, falávamos a respeito da música de que gostávamos e trocávamos histórias."[8]

Jobs e Woz partilhavam uma afinidade que ia muito além do interesse por eletrônica e da paixão por pregar peças. Em seu centro, a amizade se baseava no desejo mútuo de fazer o que gostavam. De acordo com Woz, "eu projetaria qualquer coisa de graça. Fiz tudo isso voluntariamente, pois gostava de fazer. Na faculdade, as pessoas queriam trabalhos datilografados, e eu dizia: 'Eu datilografarei seu trabalho. E datilografarei até as quatro da manhã, pois gosto muito de datilografar'. Nunca cobrei um centavo. Quando você faz coisas de que gosta, faz sem se preocupar com dinheiro".[9]

Não se acomode

Se você tivesse a sorte de ter uma rara conversa com Steve Jobs e lhe perguntasse o que ele faz para ser um empreendedor de sucesso, o que acha que ele diria? Você não precisa adivinhar. Em 1995, ele respondeu a essa pergunta em uma rara entrevista para o Smithsonian Oral History Project:

> Acho que você deve arrumar um emprego como ajudante de garçom ou algo assim até achar algo que realmente goste, pois isso dá muito trabalho. Estou convencido de que cerca de metade do que separa os empreendedores de sucesso dos malsucedidos é pura perseverança. É bem duro. Você investe muito da sua vida nisso. Há momentos tão difíceis que acho que a maioria das pessoas desiste. Não as condeno. É realmente duro e consome sua vida. Se a pessoa tiver uma família e estiver nos primeiros dias de uma empresa, não consigo imaginar como ela pode conseguir. Tenho certeza de que é possível, mas é duro. São quase dezoito horas de trabalho por dia, sete dias por semana, por algum tempo. A não ser que sinta muita paixão pelo que faz, você não vai sobreviver. Vai desistir. Assim, você tem de ter um ideia, ou um problema ou um erro que quer

> corrigir, pelo qual você está apaixonado; caso contrário, não terá a perseverança para prosseguir. Acho que essa é metade da batalha.[10]

Jobs afirma que ele teve sorte, pois descobriu cedo na vida o que gostava de fazer. Aos 30 anos, contudo, ele foi despedido. Depois de uma luta pelo poder, John Sculley, o então presidente da Apple – que Jobs havia tirado da Pepsi com o famoso desafio "você quer passar o resto da vida vendendo água açucarada ou quer uma chance de mudar o mundo?" –, convenceu a diretoria a despedir Jobs, em maio de 1985. "O que fora o foco de toda a minha vida havia desaparecido, e eu estava devastado", Jobs afirmou.[11] Ele considerou o acontecimento um fracasso público. Estava humilhado. Então, algo começou a despontar nele: Jobs amava o que fazia. Ele podia ter sido "rejeitado", mas continuava apaixonado. Assim, recomeçou e iniciou o que denominou o período mais criativo da sua vida, uma década em que lançou diversas inovações importantes, incluindo uma empresa que revolucionaria a indústria do entretenimento: a Pixar.

Jobs resumiu a importância desse período criativo em sua vida para uma turma de recém-formados de Stanford, em 2005:

> Estou convencido de que a única coisa que me manteve em pé foi que eu gostava do que fazia. Você precisa achar o que gosta. E isso é verdade tanto para seu trabalho quanto para seus casos amorosos. Seu trabalho vai preencher uma grande parte da sua vida, e o único modo de se sentir verdadeiramente satisfeito é fazer o que você acredita ser um ótimo trabalho. E o único modo de fazer um ótimo trabalho é gostar do que faz. Se você ainda não o encontrou, continue procurando. Não se acomode. Assim como todas as coisas do coração, você saberá quando encontrar. E, como qualquer bom relacionamento, fica cada vez melhor com o passar dos anos. Portanto, continue procurando até encontrar. Não se acomode.[12]

A maioria dos livros e dos estudos a respeito do tópico de inovação enfoca teorias, métodos e técnicas herméticos. Em comparação, se você estudar a vida e as palavras de Steve Jobs, o inovador mais estimulante do mundo, constatará que a inovação começa com algo que todos nós temos: paixão. Capturar essa paixão e utilizá-la para transformar ideias em produtos e serviços é onde a maioria dos inovadores que mudaram o mundo encontra seu começo. A paixão não é um tópico ensinado em cursos de MBA, pois não é quantificável; não se encaixa facilmente numa planilha de Excel. No entanto, Steve Jobs, repetidas vezes, contou-nos sobre o segredo do seu sucesso: faça o que você gosta.

> *"Para mim, o dinheiro realmente não significa muito. Dou quase tudo para obras de caridade, museus, grupos de crianças, para tudo o que posso. Foi quase um mal para mim, pois não era a motivação que eu estava atrás, e queria permanecer a pessoa que tinha sido sem a Apple. Por isso voltei atrás e me dediquei ao ensino. Não teria partido para o ensino se não houvesse a Apple."*[13]
>
> STEVE WOZNIAK, COFUNDADOR DA APPLE

Certa vez, Jobs comentou que tinha mais de um milhão de dólares aos 23 anos, mais de 10 milhões aos 24 e mais de 100 milhões aos 25. Por mais impressionante que possa ser, isso não era importante para ele, pois "nunca fiz as coisas pelo dinheiro. Ser o homem mais rico no cemitério não tem importância para mim. Ir para a cama à noite depois de ter feito algo maravilhoso isso é o que importa".[14] O que importa para você? Se perseguir ideias com o objetivo de ficar rico, poderá ter uma pequena chance de ter sucesso. Mas, provavelmente, você desistirá no surgimento dos inevitáveis obstáculos. Jobs não desistiu ao ser despedido da Apple. Ele tentou novamente, pois não conseguiu imaginar levar a vida sem o trabalho que amava.

A inovação não pode acontecer sem paixão, pois as chances de criar ideias revolucionárias são pequenas. O segredo do sucesso de Steve Jobs – seguir sua paixão – é tão simples e intuitivo que é, frequentemente, negligenciado ou excluído nas grandes teorias administrativas da inovação. Não obstante, o próprio Jobs reforçou enfaticamente esse conselho em seus discursos, *keynotes** e entrevistas.

* Termo muito utilizado pela comunidade Mac. Em português, significa "diretriz", "ideia central", "linha de ação". (N.T.)

Nunca subestime o papel que a paixão desempenha no sucesso da sua empresa, produto, marca ou carreira. A busca apaixonada de um sonho é fundamental para o sucesso do seu negócio? Não necessariamente. Você pode ter muito sucesso, ao menos financeiramente, seguindo as pegadas de outras pessoas que ganharam dinheiro em um setor específico. No entanto, a inovação revolucionária – aquela que faz a sociedade avançar – será muito mais difícil de alcançar. A inovação ocorre quando alguém está obsessivamente apaixonado por um assunto específico, quer seja o desenvolvimento de computadores que encantam os consumidores, a criação de tecnologias que reduzem a dependência mundial dos combustíveis fósseis, a pesquisa de remédios que salvam vidas, a realização de um trabalho excepcionalmente envolvente ou diversos outros empreendimentos que melhoram a condição humana. As pessoas que se preocupam com essas ideias não podem se imaginar fazendo outra coisa. Pensar a respeito do assunto preocupa, estimula e, no fim, inspira essas pessoas a criar empresas, produtos e serviços revolucionários.

Se você ainda não descobriu sua paixão, siga o conselho de Jobs e continue procurando. De acordo com ele, o trabalho vai preencher grande parte da sua vida, e a única maneira de realizar um bom trabalho é seguir sua paixão. Se você ainda não a descobriu, não se acomode. Steve Jobs não descobriu sua paixão com facilidade. Sem dúvida, ele ficou procurando. Frequentou cursos da faculdade que não quis, viajou para a Índia e até passou algum tempo em uma fazenda coletiva de maçãs, em Oregon. No fim, uniu seu amor pela eletrônica com o desejo de causar impacto no universo. O resultado foi uma sequência de aparelhos revolucionários que tiveram impacto sobre milhões de clientes e investidores satisfeitos da Apple, além de inúmeros milhões de outras pessoas que utilizam produtos inspirados na Apple. Encontre sua paixão. Depois disso, você estará no caminho de criar ideias incríveis.

iDicas

1 Quem você conhece que seguiu uma paixão? Estude essa pessoa. Ela produziu ideias criativas e únicas? Parece ter mais energia, entusiasmo e empolgação do que outras pessoas? Fale com ela. Você pode ter alguns insights sobre como ela fez a transição entre trabalhar em algo que não a engajava e fazer algo que ela gostava.

2 Você tem interesses fora do que faz para viver? Em caso afirmativo, investigue-os. Você pode ficar surpreso sobre como pode transformar essas paixões em sucesso financeiro.

3 Tente algo novo este ano. Faça um curso, leia um livro ou vá a uma conferência que não tem nada a ver com seu trabalho.

CAPÍTULO 3

Pense diferente a respeito de sua carreira

As paixões são irresistíveis. Se você estiver prestando atenção na sua vida, as coisas pelas quais está apaixonado não o deixarão sozinho. São as ideias, as esperanças e as possibilidades pelas quais sua mente naturalmente gravita, as coisas nas quais você concentrará seu tempo e atenção por nenhuma outra razão além de se sentir bem.[1]

BILL STRICKLAND, ESCRITOR, *MAKE THE IMPOSSIBLE POSSIBLE*

A caligrafia serviu de catalisador para Steve Jobs começar a pensar diferente sobre o mundo e o papel que ele desempenharia para torná-lo melhor. Para Bill Strickland, líder comunitário e escritor de Pittsburgh, na Pensilvânia, o catalisador foi a cerâmica. Em 1965, Strickland cursava a Oliver High School, em Manchester, um bairro violento de Pittsburgh. "Cursar" é modo de dizer. Strickland estava perto de ser expulso da escola, pois pouco frequentava as aulas. Numa quarta-feira à tarde, ao entrar em uma sala de aula repleta de fornos, potes e cerâmicas sua vida mudou drasticamente. O professor de artes, Frank Ross, virou-se para o jovem de 16 anos e perguntou: "Em que posso ajudá-lo, filho?". Ross não sabia que essa pergunta iniciaria a carreira de um homem cujo nome se tornaria sinônimo de inovação social.

Perguntei para Strickland como o aprendizado referente à cerâmica foi um momento decisivo na sua vida. "Eu cresci num bairro violento, de maioria negra, no centro decadente da cidade, onde ninguém nunca trabalhou com cerâmica. Jamais tinha visto aquilo antes. Foi mágico", respondeu. "Disse para mim mesmo que havia todo um mundo que não tinha considerado porque não alcançara meu campo de visão. Ao conhecer aquele homem [Frank Ross], que me apresentou à experiência, aquilo ativou e alimentou meus sonhos. Se não tivesse sido por aquela aula de cerâmica, eu estaria na cadeia ou morto."[2]

Confiando na sua paixão

A cerâmica literalmente salvou a vida de Strickland. Também foi a base de uma escola de artes que ele fundou em 1968, a Manchester Craftsmen's Guild (MCG). Strickland passou a dirigir a escola – que apresentou a jovens marginalizados a magia da cerâmica, da fotografia e da pintura – quando concluiu seu curso de graduação na Universidade de Pittsburgh.

No término da faculdade, Strickland, aluno destacado, interessou-se por aviação. Ele frequentou o curso de piloto de avião e, sete anos depois, tornou-se piloto da Braniff Airlines. Voava nos finais de semana e voltava para trabalhar em sua escola nas manhãs de segunda-feira. (Strickland diz brincando que não dormiu durante trinta anos.) A Braniff enfrentou tempos difíceis (faliria em 1982) e ele foi dispensado. Poderia ter encontrado outro emprego como piloto – uma companhia aérea concorrente ofereceu-lhe trabalho –, mas, após refletir longamente, percebeu que, embora gostasse de voar, não era sua missão, seu destino. Ele queria mudar o mundo. Dedicou-se, então, em tempo integral, aos seus empreendimentos: um programa de ensino extracurricular e um novo programa de formação profissional para adultos. "Estava ensinando crianças a fazer potes de cerâmica e ajudando meus vizinhos a conseguir empregos", ele afirmou, "não porque eu precisasse, mas porque eu queria. Isso fez toda a diferença."

Strickland sabe exatamente o que Steve Jobs quis dizer quando revelou que ser despedido da Apple foi a melhor coisa que poderia ter acontecido para ele. De acordo com Strickland, "a paixão não o protegerá dos reveses, mas assegurará que nenhum fracasso é definitivo". Na experiência de Strickland, os reveses transformam-se em experiências de aprendizado, dando-lhe a chance de refinar sua visão e de repensar sua postura. Mais importante, ele afirma, os reveses o lembram de quanto seus sonhos significam para você.

Strickland é um "inovador social", cujo nome foi relacionado entre os inovadores mais importantes da história de Pittsburgh, incluindo Andrew Carnegie, o magnata do aço e filantropo, que desenvolveu um modo barato e eficiente de produzir aço; Henry Heinz, que, embora mais conhecido pelo ketchup, desenvolveu o cozimento a vapor, os vagões frigoríficos e as técnicas de conservação a vácuo; o doutor Jonas Salk, que criou a vacina antipólio; e um jovem chamado Chad Hurley, que desenvolveu uma nova maneira de distribuir vídeos na internet e a denominou YouTube. Strickland não inventou uma vacina, uma nova tecnologia ou técnicas de manufatura revolucionárias, mas suas teorias sobre mudança social são extraordinárias e impactantes. "Se você enxergar as pessoas como ativas e não como passivas, poderá mudar o mundo de modo profundo", ele disse.

"Que papel a paixão desempenhou no sucesso das suas inovações sociais?", perguntei para Strickland.

"A paixão", ele respondeu, "é o combustível emocional que move sua visão. É o que você agarra quando suas ideias são desafiadas e as pessoas o rejeitam, quando você é desprezado pelos 'especialistas' e pelas pessoas próximas de você. É o combustível que o mantém de pé quando não há validação externa para seu sonho. Tive a visão de criar um centro que alteraria a conversa a respeito das pessoas pobres. Quis redefinir o modo pelo qual pensamos sobre a pobreza."

A Manchester Bidwell, a organização de Strickland, não é somente um centro. É um oásis cultural. Vinte anos após a criação do centro, Strickland conseguiu levantar recursos suficientes para concretizar seu sonho de contratar um arquiteto que estudou com Frank Lloyd Wright para construir um novo prédio. O mesmo arquiteto projetou o terminal do aeroporto internacional de Pittsburgh. Atualmente, a Manchester Bidwell acolhe adolescentes e adultos pobres e desempregados, oferecendo cursos de belas-artes, mobiliário personalizado, culinária e uma sala de concertos de nível internacional, com capacidade para 350 lugares, que recebeu grandes nomes do jazz, como Dizzy Gillespie, Herbie Hancock e Wynton Marsalis.

Cascatas também saúdam os visitantes. "Se você quer se envolver na vida de pessoas que perderam a esperança, tem de parecer a solução e não o problema", Strickland afirma. "Acho que mães que vivem da previdência social, as crianças pobres e os ex-metalúrgicos merecem uma fonte e, assim, coloquei uma bela fonte no pátio. A água nos saúda quando entramos. Água é vida; água é possibilidade humana. Criei um tipo de mundo que redime a alma e dá esperança para as pessoas."

As contribuições de Strickland não ficaram sem reconhecimento. Ele foi convidado à Casa Branca, recebeu o Genius Grant da MacArthur Foundation e é aplaudido de pé sempre que discursa. Os programas da Manchester Bidwell atingem milhares de estudantes e adultos da região de Pittsburgh e também de quase doze cidades do país que possuem centros afiliados baseados na filosofia da Manchester Bidwell, uma filosofia que afirma que todos são dignos e que podem contribuir para instituições que constituem sua comunidade.

Strickland obteve essa aclamação não porque planejou ser um inovador, mas porque decidiu perseguir um objetivo que deu propósito à sua vida. Em consequência, a instituição que ele desenvolveu é creditada a criar uma teoria de inovação social que funciona: 80% das mais de 3 mil crianças que participam dos programas anualmente concluem o ensino médio e entram na faculdade, enquanto a Manchester Bidwell coloca adultos em diversas das grandes empresas de Pittsburgh, incluindo a Universidade de Pittsburgh, onde Strickland atua como membro do conselho diretor.

Atualmente, a organização sem fins lucrativos de Strickland é um estudo de caso obrigatório na cadeira de empreendedorismo da Harvard Business School. Strickland afirma que os rapazes e as moças brilhantes de Harvard fizeram as melhores críticas a seu respeito, encontrando muitos motivos pelos quais ele deveria ter fracassado. No entanto, eles não perceberam o ingrediente mágico para o sucesso. A nova geração de empreendedores está aprendendo uma lição simples de inovação que não encontrará nas apresentações em PowerPoint ou planilhas, uma lição que tanto Strickland como Steve Jobs pregaram por décadas: siga seu coração e não se acomode em um caminho que é inconsistente com o que você sente que é seu destino verdadeiro. "O medo do fracasso pode sufocar o sonho de a pessoa levar uma vida extraordinária", afirma Strickland. "E o modo pelo qual você supera esse medo é confiando na sua paixão."

"A paixão é a gênese do gênio."

ANTHONY ROBBINS

Caindo 5.126 Vezes

Os inventores são, por definição, fracassos. Eles fracassam com muito mais frequência do que têm sucesso. James Dyson, inventor britânico, tinha paixão por engenharia, design e aspiradores de pó. Sim, aspiradores de pó (há uma paixão para tudo). Em 1978, ele ficou frustrado com o desempenho dos aspiradores de pó do mercado que perdiam sucção à medida que aspiravam a sujeira. O problema estava no saco: ele ficava entupido conforme aspirava o pó e, por isso, o aspirador perdia sucção. Respaldado pelo salário da mulher como professora de artes, Dyson passou cinco anos trabalhando na sua ideia, e, na sua tentativa 5.126, emergiu uma versão funcional de um aspirador de pó de ciclone duplo sem saco.

"Eu queria desistir quase todos os dias", Dyson afirmou. "Mas uma das coisas que fiz quando jovem foi corrida de longa distância, de 1,6 a 16 quilômetros. Eu era bom nisso, não por causa da minha condição física, mas porque tinha mais determinação. Aprendi que o momento em que você quer desacelerar é quando deve acelerar. Na corrida de longa distância, você passa por um obstáculo de dor. A mesma coisa acontece nos projetos de pesquisa e desenvolvimento, ou na criação de qualquer empresa. Há um momento terrível, em que o fracasso o está encarando. E, de fato, se você perseverar um pouco mais, começará a superá-lo."[3]

A maioria das pessoas desistiria depois dos primeiros trancos e barrancos, mas Dyson insistiu. Ele se deleitou no fracasso, pois isso é o que os engenheiros fazem: eles reformulam, testam, procuram novas ideias. Tiram proveito disso. Se você não tirar proveito de algo, então faça outra coisa, pois as chances do sucesso revolucionário são poucas. "Não me importo com o fracasso. Sempre achei que os alunos da escola deviam receber notas pela quantidade de fracassos que tinham. Provavelmente, a criança que tenta coisas estranhas e passa por diversos fracassos para chegar lá é mais criativa", Dyson afirmou.[4]

Dyson sente tanto orgulho dos seus 5.126 fracassos que celebrou suas tribulações em um pequeno folheto que acompanha cada aspirador de pó que sua empresa vende: a Dyson Story [História de Dyson]. Embora levasse cinco anos para desenvolver o produto, aquela etapa foi apenas o início. Dyson enfrentaria diversas rejeições de empresas globais estabelecidas, como a Hoover, cujos executivos míopes enxergavam somente os lucros imediatos que obtinham das vendas de sacos descartáveis para aspiradores de pó. Os executivos da Hoover rejeitaram a invenção de Dyson, ainda que admitissem que funcionava muito bem. Dyson disse que a raiva e a frustração são motivadores importantes; bem como a necessidade. Como nenhuma empresa quis vender sua invenção, Dyson a vendeu diretamente aos consumidores, e não no Reino Unido, mas no Japão. Os japoneses ficaram encantados com o estilo e a funcionalidade da invenção de Dyson. No fim, o aspirador de pó Dyson tornou-se um sucesso no mercado doméstico do inventor e alcançou o posto de aspirador de pó mais vendido do Reino Unido, tomando a dianteira dos aspiradores oferecidos pelos fabricantes que rejeitaram a ideia. Posteriormente, a Hoover fez uma confissão grosseira: um executivo afirmou que a empresa deveria ter comprado a ideia de Dyson e a exterminado, de modo que nunca visse a luz do dia. Assim, o domínio da Hoover permaneceria intacto. Para diversos líderes, a inovação – novas ideias que melhoram a vida das pessoas – não é nem será parte do DNA das suas empresas.

Certa vez, um jornalista da *Forbes* perguntou a Dyson por que muitas empresas afirmam que querem contratar inovadores, mas acabam contratando pessoas que exerceram a mesma função em outras empresas durante anos. De acordo com Dyson:

> O problema é que você tem departamentos de recursos humanos e *headhunters* [caçadores de talentos], e você tem de preencher formulários, e, então, eles tentam recrutar pessoas que são compatíveis com aquilo que os formulários dizem. Lutei contra isso o tempo todo, ou seja, essa ideia de que quando você contrata alguém, contrata alguém que tem experiência no seu setor. Há uma expressão horrível: "começar [o trabalho] já botando pra quebrar". Odeio essa ideia. Em alguns casos, ela pode ser perfeita para você, mas, na

> maioria dos casos, a pessoa provavelmente teve o tipo errado de experiência e você tem de reciclá-la profissionalmente. Assim, prefiro muito mais contratar pessoas diretamente da universidade ou pessoas que trabalharam em outro setor, mas fizeram algum trabalho interessante. É muito difícil conseguir recrutadores de pessoal que pensam dessa maneira.[5]

"Surpreenda-me"

A observação de Dyson reflete o modo pelo qual a Apple decidiu recrutar os funcionários. Sharon Aby trabalhou na Apple de 1983 a 1996 e durante três desses anos como recrutadora. Numa entrevista pessoal, ela me revelou:

> Não queríamos uma pessoa que desejava se aposentar com um relógio de ouro. Queríamos empreendedores, vencedores comprovados (mesmo aqueles que tinham acabado de se formar, mas que se destacaram na faculdade), colaboradores dinâmicos, que definiram sua função prévia em termos daquilo que contribuíram e não em termos dos seus títulos. Não queríamos contratar a partir de um único setor. Tínhamos um conjunto de pessoas que representavam todas as profissões. Acreditávamos que a inventividade vinha de qualquer lugar. A qualidade principal: expectativa de excelência. Procurávamos pessoas que tinham empolgação por criar coisas novas. Como recrutadores, não nos acomodávamos. Brigava com alguns gerentes que queriam preencher uma vaga rapidamente para dar andamento a um projeto, mas, se levasse seis meses para achar o melhor profissional, eles teriam de esperar. Procurava pessoas que tinham energia para criar algo novo. Nosso lema era: "Surpreenda-me".[6]

Steve Jobs, Bill Strickland e James Dyson pegaram caminhos diferentes para inovações bem-sucedidas, mas cada história individual ensina a mesma lição: não deixe sua obsessão morrer. Abrace-a, divirta-se com ela e a utilize para se manter destacado. Siga seu coração e não a multidão. Quando você escolhe uma faculdade, principalmente para satisfazer seus pais, corre o risco de ficar entediado, em vez de energizado com seu curso. Quando você decide abrir uma empresa ou franquia simplesmente porque seu vizinho está se saindo bem com isso, aumenta a probabilidade de fracasso. E quando você adota uma carreira porque seu cunhado ganhou muito dinheiro no último ano, amplia as chances de levar uma vida insatisfeita. Acima de tudo, a paixão o manterá de pé quando os obstáculos e reveses inevitáveis ameaçarem atrapalhar seu sonho.

Que delícia!

Rachael Ray, estrela da Food Network, canal de tevê dedicado à culinária, tornou-se presença onipresente na mídia devido à sua personalidade divertida, alegre e acessível. Rachael cresceu literalmente em uma cozinha, pois sua família atuava no ramo da alimentação. A família Ray possuía diversos restaurantes em Cap Cod, Massachusetts. Em 1995, Rachael iniciou sua carreira culinária no balcão de doces da Macy's, loja de departamentos de Nova York. Ela teve diversos cargos relacionados à comida antes de decidir que viveria no norte do estado em vez de na grande cidade. Rachael, que possui a reputação de trabalhadora incansável e apaixonada, tornou-se a compradora de uma loja de alimentos finos em Albany.

Às vezes, a necessidade é a mãe da inovação – que foi o caso por trás da ideia mais conhecida de Rachael –, mas, quando a paixão se junta à necessidade, é maravilhoso. Em certo momento, ela estava vendendo mais pratos prontos do que conseguia preparar. Conforme os pratos prontos ficavam mais conhecidos, as vendas de alimentos frescos da loja começaram a declinar. "Então, perguntei a todos os meus clientes: 'Por que você não cozinha? Por que você não está comprando alimentos frescos?' E todos diziam a mesma coisa: 'Não tenho tempo, e é mais fácil preparar os pratos prontos'".[7]

> *"Quando sua vida está de acordo com seu propósito, você se sente o mais poderoso."*
>
> OPRAH

Então, Rachael teve a ideia inovadora de oferecer aulas denominadas "30 minutes meals" [Refeições em 30 minutos]. Para ela, se as pessoas estavam dispostas a esperar até trinta minutos pela entrega de uma pizza a domicílio, seriam receptivas a receitas que levavam somente trinta minutos para fazer. Contudo, Rachael esbarrou em uma dificuldade imprevista. Nenhum chefe de cozinha da região daria aulas por pouco dinheiro e, então, ela acrescentou outra função a seu cargo e também passou a dar aulas. Uma emissora local de tevê ofereceu-lhe um segmento culinário no noticiário vespertino e ela aproveitou a oportunidade, ainda que a emissora não lhe pagasse nada além de uma pequena soma para a compra dos ingredientes. De fato, Rachael perdeu dinheiro com isso. Porém, não se importava em não ser paga. Intuitivamente, ela entendeu que seguir sua paixão levaria a coisas melhores. Rachael não tinha certeza aonde o caminho a levaria, mas tinha fé de que perseguir sua paixão faria toda a diferença.

Nenhuma fé poderia ter ajudado Rachael a prever o que aconteceria depois. O programa na tevê de Albany levou a um segmento no programa *Today*, da NBC. Em seguida, veio um convite da Food Network, e ela foi contratada para apresentar um programa denominado *30 minutes meals*. Atualmente, Rachael é a estrela de diversos programas da emissora, vende milhões de livros, edita sua própria revista, apresenta um programa de entrevistas diurno e licencia uma linha de artigos de cozinha. No momento em que você lê isso, não surpreenderia tomar conhecimento que Rachael acrescentou ainda outro conceito ao seu império.

Em 2008, ela participou da Women's Conference, em Long Beach, na Califórnia. A conferência é um evento anual criado por Maria Shriver para inspirar as mulheres a levar vidas melhores. Esse evento tem atraído centenas de mulheres, muitas das quais empreendedoras. Durante uma discussão numa mesa-redonda, a atriz Valerie Bertinelli pediu a Rachael o melhor conselho que ela poderia dar às mulheres da plateia. Ela disse: "Acho que se você gosta do que faz, a parte mágica acontece organicamente. Você vai para o trabalho e trabalha mais duro do que o rapaz ou a moça ao lado, pois você gosta do que faz. E nunca perca seu tempo com coisas que você não pode mudar ou com as opiniões que os outros têm a seu respeito".[8]

> *"Quando você está inspirado por algum grande propósito, algum projeto extraordinário, os pensamentos quebram os grilhões: sua mente transcende as limitações, sua consciência se expande em todas as direções e você entra em um novo, grande e maravilhoso mundo. As forças, as aptidões e os talentos latentes se manifestam, e você descobre ser uma pessoa maior, muito maior do que alguma vez sonhou ser."*
>
> PATANJALI

O começo de uma empresa é cheio de contratempos. Mas, se você seguir sua voz interior – os pensamentos que "não o deixarão sozinho", citando Strickland –, o fracasso nunca será definitivo e, como Rachael Ray demonstra, as soluções criativas estão ali na esquina.

De sem-teto a multimilionário

Steve Jobs admite que teve sorte de descobrir sua paixão bem cedo na vida. A maioria das pessoas não tem a mesma sorte. Elas enfrentam a pergunta: "Sou apaixonado pelo quê?". Nem sempre é fácil encontrar a paixão profissional. Como você sabe quando a encontra? Em busca de auxílio, recorri a um homem que tinha uma fantástica história de sucesso, que Hollywood transformou em um filme estrelado por um dos atores mais famosos do mundo: Will Smith. O livro de Chris Gardner, *The pursuit of happyness* (*À procura da felicidade*), inspirou o filme com o mesmo título. (A palavra *hapyness* é escrita propositadamente de forma errada no título, pois é o modo como estava soletrada na frente de uma creche suspeita onde Gardner deixou seu filho enquanto batalhava para encontrar trabalho.)

Em 1981, enquanto realizava um estágio não remunerado na Dean Witter Reynolds, uma corretora de valores, Gardner passou um ano nas ruas com seu filho de dois anos. (Em uma entrevista para um artigo que escrevi para a revista eletrônica *Bloomberg BusinessWeek*, Gardner me revelou que os produtores do filme escalaram um garoto de cinco anos para o papel do seu filho, de modo que os dois poderiam travar um diálogo, mas, na vida real, o menino ainda usava fraldas.)[9] Gardner e seu filho buscavam abrigo à noite no banheiro da estação de metrô de Oakland, na Califórnia. Ninguém do trabalho de

Gardner fazia ideia disso. No fim, Gardner tornou-se um corretor da bolsa de valores. Dois anos depois, foi trabalhar na Bear Stearns, onde se tornou um dos melhores corretores. Em 1987, criou a Gardner Rich, sua própria empresa de corretagem, em Chicago. Atualmente, é multimilionário, palestrante motivacional, filantropo e empresário internacional, que lançou um fundo de participações privadas com investimentos na África do Sul. Nelson Mandela é seu sócio. Nada mau para um homem que, seis anos antes de criar sua própria corretora, estava "lutando, vivendo com dificuldade e rastejando para sair da sarjeta com um filho nas costas".[10]

"Qual é a coisa que mudou sua vida?", perguntei a Gardner durante uma entrevista para o perfil da *BusinessWeek*.

"A paixão", ele respondeu. "A paixão é tudo. De fato, você tem de ser fanático até o extremo em relação ao que faz."

O conselho de Gardner para os empreendedores ou para as pessoas que mudam de carreira: "Seja suficientemente corajoso para encontrar a coisa que o apaixona. Pode não ser aquilo para o qual você foi treinado a fazer. Mas seja suficientemente corajoso para fazer essa coisa. Ninguém precisa abrir o caminho a não ser você".

"Como você sabe que encontrou sua paixão?", perguntei.

"Encontre alguma coisa que você goste muito de fazer, que você não consegue esperar o sol nascer para fazer de novo."[11]

Considere a última citação. Você está fazendo algo de que gosta tanto que não consegue esperar o sol nascer para fazer de novo? Em caso negativo, o que Steve Jobs diria? Ele diria: "Continue procurando; não se acomode".

A inovação requer criatividade e energia. Certa vez, Donald Trump afirmou que, sem paixão, não temos energia, e, sem energia, não temos nada. Gostar do que fazemos é o combustível que precisamos para continuar trabalhando, continuar lutando, continuar buscando a vida que imaginamos. A paixão não é algo do qual falamos; é algo que sentimos, e todos podem ver isso em nós. Quando estamos apaixonados pelo nosso trabalho, iluminamos o espaço: está em nossos olhos, em nossa linguagem corporal, em nossa inflexão vocal. Possui o poder de transformar nosso mundo e, desse modo, os mundos das pessoas com quem convivemos.

Encontrando seu elemento

Em seu livro *O elemento-chave*, o doutor Ken Robinson relata uma história maravilhosa acerca de Gillian, uma menina de 8 anos que tinha problemas na escola: não cumpria os prazos, tirava notas baixas nas provas e se distraía com facilidade. Essa história verdadeira ocorreu na década de 1930. Os responsáveis pela escola acharam que Gillian tinha um problema e devia ser colocada em uma escola para crianças com transtornos de aprendizagem. Os pais de Gillian levaram a filha para o psicólogo da escola, que interrogou a mãe de Gillian por cerca de vinte minutos, olhando de relance para Gillian e tomando notas mentais durante a conversa. Então, ele pediu para Gillian ficar no consultório por alguns minutos, enquanto conversava com a mãe dela em particular. Antes de sair do consultório, o psicólogo ligou o rádio. Havia uma janela para o consultório, e ele e a mãe de Gillian observaram a menina do corredor. "Gillian estava de pé, movimentando-se pela sala de acordo com a música. Os dois adultos ficaram observando a cena em silêncio por alguns minutos, espantados com a graça da menina. Qualquer um teria notado que havia algo natural – até mesmo primitivo – nos movimentos de Gillian. Finalmente, o psicólogo virou-se para a mãe de Gillian e disse: 'Sabe, senhora Lynne, Gillian não está doente. Ela é uma bailarina. Leve-a para uma escola de dança'."[12]

A menina foi transferida para uma escola de dança na semana seguinte. Gillian Lynne nunca perdeu sua paixão pela dança. Ela ingressou na Royal Ballet School, em Londres, conheceu Andrew Lloyd Weber e criou alguns dos musicais de maior sucesso da história, incluindo *Cats* e *O fantasma da ópera*. "Gillian não era uma criança-problema. Ela não precisava ir para uma escola especial. Ela só precisava ser quem realmente era", escreve Robinson.[13]

Robinson e outros cientistas que estudam o campo do potencial humano concordam que os mais bem-sucedidos são aqueles que perseguem suas paixões, independentemente do salário. "Eles as perseguem porque não conseguem se imaginar fazendo outra coisa em suas vidas", afirma Robinson. "Muitas pessoas desprezam suas paixões para perseguir coisas pelas quais não se interessam, visando à segurança financeira. Contudo, o fato é que o emprego que você aceitou porque 'paga as contas' pode mudar facilmente para o exterior na próxima década. Se você nunca aprendeu a pensar criativamente e explorar sua capacidade verdadeira, o que você fará então?"[14] Robinson acredita que para concorrer na economia do conhecimento global, onde a criatividade e a inovação serão recompensadas, temos de pensar diferente de como abordamos a educação e nossas próprias carreiras e escolhas empresariais.

Nenhuma pessoa é boa em tudo, mas toda pessoa é boa em alguma coisa. De acordo com Robinson e outros especialistas, o segredo para a inovação bem-sucedida é compatibilizar a paixão com uma aptidão; uma competência básica. Às vezes, descobrir as forças requer um ajuste na direção correta, um lembrete para seguir sua habilidade inata. Consideremos um cliente meu, Eli Harari, presidente da SanDisk.

A SanDisk é uma das diversas empresas de tecnologia com as quais tive a sorte de trabalhar durante anos. Ela é a maior fabricante dos cartões de memória flash que armazenam fotos, vídeos e músicas em tudo, de câmeras digitais a smartphones. Eli Harari, cofundador da empresa, é considerado o "pai da memória flash". Afavelmente, gosta de lembrar que sua inovação desencadeou a revolução da câmera digital. Harari é um bom exemplo do encontro da paixão com a aptidão. Harari, um imigrante israelense, chegou aos Estados Unidos com mil dólares no bolso, doutorou-se em Ciência do Estado Sólido em Princeton, onde estudou Física e Semicondutores, e viajou para a Califórnia, na costa oeste, para mudar o mundo. Como adorava inventar coisas, decidiu direcionar sua paixão para o desenvolvimento da próxima e incrível... vara de pescar. Isso mesmo, uma vara e um carretel. Não uma vara qualquer, veja bem, mas a retrátil definitiva. Ele decidiu perseguir essa ideia porque leu que nos Estados Unidos existiam 26 milhões de pescadores. Harari, contudo, nunca tinha pescado. Depois de diversas tentativas fracassadas de inventar uma nova vara de pescar, o foco de Harari na pesca estava contrariando sua esposa. Ela acabou com o mal-entendido. A conversa deles foi mais ou menos essa:

"Quantas pessoas no mundo sabem o que você sabe sobre Física de Estado Sólido e Semicondutores?", ela perguntou.

"Talvez cem", Harari respondeu.

"Por que você não se foca em sua principal competência?", ela sugeriu.

Ela tinha razão, Harari pensou. Atualmente, a SanDisk possui centenas de patentes que rendem centenas de milhões de dólares por ano em royalties, fabrica um entre dois cartões de memória flash do mundo e gera bilhões de dólares de receita anual. A paixão de Harari pela invenção converteu-se em inovações somente quando foi devidamente direcionada para corresponder às suas forças.

A paixão não é suficiente, mas quando a paixão encontra a aptidão pode, de fato, mudar o mundo. Steve Jobs casou a paixão por computadores com a habilidade inata em eletrônica, design e marketing – a combinação suprema de habilidades para converter o nascente mercado de computadores pessoais em ferramenta para as pessoas comuns.

Posso fazer isso. Entendo isso. Gosto disso.

O primeiro romance de James Patterson, lançado em 1976, vendeu cerca de dez mil exemplares. Atualmente, um entre dezessete livros de capa dura vendido nos Estados Unidos é um romance de Patterson. Patterson, ex-executivo do setor de propaganda, transformou o papel do autor no mundo da edição de livros e introduziu modos inovadores de criar novos títulos, incluindo a ideia de utilizar coautores que se especializam em diversas séries ou gêneros. A *New York Times Magazine* observou que esse tipo de colaboração pode ser considerado normal na propaganda ou em outros setores criativos, como a televisão, mas adotar a abordagem para a elaboração de romances era nova na época.

> *"Tive sorte de me envolver com computadores quando era um setor muito novo e idealista. Não existiam muitos cursos de Ciência da Computação e, assim, as pessoas ligadas à informática eram pessoas brilhantes da Matemática, da Física, da Música, da Zoologia etc. Elas adoravam e ninguém estava realmente metido nisso por causa do dinheiro."*[15]
>
> STEVE JOBS

A paixão de Patterson por escrever ficção policial comercialmente atraente continuou a despeito de diversas rejeições. Uma editora após outra recusou o original de seu primeiro romance, *The Thomas Berryman number.* Depois de mais de doze recusas, o romance foi publicado, e Patterson, que escreveu o livro em uma máquina de escrever em seu pequeno apartamento de Nova York, ganharia o prestigioso Edgar Award, da Mistery Writers of America. Milhões de fãs de Patterson nunca teriam a satisfação de ler um dos seus livros de suspense se ele não tivesse seguido seu coração após se formar na Manhattan College, em 1969. Patterson frequentou a Vanderbilt University para seguir a carreira de professor de Literatura Inglesa, mas desistiu depois de um ano. "Descobri duas coisas que amava: ler e escrever. Se tivesse me tornado professor universitário, sabia que iria terminar destruindo as duas", afirmou Patterson.[16]

Patterson afirma que gostava de ler best-sellers, como *O exorcista* e *O dia do Chacal*. Ele chegou à conclusão: "Posso fazer isso, entendo isso e gosto disso".[17] Steve Jobs passou por uma progressão parecida em sua busca para comercializar computadores. Sua confiança o convenceu de que ele era capaz de fazer isso. Ele entendia de eletrônica; não tão bem quanto Wozniak, que criou o Apple I e o Apple II, mas quase. (Jobs participou de uma feira de ciências nos primeiros anos do ensino médio e desenvolveu um retificador controlado de silício, isto é, um aparelho para controlar a corrente alternada.)[18] E, sobretudo, ele gostava disso. A paixão encontra a aptidão. Definitivamente, a combinação pode mudar o mundo.

Como as grandes empresas podem estimular o pensamento do tipo "garagem"

No fim, Jobs e Wozniak deixaram seus empregos para criar a Apple (Jobs saiu da Atari e Wozniak, da Hewlett-Packard). No entanto, seguir uma paixão não significa pedir demissão e abrir um negócio na garagem. Um amigo meu é multimilionário e poderia viver facilmente na praia pelo resto da vida. Ele continua a trabalhar diariamente em uma empresa situada no Vale do Silício, listada entre as quinhentas maiores do país pela revista *Fortune*, pois é engenheiro, adora seu trabalho e não sonharia em fazer outra coisa. Ele não está interessado em abrir um negócio próprio, pois este nunca lhe proporcionaria os recursos disponíveis de uma empresa firmemente estabelecida que lidera o mercado. Outra amiga é a principal vendedora da empresa e também não tem a intenção de abrir um negócio próprio. Ela gosta muito de vendas, pois comercializa um produto ou serviço que acredita oferecer valor real para seus clientes. Ou seja, a maioria das pessoas não deixa as empresas porque querem iniciar um negócio na garagem. Elas saem porque estão sem inspiração.

Diversas empresas visionárias promovem o *intrapreneurship* (estímulo à inovação e à iniciativa dentro da própria empresa), estimulando seus funcionários a atuar como empreendedores, mesmo em um ambiente empresarial maior. Essas empresas dão aos funcionários o tempo para buscar suas paixões e os estimulam a assumir riscos para criar inovações. De fato, Steve Jobs discutiu esse conceito já em 1985. Em uma entrevista para a revista *Newsweek*, Jobs afirmou: "A equipe do Macintosh era o que é geralmente conhecido como *intrapreneurship* – somente alguns anos antes o termo foi criado –, um grupo de pessoas voltado, em essência, para a garagem, mas em uma grande empresa".[19]

A Google é uma empresa que cultiva empreendedores dentro da própria organização. Em uma real inovação do trabalho, os engenheiros da Google são estimulados a dedicar 20% do seu tempo – um dia por semana – para fazer aquilo que realmente gostam. A Google acredita nesse conceito de modo tão profundo que é um argumento de venda nas iniciativas de recrutamento da empresa. O "Innovation time off" [Tempo para inovação] satisfaz a necessidade dos engenheiros por significado e autorrealização, estimulando o desenvolvimento de produtos inovadores que beneficiarão a empresa. Entre as inovações que foram geradas durante esse tempo criativo, incluem-se o Gmail, o Google News, o Google Suggest, o AdSense for Content e o Orkut. Os executivos da Google atribuem à distribuição de 20% do tempo total do período de trabalho por 50% dos novos produtos da empresa.

Algumas empresas não dispõem de um sistema de *intrapreneurship*, mas acolhem favoravelmente novas formas de pensamento acerca da relação tradicional entre empregado e empregador. Quando trabalhei como vice-presidente da Ketchum, empresa global de relações públicas, a empresa identificou minha paixão por comunicações e pela arte de narrar histórias, permitindo-me obter uma função única como profissional de treinamento para seus maiores clientes, tratando de assuntos que envolvessem relacionamento com a mídia, comunicação de mensagens e habilidades de apresentação. A empresa também deixou que eu perseguisse minha paixão como empreendedor e trabalhou comigo para criar uma função híbrida única, em que dedicava uma parte do meu tempo aos projetos da Ketchum e outra à construção da minha marca como autor e palestrante. No fim, quando minha própria empresa exigiu mais atenção, deixei a Ketchum. Contudo, em vez de considerar minha saída como uma perda, a Ketchum me contratou para prestação de serviços aos seus clientes, tanto clientes estabelecidos, que ainda queriam trabalhar comigo, quanto novos. O relacionamento evoluiu para atender às necessidades de ambas as partes – e para satisfazer minha paixão.

Não desperdice seu tempo vivendo a vida de outra pessoa

Em 2009, em uma viagem para Nova York, encontrei-me com um jovem empreendedor que queria uma ajuda para elaborar a mensagem por trás de sua empresa recém-criada, uma comunidade de competição on-line. Achei que Craig Escobar estava sendo muito corajoso de criar uma nova empresa em um ambiente recessivo, o pior período econômico dos Estados Unidos desde a Grande Depressão. "Eu era um consultor financeiro bem-sucedido, dirigia um Mercedes SL500 novinho em folha e comandava uma grande equipe, apesar de ter 23 anos", Escobar me disse.[20]

"Muitas pessoas adorariam estar na sua posição. Por que você pediu demissão?", perguntei.

Escobar abriu seu notebook e me mostrou um documento que reconheci imediatamente: o discurso de paraninfo de Steve Jobs para a turma de 2005 da Universidade de Stanford.

"Continuei no meu cargo por dois anos depois de ler aquele discurso, pois todos se sentiam orgulhosos de mim e eu estava ganhando muito bem", revelou Escobar, "mas eu não gostava do que fazia. A paixão não estava ali. Quando Steve Jobs foi mandado embora da Apple, disse que só conseguiu continuar porque gostava do que fazia e nos aconselhou a encontrar aquilo que gostamos de fazer. Não nos acomodarmos. Eu estava satisfeito e era 'bem-sucedido', mas não me sentia realizado. Aquelas palavras me inspiraram a encontrar um caminho que me inspiraria".

Escobar decidiu combinar três das suas paixões: entretenimento, competição e empreendedorismo. Escobar e seu melhor amigo, Clint, um músico, tiveram a ideia de criar um site em que músicos poderiam competir on-line. "Meu estômago embrulhou quando descobri que havia outras empresas fazendo algo parecido on-line", disse Escobar. No entanto, ele lembrou que Jobs não desistiu depois de ser demitido da Apple. De fato, Jobs continuou a inovar, criando a NeXT e a Pixar. Escobar transformou sua ideia original de uma competição envolvendo apenas música em uma competição maior, em que os participantes podiam competir em diversas categorias, incluindo música, comédia e até apresentação de negócio. A história de Escobar não é incomum. Acho que nem o próprio Steve Jobs percebeu o impacto que suas palavras teriam sobre as pessoas de todo o mundo: homens e mulheres, líderes e gerentes, empreendedores e aspirantes a empreendedores, que foram lembrados de que as melhores ideias são criadas por aqueles que seguem seus sonhos. "Seu tempo de vida é limitado. Assim, não o desperdice vivendo a vida de outra pessoa", Jobs afirmou. "Mantenha-se ávido, mas não se leve tão a sério."

iDicas

1 Faça o que gosta. Se ainda não encontrou, continue procurando. Não se acomode.

2 Se você for um funcionário preso a um emprego que odeia, tome providências hoje, mesmo pequenas, para encontrar uma empresa ou um cargo mais compatível com suas habilidades e sua verdadeira vocação. Você nunca se sentirá suficientemente inspirado para criar inovações estimulantes se não gostar da sua função.

3 Se você comanda uma equipe de pessoas em uma grande empresa, desenvolva empreendedores internos, oferecendo a elas tempo, recursos e incentivos para seguir suas paixões e desenvolver novas ideias e, sobretudo, a confiança de assumir riscos.

PRINCÍPIO 2

Cause impacto no universo

Apostamos em nossa visão e fazemos produtos de acordo com essa visão, em vez de fazê-los iguais aos dos outros. Para nós, é sempre o próximo sonho.

STEVE JOBS

CAPÍTULO 4

Inspire entusiastas

A imaginação é o início da criação. Você imagina o que deseja; você quer o que imagina; e, finalmente, cria o que quer.

GEORGE BERNARD SHAW

A Apple iniciou com sucesso a revolução do computador pessoal com o lançamento, em junho de 1977, do Apple II. O Apple II, projetado por Steve Wozniak, tinha uma tela, um teclado embutido, gráficos coloridos, som e um drive de disquete. Também tornou os "microcomputadores" acessíveis e se converteu em um dos computadores pessoais mais bem-sucedidos da sua época. Consagrou a Apple como uma marca legítima e preparou o terreno para o arrasador lançamento das ações da Apple, em 1980, e para o lançamento do Macintosh, em 1984.

No entanto, na época do lançamento do Apple II, a Apple ainda era uma pequena empresa, com a sede situada atrás do restaurante The Good Earth, em Cupertino. Como seu nome sugeria, o The Good Earth era um representante precoce da alimentação saudável, famoso no "the Valley" (o Vale do Silício) por suas panquecas de granola, pratos vegetarianos e pães integrais, que servia muito antes desses itens serem alimentos básicos em cadeias de restaurantes de todo o país. O The Good Earth era o ponto de encontro favorito dos primeiros funcionários da Apple, incluindo o cofundador Steve Jobs. O restaurante fechou há muito tempo, e a Apple transferiu-se posteriormente para sua sede global, na One Infinite Loop, a 1,6 quilômetro do seu endereço original, mas um extraordinário almoço de negócios ainda brilha na mente de Rob Campbell, presidente da Voalté, empresa que desenvolve aplicativos *wireless* [sem fio] para o setor de saúde.

Em 1977, Campbell – que, posteriormente, desenvolveria o PowerPoint – era um programador de 22 anos, proprietário de uma pequena empresa de software, em Denver. Campbell tinha criado o primeiro programa de computador de contabilidade geral para o Apple II. Ele estava entusiasmado com a classe emergente de computadores pessoais e começou a procurar um cargo em uma das empresas na vanguarda da revolução. Steve Jobs interessou-se pelo garoto prodígio e convidou Campbell para encontrá-lo na Califórnia.

Atualmente, qualquer um que recebesse um convite pessoal de Steve Jobs pegaria o primeiro avião para o aeroporto de San Jose. Em 1977, contudo, Jobs não era a lenda que é hoje, e Campbell não sabia muita coisa a respeito dele. Assim, ele fez sua devida diligência e, antes de se encontrar com Jobs, visitou os concorrentes da Apple: a Tandy e a Commodore. Primeiro fez uma visita à Tandy, em Fort Worth, no Texas.

"Qual é a visão de vocês a respeito do computador pessoal?", Campbell perguntou aos executivos da Tandy.

"Achamos que pode ser o próximo objeto de desejo na lista de todas as pessoas para as festas de fim de ano. É o próximo rádio PX [faixa do cidadão]", eles responderam.[1]

A Tandy era dona da Radio Shack, que havia adquirido em 1963. Nos vinte anos seguintes, a quantidade de lojas Radio Shack alcançaria a marca de mais de 7 mil em todo o mundo. A década de 1970 foi um período de grande crescimento para a Radio Shack, principalmente por causa da popularidade do rádio PX em 1977. A Tandy chamava o rádio PX de "ferramenta de sobrevivência para a crise de energia". Graças ao sucesso do rádio PX, a Tandy tinha acabado de emergir do seu período das festas de fim de ano mais forte e estava buscando o sucesso do ano seguinte. Na fila, estava o microcomputador TRS-80. Os primeiros anúncios da Radio Shack para o computador o denominavam "acessível" a 600 dólares (2 mil dólares, em valores de hoje) e direcionavam o computador para os mercados da escola, do lar, do escritório e do passatempo.

Em 1977, os rádios PX foram a grande sensação. Os caminhoneiros tinham popularizado os rádios, que se destacaram na cultura popular, inclusive em filmes como *Agarre-me se puderes* e *The gumball rally* e músicas como *Convoy*, de C.W. McCall. O rádio PX foi uma das modas mais quentes dos anos 1970, e a Tandy achou que tinha outra coqueluche nas mãos com o novo computador pessoal. As modas vão e vêm, e Campbell não se animou com a ideia de participar de uma.

Campbell, depois de sua reunião pouco inspiradora na Tandy, visitou a Commodore, que fabricava caixas registradoras e tinha recentemente ingressado no mercado de computador pessoal em junho de 1977. O computador recebeu o nome de PET, acrônimo para Personal Electronic Transactor [Transator Pessoal Eletrônico], um nome não exatamente empolgante, mas a Commodore achou que o acrônimo deixaria a tecnologia simpática e vaga. O PET foi o primeiro computador completo criado pela Commodore. Na época, a ação da Commodore estava sendo negociada a menos de 1 dólar.

"Qual é a visão de vocês a respeito do computador pessoal?", Campbell perguntou aos executivos da Commodore.

"Achamos que pode fazer nossas ações subir para mais de 2 dólares!", responderam, com excitação.

As ações sobem e descem, e Campbell não se animou com a ideia de ajudar uma empresa a elevar o preço de suas ações.

"Em seguida, encontrei-me com Steve e Mike Markkula", Campbell me disse. Markkula era vinte anos mais velho que Jobs e tinha acumulado certo capital após receber em dinheiro as opções de compra de ações do seu empregador anterior, a Intel. Markkula investiu 250 mil dólares na Apple, tornou-se sócio e funcionário número três e atuou como mentor administrativo para o mais jovem Jobs. Markkula também desempenhou papel significativo nos avanços tecnológicos do Apple II. De acordo com Steve Wozniak, foi Markkula quem o convenceu a projetar um drive de disquete para o computador, um recurso que diferenciou o Apple II dos seus concorrentes. Campbell sentou-se para almoçar com Markkula e Jobs, um "garoto de cabelos compridos e usando calça jeans".

"Qual é a visão de vocês a respeito do computador pessoal?", Campbell perguntou aos executivos da Apple.

Campbell revela que o que aconteceu em seguida ainda lhe causa arrepios, mais de trinta anos depois.

"Steve Jobs era um contador de histórias fascinante. Na hora seguinte, ele falou sobre como os computadores pessoais iriam mudar o mundo. Descreveu um quadro de como mudariam tudo a respeito do modo pelo qual trabalhamos, educamos nossos filhos e nos entretemos. Não havia o que fazer, a não ser comprar a ideia."

Campbell comprou e foi trabalhar na Apple.

"Qual é uma coisa que diferencia Steve Jobs dos outros líderes?", perguntei para Campbell.

"Steve tem visão", ele respondeu. "Ele enxerga além do horizonte."[2]

Enxergar além do horizonte

Steve Jobs não inventou o computador pessoal, nem o tocador de MP3; no entanto, inovou esses dispositivos com o lançamento do Mac e do iPod. Ele não inventou os smartphones, nem inventou o tablet; contudo, inovou esses dispositivos com o lançamento do iPhone e do iPad. Steve Jobs não inventou a animação digital, nem foi o primeiro a vender computadores diretamente para os consumidores; no entanto, inovou essas ideias com a criação da Pixar e das Apple Stores. Embora poucas grandes empresas estejam tão intimamente associadas com seu fundador como a Apple, Jobs não é uma banda de um homem só. Ele sabe o que não sabe. Jobs "enxerga além do horizonte" e contrata pessoas – as melhores do setor – que têm inspiração para transformar o sonho em realidade. Cada inovação da Apple começa com uma visão grande e destemida e uma dose intensa de inspiração.

> *"Você pode sonhar, criar, projetar e construir o lugar mais maravilhoso do mundo, mas são necessárias pessoas para transformar o sonho em realidade."*
>
> WALT DISNEY

A inovação não se encaixa facilmente num pacote único, criado, projetado e montado por um único indivíduo. As novas ideias raramente são comercializadas sem uma equipe inspirada de entusiastas criativos e apaixonados, que transformaram essas ideias em realidade. Todos conhecem Steve Jobs, mas, no início da história da Apple, parceiros como Steve Wozniak, Jeff Raskin, Mike Markkula e Daniel Kottke compartilharam a visão de Jobs de colocar computadores nas mãos das pessoas comuns. Sem eles, nem o Macintosh nem a Apple existiriam. Atualmente, Jobs está rodeado por pessoas criativas e brilhantes, como o genial designer Jonathan Ive, o presidente Tim Cook, o vice-presidente de marketing Phil Schiller e muitos outros. Lembre-se: as invenções ou ideias tornam-se inovações depois que se transformam em produtos ou serviços úteis, que melhoram a vida das pessoas. Nenhuma ideia que Jobs já teve teria tido chance de se tornar uma inovação bem-sucedida se ele não tivesse sido capaz de convencer os outros a se juntar a ele em sua jornada. E ninguém teria se juntado a Jobs se não tivesse ficado inspirado pela sua visão.

"Steve possui um poder de visão que é quase assustador", afirmou Trip Hawkins, ex-vice-presidente de estratégia e marketing da Apple. "Quando Steve acredita em algo, o poder dessa visão pode literalmente varrer quaisquer objeções ou problemas. Eles cessam simplesmente de existir."[3] Se a paixão é o combustível que dá aos inovadores a energia para perseguir seus sonhos, a visão dá a direção que inspira os entusiastas a se juntar ao inovador na jornada.

Educando o consumidor

O *Preliminary Confidential Offering Memorandum*, da Apple, é um documento de 38 páginas que a empresa utilizou na busca de investimentos privados para acelerar seu crescimento em 1977. O documento fornece um vislumbre fascinante a respeito da história inicial da Apple e revela a visão por trás do Apple II e do mercado do computador pessoal. O memorando reconhecia que o *average Joe* [indivíduo comum] tinha muito pouca noção das "funções que podia realizar ou dos benefícios resultantes a serem obtidos a partir da operação do seu computador próprio, pessoal, doméstico".[4] Destaca os benefícios que o indivíduo comum desfrutaria se a Apple tivesse êxito em criar um computador para o consumo de massa. Surpreendentemente, a maioria das previsões da Apple se concretizou. Eis como o memorando da Apple descreveu os modos pelos quais o computador pessoal mudaria o mundo:

- Diversão pessoal
- Maior variedade de entretenimento
- Tempo e dinheiro economizados
- Melhores decisões financeiras
- Mais tempo para o lazer
- Segurança na informação pessoal
- Eliminação dos gastos de papel, energia e espaço de armazenagem
- Melhoria do padrão de vida
- Maior eficiência de aprendizagem
- Redução da poluição[5]

O documento foi elaborado numa época em que o computador pessoal estava, em grande medida, relegado ao mercado de aficionados, um pequeno grupo de gênios técnicos sofisticados capazes de projetar, construir e programar seu próprio equipamento. De acordo com o memorando, "a principal característica distintiva do verdadeiro mercado de informática residencial é a relativa falta de interesse técnico, matemático ou científico do usuário. Além disso, devido à falta geral de conhecimento dos benefícios oferecidos pelo computador, os clientes mais prováveis não têm quase nenhum desejo de comprar um equipamento hoje em dia. Portanto, será necessário educar o mercado com respeito aos benefícios resultantes da posse. Espera-se que, de fato, em 1985, uma unidade doméstica que utiliza um computador terá vantagens significativas em relação a uma que não utiliza".[6] Podemos só imaginar como um jovem Steve Jobs inspirou Rob Campbell com tal visão.

Uma visão que lançou a revolução da informática

"Posso relatar a você quase exatamente o momento em que a revolução da informática, como a presenciei, começou; a revolução que hoje mudou a vida de todos", escreve Steve Wozniak, em sua biografia, *iWoz*. "Ocorreu no primeiro encontro de um grupo estranho e aficionado de pessoas denominado Homebrew Computer Club, em março de 1975. Eram pessoas fascinadas com a tecnologia e com as coisas que poderiam ser... Após meu primeiro encontro, comecei a projetar o computador que depois seria conhecido como Apple I. Foi muito inspirador. Quase desde o início o Homebrew tinha um objetivo: trazer a tecnologia da informática ao alcance da pessoa comum, fazer isso de modo que as pessoas pudessem comprar um computador e fazer coisas com ele."[7]

Wozniak não participou desses encontros sozinho. Ele levou junto seu amigo Steve Jobs, que compartilhou a visão do Homebrew e a converteu no mantra da Apple nas três décadas seguintes: colocar computadores nas mãos das pessoas comuns. A visão era simples, destemida e inebriante. A "visão" não foi comunicada nos corredores, mas todos a conheciam. Em 1984, a visão assumiria o centro do palco na campanha de marketing para o Macintosh, com o slogan "Um computador para o resto de nós". Uma visão corajosa inspira os membros da equipe e os converte em entusiastas de um projeto. E os entusiastas podem, sem nenhuma dúvida, mudar o mundo.

Uma visão é muito diferente de uma declaração de objetivos de uma empresa. Uma declaração descreve o que você faz; uma visão é o modo pelo qual transformaremos o mundo num lugar melhor. De acordo com Jobs, na Apple, não há um "sistema" de inovação. Em vez disso, "contratamos pessoas qualificadas, que se desafiarão diariamente para fazer os melhores produtos possíveis. Eis por que aqui não se vê nenhum grande cartaz nas paredes expressando nossa declaração de objetivos. Nossa cultura corporativa é simples".[8]

Fomos revolucionários

Quando fundaram a Apple, Jobs tinha 21 anos e Wozniak, 26 anos. Como Leander Kahney descreve, "Wozniak era o gênio do hardware, o engenheiro-chefe dos circuitos integrados, mas Jobs entendia do pacote completo. Graças às ideias de Jobs sobre design e propaganda, o Apple II tornou-se o primeiro computador bem-sucedido para o consumo de massa, para os consumidores comuns".[9] Kahney assinala que, quando Jobs partiu para o projeto do Macintosh, ele não tinha inventado a interface gráfica do usuário, que é um recurso existente em quase todos os computadores atuais (incluindo as máquinas com Windows), mas ele levou esse recurso para as massas. "Esse foi o objetivo declarado de Jobs desde o início: criar tecnologia de fácil utilização para o público mais amplo possível."[10]

À medida que juntamos as peças referentes ao sucesso de Jobs, um quadro mais claro começa a emergir. Sim, Jobs, "enxerga além do horizonte", mas você pode enxergar Plutão e ainda assim não conseguir criar nada de valor, a menos que consiga inspirar outras pessoas a seguir sua visão. Todos (funcionários, clientes e investidores) entendem exatamente o que a Apple representa. As pessoas souberam desde o início, pois a visão de Jobs nunca vacilou. Trinta anos depois de frequentar os encontros do Homebrew com Wozniak, Jobs deixou claro que sua visão original continuou a condicionar todas as iniciativas da Apple. Em 2004, em uma entrevista para o jornal *The Guardian*, Jobs declarou: "Há um DNA muito forte na Apple, que consiste em usar tecnologia de última geração e deixá-la fácil para as pessoas".[11]

"As grandes empresas, como IBM e Digital Equipment, não escutaram nossa mensagem social", escreveu Wozniak. "E não tiveram um indício de quão poderosa poderia ser a força dessa visão do pequeno computador. Nisso, fomos revolucionários."[12]

> *"Começamos a colocar computadores nas mãos das pessoas comuns e tivemos um êxito muito além dos nossos sonhos mais loucos."*
>
> STEVE JOBS

Como a Xerox perdeu no último minuto

Em 1979, quando Jobs tinha 24 anos, sua visão levou a uma série de eventos que mudaram o modo pelo qual todos nós usamos os computadores. "Eu visitei o Xerox Parc. Foi uma visita muito importante", Jobs afirmou. "Lembro-me de ter visto uma interface gráfica de usuário rudimentar. Estava incompleta, algo ainda não funcionava, mas o germe da ideia estava ali. Em dez minutos, ficou muito claro que todos os computadores funcionariam daquele jeito algum dia. Senti isso em cada osso do meu corpo. Naquele instante, podia discutir sobre o número de anos que levaria, podia discutir a respeito dos vencedores e dos perdedores em termos de empresas do setor, mas não acho que pessoas racionais podiam afirmar que todos os computadores funcionariam daquela forma algum dia."[13]

Jobs voltou para a Apple empolgado, estimulado por um novo senso de propósito. Ele quis que toda sua equipe de programação visitasse o Parc (Palo Alto Research Center). Sediado em Palo Alto, na Califórnia, o Parc era e continua sendo o centro de pesquisa e desenvolvimento da Xerox. Os cientistas do Parc desenvolveram a impressora a laser, a Ethernet e diversas outras inovações que se difundiriam pelo mundo. No final da década de 1970, o Parc desenvolvera uma interface gráfica do usuário [GUI, na sigla em inglês], que permitia que as pessoas interagissem com os computadores via ícones na tela, em vez de comandos de texto. Assim que Jobs a viu, soube que ajudaria a atender sua visão de colocar computadores nas mãos das pessoas comuns.

Ao menos uma fundadora do Parc, Adele Goldberg, advertiu os executivos da Xerox de que a empresa estava perto de revelar um segredo. Os superiores de Goldberg desconsideraram suas preocupações e pediram para que ela recebesse Jobs e a equipe dele. Acabou sendo uma das piores decisões da história corporativa (a menos que seu nome seja Apple). Jobs e sua equipe foram ciceroneados em uma visita pelo Parc. Entre as inovações que viram, incluía-se um dispositivo de indicação denominado mouse, que podia mover um cursor ao redor de uma tela que tinha ícones gráficos. Larry Tesler, cientista do Parc, afirmou: "Depois de uma hora observando os demonstrativos, eles [os programadores da Apple] entenderam nossa tecnologia e o que ela significava, mais do que qualquer executivo da Xerox entendera após anos de demonstração".[14] Tesler, reconhecendo uma oportunidade de ser parte da história, logo ingressou na Apple.

"Basicamente, eram cabeças presas ao mundo das fotocopiadoras, que não tinham informações sobre um computador ou o que ele podia fazer", afirmou Jobs. "E, dessa maneira, acabaram deixando escapar a maior vitória do setor de informática. Atualmente, a Xerox poderia ser dona de todo o setor de informática."[15] Os cientistas da Xerox não perceberam todas as implicações da tecnologia sob seus narizes, pois ela não se encaixou numa visão maior. A paixão é inexpressiva sem visão. A inovação demanda tanto paixão como visão.

Jobs infundiu visão à equipe do Macintosh e achou as pessoas certas, os engenheiros mais brilhantes, para se juntar a ele na cruzada. Quando a equipe desgarrou da visão, ele voltou a focar a atenção nela. Em 1996, num documentário do canal PBS, *A vitória dos nerds*, Andy Hertzfeld, membro da equipe de projeto do Macintosh, afirmou: "O fato de o Mac levar muito tempo para inicializar ao ser ligado deixava Steve angustiado. Então, ele procurou motivar Larry Kenyon [outro programador da Apple], dizendo-lhe: 'Você sabe quantas pessoas vão comprar essa máquina? Serão milhões de pessoas e imagine que você consiga que a inicialização seja cinco segundos mais rápida. São cinco segundos multiplicado por 1 milhão todos os dias. São cinquenta vidas inteiras. Se você conseguir economizar cinco segundos, estará salvando cinquenta vidas'. E, assim, foi um jeito bom de pensar a respeito e obtivemos uma inicialização mais rápida". [16]

Nós nos sentíamos como Davi lutando contra Golias

Segundo Guy Kawasaki, ex-funcionário da Apple e Mac-entusiasta, ele levou vinte anos para entender o segredo da inovação: acontece quando você decide "criar sentido". Criar sentido significa que você quer transformar o mundo num lugar melhor. Kawasaki acredita que a Apple e outras grandes empresas começam com o nobre propósito de criar sentido e, em consequência, ganhar dinheiro. A Apple mudou o mundo porque começou com o objetivo de tornar as pessoas mais criativas e mais produtivas.

Para Kawasaki, a paixão e a visão inspiram as pessoas a desenvolver produtos superiores. "A Divisão Macintosh compartilhou um sonho, o sonho Macintosh, de mudar o mundo, levando computadores para mais pessoas, para que elas pudessem melhorar sua criatividade pessoal e enriquecer suas vidas. Todos nós achávamos que mudaríamos o mundo com nosso pequeno computador e trabalhávamos noventa horas por semana para fazer isso. Bebíamos seis cores de refresco todos os dias."[17] (A metáfora de Kawasaki é uma referência ao logotipo de seis cores da Apple da década de 1980.) Kawasaki revela que trabalhar para Jobs era tanto assustador quanto viciante. Era assustador porque Jobs "crucificava" a pessoa quando ela não satisfazia suas expectativas, mas "trabalhar para Steve também era um êxtase". Ele graceja:

"Teríamos trabalhado na Divisão Macintosh mesmo se ele tivesse nos dado Ki-Suco para beber."[18] Kawasaki destaca um ponto importante acerca de visão ou "sentido". Quando as pessoas estão inspiradas por uma missão que é maior do que um único indivíduo, elas trabalharão muito mais arduamente do que um grupo de indivíduos que não está inspirado pela visão do seu líder.

> *"Quando as pessoas gostam dos seus empregos por causa do próprio trabalho, frequentemente se sentem comprometidas com a organização que possibilita esse trabalho. Funcionários comprometidos tendem a permanecer em uma organização mesmo quando são perseguidos por caça-talentos agitando dinheiro."*
>
> HARVARD BUSINESS REVIEW

"Estávamos determinados a mudar o mundo, e isso era muito inebriante", afirmou Sharon Aby, ex-recrutadora da Apple. "Sabe, a inovação não pode existir sem uma grande visão. Nossa visão era mudar o mundo colocando computadores nas mãos das pessoas comuns. Queríamos inventar produtos que pessoas reais realmente usariam. Sentíamos como Davi lutando contra Golias. Todos estavam alinhados com a missão e isso nos habilitava a tomar decisões que eram do melhor interesse da empresa."[19]

A epifania que dá vida a Buzz Lightyear*

Em 1986, Steve Jobs investiu 5 milhões de dólares do seu próprio dinheiro para adquirir a Graphics Group, empresa da LucasFilm e constituída por uma equipe de animadores digitais qualificados. Menos de dez anos depois, a empresa, rebatizada como Pixar, fez história no cinema com *Toy story*, o primeiro longa-metragem de animação em computação gráfica. Mais filmes se seguiram, todos grandes sucessos: *Vida de inseto*, *Procurando Nemo*, *Carros*,

* Buzz Lightyear é um personagem dos filmes de computação animada *Toy story*, *Toy story 2* e *Toy story 3*. (N.T.)

Wall-E, *Up – Altas aventuras* e muitos outros. Em 2010, a Pixar havia ganhado 22 Oscars e faturado mais de 5,5 bilhões de dólares em todo o mundo. Em 2006, a Walt Disney, empresa que criou o longa-metragem de animação, comprou a Pixar, tornando Jobs o maior acionista da Disney.

Como acontecera sete anos antes durante a visita ao Parc, Steve Jobs teve um momento revelador, uma visão de futuro que brilhou tão intensamente que ele ficou absolutamente convencido do seu resultado. Dessa vez, foi a visão de outro homem que inspirou Jobs a se tornar um entusiasta, e não vice-versa. Jobs visitou Ed Catmull, na LucasFilm, e ficou assombrado com o que viu. Catmull era um inovador no campo florescente da computação gráfica de alta tecnologia. A visão de Catmull era fazer o primeiro longa-metragem de animação digital. Jobs adquiriu a divisão, que incluía tecnologia digital e um grupo de cerca de 45 animadores muito qualificados da LucasFilm. Dez anos e 50 milhões de dólares depois (na maior parte, dinheiro de Jobs), Sheriff Woody, Buzz Lightyear e uma dúzia de outros personagens digitais ganhariam as telas de cinema em todo mundo. *Toy story*, o primeiro longa-metragem da Pixar arrecadaria mais de 300 milhões de dólares no mundo todo e abriria as portas para uma nova geração de desenhos animados maravilhosos e mágicos.

Onde Catmull teve a visão de criar o primeiro longa-metragem de animação digital, Jobs teve uma visão ainda mais ousada para a Pixar: "Ao longo do tempo, queríamos que a Pixar se transformasse em uma marca que tivesse o mesmo nível de confiança da marca Disney", disse Jobs certa vez.[20] De novo, a visão de Jobs se realizou. *Toy story* está classificado em 99º nono lugar na lista do American Film Institute dos cem filmes norte-americanos mais importantes de todos os tempos. O único outro desenho animado na lista é *Branca de Neve e os sete anões*, da Disney. A Pixar não existiria hoje se não fosse a visão de dois homens: Catmull e Jobs. A visão motiva a inovação e mantém a energia em um nível elevado diante dos reveses inevitáveis. (A produção de *Toy story* foi suspensa por diversos meses, pois os executivos da Disney exigiram que o roteiro fosse reescrito.) A inovação bem-sucedida requer uma equipe de pessoas comprometidas com a visão. "São esportes coletivos", afirmou Jobs. "Estamos tentando escalar uma montanha carregando muita coisa. Uma pessoa sozinha não consegue fazer isso."[21]

Só estamos começando

Em 9 de janeiro de 2001, Steve Jobs gastou oito minutos revelando uma visão que motivaria a tecnologia da Apple (e da informática) na década seguinte. Não só sua visão revelou-se correta, como também Jobs estava seguro sobre ela, e ele, publicamente, revelou a visão para todos. Jobs chamou sua visão de "Centro Digital" (Digital Hub).

No início do novo milênio, diversos analistas acreditavam que o PC estava morto ou em declínio em valor, pois dispositivos digitais independentes foram lançados para tarefas individuais: celulares, câmeras digitais, assistentes digitais pessoais (PDAs), tocadores de MP3, reprodutores de DVD etc. Alguns acreditavam que esses dispositivos acabariam substituindo os computadores multiuso. Steve Jobs não. Novamente, ele enxergou além do horizonte.

"Só estamos começando", disse Jobs, na Macworld Expo de 2001. "Gostaria de dizer para onde estamos indo. Qual é a nossa visão? Achamos que o PC está evoluindo exatamente como tem evoluído desde o tempo da sua invenção, em 1975." Depois dessa afirmação, Jobs apresentou uma aula de história. Ele denominou os anos de 1980 a 1994 de a "idade de ouro da produtividade" do PC, com a invenção dos programas de planilha eletrônica, processamento de textos e editoração eletrônica. Em meados da década de 1990, Jobs afirmou, a internet anunciou a segunda idade de ouro. "Achamos que o PC está no limiar de ingressar na terceira idade de ouro, a era do estilo de vida digital. Acreditamos que o Mac pode se tornar o centro digital de nosso estilo de vida emergente, adicionando um valor enorme aos nossos outros dispositivos digitais", previu Jobs.[22]

A visão de Jobs para converter o Mac em um centro digital inspirou algumas das inovações mais notáveis da era da informação. Como parte da estratégia, a Apple desenvolveu um software para editar vídeos (iMovie), para organizar fotos (iPhoto) e para reproduzir músicas e vídeos (iTunes, iPod). A estratégia de Centro Digital fixaria o curso da Apple para a década vindoura e revigoraria o setor que tinha perdido seu encanto.

Oportunidade perdida da Microsoft

O iPad, o novo tablet da Apple, foi apresentado em janeiro de 2010. Quando foi colocado à venda, em abril, o sucesso foi imediato, vendendo um milhão de unidades em 28 dias. Jobs não foi o único visionário a enxergar a necessidade de um tablet. Outro famoso empreendedor, Bill Gates, afirmou isso: "O PC tirou a informática do escritório do departamento administrativo e a colocou no escritório de todos. O tablet pega a tecnologia de ponta do PC e a disponibiliza onde você quiser. Por isso já estou usando um tablet como meu computador cotidiano. É um PC que é praticamente sem limites; e, em cinco anos, prevejo que será a forma mais popular de PC vendida nos Estados Unidos".[23]

Nesse caso, o notável é que Gates fez essa previsão não em 2010, mas em 11 de novembro de 2001. O que aconteceu? "A Microsoft nunca desenvolveu um sistema verdadeiro de inovação", afirmou Dick Brass, ex-vice-presidente da Microsoft. Em um artigo revelador para o *The New York Times*, após o lançamento do iPad pela Apple, Brass defendeu a tese de que a Microsoft, na realidade, impede a inovação. "Apesar de dispor de um dos maiores e melhores laboratórios corporativos do mundo e de ter o privilégio de possuir não apenas um, mas, sim, três diretores de tecnologia, a empresa consegue rotineiramente frustrar as iniciativas dos seus pensadores visionários."[24] Como exemplo, Brass revelou que levou uma década para uma tecnologia denominada ClearType (um método para melhorar a legibilidade do texto na tela do computador) achar seu caminho para sair do laboratório e entrar no Windows. Ele afirmou que isso incomodava outros grupos da Microsoft, que se sentiam "ameaçados pelo nosso sucesso". Como Brass relata, ele e sua equipe, em 2001, estavam desenvolvendo o tablet, mas o vice-presidente encarregado dos aplicativos do Office, na época, decidiu que não gostava do conceito. Esse vice-presidente recusou-se a modificar os aplicativos, para que funcionassem de modo adequado no tablet, basicamente arruinando o projeto. O grupo da Microsoft responsável pelo tablet foi extinto. É uma história triste. Um conflito mortal destruiu um projeto que custara centenas de milhões de dólares para ser desenvolvido e podia ter colocado a Microsoft como uma das principais inovadoras do mundo, em uma nova e estimulante categoria de informática de acesso móvel.

> *"A inovação não tem nada a ver com a quantidade de dólares que você tem para pesquisa e desenvolvimento. Quando a Apple criou o Mac, a IBM estava gastando, no mínimo, cem vezes mais em P&D. Não se trata de dinheiro. Trata-se das pessoas que você tem, como você é dirigido e o quanto você compreende."*
>
> STEVE JOBS

Para confirmar o argumento de Brass, chequei com Tim Bajarin, importante analista da Apple. "A grande diferença é que todos na Apple estão na mesma página, orientados por Steve Jobs. Isso significa que cada grupo e cada projeto estão em fileira cerrada com a visão de Jobs", assinalou Bajarin. "Os negócios da Microsoft são feudos, e todos eles são centros de lucro autônomos. Em diversos casos, a mão direita não sabe o que a mão esquerda está fazendo. O tablet é um bom exemplo. Precisava ser parte de uma grande visão de acesso móvel, orientada por um grupo único, lutando pelo futuro do acesso móvel. Em vez disso, a Microsoft tem tido diversos grupos conduzindo diferentes aspectos do acesso móvel (Zune, Windows Mobile, Tablet etc.). Em consequência, a empresa perdeu uma grande oportunidade de promover uma versão integral do Windows com acesso móvel do tablet e inovar em torno disso."[25]

A história do iPad reforça o princípio-chave da inovação: novas ideias devem se inserir numa visão mais ampla, articulada por um defensor que mantém a organização concentrada na materialização da visão. Toda organização, grande e pequena, precisa de um "Steve Jobs": um líder carismático, visionário e criativo, que tem o poder de manter equipes enfocadas no quadro global.

Cause impacto no universo

"Steve possui uma capacidade incrível de reunir pessoas em favor de uma causa comum, descrevendo um objetivo cósmico inacreditavelmente glorioso", afirmou Trip Hawkins, ex-gerente de marketing da Apple. "Uma das suas declarações favoritas era: 'Vamos causar impacto no universo'. Tornaremos isso tão importante que causaremos impacto no universo."[26]

A pergunta foi suscitada, ou seja, como um homem como Steve Jobs promove uma cultura de entusiasmo, que cria um "campo de distorção da realidade", um fenômeno atribuído a Jobs, em que o líder convence sua equipe de que tudo é possível? Em *The journey is the reward*, biografia precoce de Steve Jobs, o autor Jeffrey Young tenta responder à pergunta, definindo as habilidades excepcionais que levaram Jobs ao sucesso. Young concluiu que Steve Jobs "tinha a crença de um vendedor no produto que estava produzindo, a paixão fundamentalista do entusiasta, a singularidade fanática do propósito e a determinação de uma criança pobre de transformar seu negócio em sucesso".[27]

Em janeiro de 2007, no final da sua apresentação na MacWorld Expo, Jobs deixou a plateia com essa reflexão: "Há uma antiga citação de Wayne Gretzky [jogador profissional de hóquei sobre o gelo] que adoro. 'Patino até onde o disco deverá estar, e não aonde ele estava.' Sempre tentamos fazer isso na Apple, desde o início. E continuaremos tentando".[28] Certa vez, Eleanor Roosevelt afirmou que o futuro pertence aos que acreditam na beleza dos seus sonhos. Steve Jobs sempre acreditou na beleza dos seus sonhos para mudar o mundo. Você crê nos seus?

iDicas

1. Nunca subestime o poder da visão audaciosa referente ao avanço da sociedade.
2. Sua empresa ou causa possui uma visão audaciosa, específica, concisa e consistente que todos os membros da sua equipe conseguem incorporar? Caso contrário, é hora de ter uma.
3. Você conhece alguém que motivou outras pessoas comunicando uma grande visão para sua empresa ou iniciativa? Preste atenção em como essas pessoas incorporam essa visão nas suas conversas.

CAPÍTULO 5

Pense diferente a respeito da sua visão

Não faça planos modestos;
eles não têm magia para provocar entusiasmo.

DANIEL HUDSON BURNHAM, ARQUITETO NORTE-AMERICANO

Quase quarenta anos depois de Neil Armstrong, astronauta norte-americano, pisar na Lua, ele saiu para jantar em um restaurante italiano, numa cidadezinha da Califórnia. Um amigo comum me convidou para participar da refeição com o herói norte-americano. Armstrong foi o palestrante de uma conferência que acompanhei naquele dia. Por três horas, naquela noite, Armstrong nos deleitou com relatos sobre sua viagem pelo espaço, dos seus primeiros passos sobre a Lua e da sua vida ao retornar à Terra. Uma coisa que martelou minha mente durante nossa conversa foi a quantidade imensa de pequenas e grandes inovações – todas decisivas para a missão – que foram responsáveis, em última análise, para o envio do homem à Lua e para trazê-lo de volta à Terra em segurança.

Armstrong foi o ícone mais visível do programa espacial Apollo da Nasa. Ele foi, afinal de contas, a primeira pessoa a deixar sua pegada sobre a superfície lunar, em 20 de julho de 1969. No entanto, Armstrong teve muita ajuda: 400 mil auxiliares. As habilidades de 400 mil pessoas foram necessárias para o lançamento da *Apollo 11*, para o pouso dos astronautas na Lua e para o retorno deles à Terra; 400 mil, entre projetistas de foguete, engenheiros, técnicos, cientistas, inspetores e navegadores mais brilhantes do mundo e até costureiras que costuraram com cuidado os trajes espaciais especiais que os homens precisariam para sobreviver nas temperaturas extremas da Lua.

O pouso na Lua seria considerado um triunfo da inovação e do trabalho em equipe. No entanto, a alunissagem poderia nunca ter acontecido – sem dúvida, não no final dos anos 1960 –, não fosse a visão de um homem oito anos antes. Em 25 de maio de 1961, em uma sessão conjunta do Congresso norte-americano, o presidente John F. Kennedy apresentou sua visão com confiança e ousadia: "Acredito que esse país deve se comprometer a alcançar o objetivo de pousar um homem na Lua e trazê-lo de volta à Terra em segurança antes do final desta década. Nenhum outro projeto espacial deste período será mais impressionante para a humanidade".[1] Na ocasião, poucas pessoas sabiam exatamente como uma alunissagem seria realizada ou se até mesmo poderia acontecer. Milhares de tarefas, decisões e problemas tiveram de ser levados em conta. Os foguetes não tinham sido construídos ou projetados, os computadores não estavam preparados para a missão e ninguém sabia como manter os astronautas vivos no espaço. A grande visão de Kennedy era limitada nos detalhes, mas ousada o suficiente para pôr as forças em movimento. Dezenas de milhares, homens e mulheres, que escutaram o chamado, concordaram em participar de um objetivo estimulante e inebriante, um propósito que daria sentido às suas vidas e deixaria uma marca indelével na humanidade.

As visões grandes e ousadas têm um modo de inspirar equipes. As pessoas que trabalharam no programa Apollo precisaram de inspiração considerável para enfrentar os diversos contratempos, alguns bastante trágicos. Em 27 de janeiro de 1967, uma fagulha inflamou um reservatório de oxigênio da *Apollo 1*, que entrou em combustão, matando três tripulantes instantaneamente. A *Apollo 1* ficou destruída antes mesmo do lançamento. A Nasa aprendeu algumas lições valiosas a partir da tragédia. Os cientistas projetaram novamente a cápsula espacial com base no que aprenderam. O objetivo era claro e capturou tão completamente a imaginação de milhares de cientistas e engenheiros que eles apresentaram soluções para todos os problemas.

Certa vez, Ted Sorensen, assessor e redator de discursos de Kennedy, afirmou que os homens não alcançaram a Lua porque Kennedy quis. Na realidade, as pessoas ficaram excitadas com a visão da exploração espacial.

Kennedy deu vida a isso e, ao definir um objetivo e um cronograma específicos, organizou o gênio inovador coletivo de milhares de mentes brilhantes. O programa lunar provou que tudo é possível quando uma equipe de pessoas inteligentes e dedicadas compromete-se com um objetivo comum. Para a inovação acontecer em qualquer campo, a pessoa com a ideia deve inspirar os outros para ajudar a transformar a ideia em um produto, serviço ou iniciativa funcional. Um engenheiro da Nasa afirmou que a visão de ir para a Lua se apossou de tal modo da sua imaginação que ele não queria dormir, pois não podia esperar para voltar ao trabalho na manhã seguinte. Ele se transformou num crente, num entusiasta. Inspirar os entusiastas e ver suas ideias decolarem.

A alunissagem de Steve Jobs

Há semelhanças impressionantes entre a corrida de Kennedy à Lua e a corrida de Steve Jobs para colocar computadores nas mãos das pessoas comuns. Os dois fizeram discursos emocionantes, que posicionaram a materialização das suas visões como a vitória em uma batalha entre a tirania e a liberdade.

Na ocasião em que Kennedy discursou no Congresso, em 1961, a União Soviética já tinha ido ao espaço, colocando com sucesso um homem em órbita apenas um mês antes. Os norte-americanos ficaram preocupados. O que aconteceria se um país comunista, dotado de bombas atômicas, controlasse a próxima fronteira? Foi contra esse pano de fundo que Kennedy disse o seguinte:

> Se for para ganharmos a batalha que está se desenrolando agora no mundo entre liberdade e tirania, o impressionante feito no espaço nas semanas recentes deverá ter demonstrado para todos nós, como fez o *Sputnik*, em 1957, o impacto dessa aventura nas mentes dos homens de todos os lugares... Estamos determinados como uma nação em que a liberdade sobreviverá e terá êxito; e, quaisquer que sejam os perigos e contratempos, temos algumas vantagens muito grandes. A primeira é o simples fato de que estamos do lado da liberdade; e, desde o início da história,e, em particular, desde o final da Segunda Guerra Mundial, a liberdade tem sido vitoriosa em todo o mundo. A segunda vantagem real é que não estamos sozinhos. Temos amigos e aliados em todo o mundo, que compartilham nossa devoção

> pela liberdade, e nosso país está unido em seu compromisso a favor da liberdade e está pronto para cumprir seu dever.[2]

Kennedy não estava vendendo um programa espacial; ele estava vendendo a liberdade contra a opressão.

Em 1983, Steve Jobs não estava vendendo um computador; ele estava vendendo a libertação de um universo controlado pela IBM. No outono daquele ano, Jobs discursou para uma plateia de funcionários da Apple, a maioria das divisões de vendas e marketing. Ele falou sobre o lançamento iminente do Macintosh e veiculou o famoso comercial do Macintosh de 1984 pela primeira vez. Nessa apresentação, Jobs dedicou pouco tempo, se é que dedicou algum, aos recursos e benefícios do Mac. Em vez disso, posicionou o sucesso do Macintosh como uma corrida entre tirania e liberdade, a "democratização da tecnologia". Aqui estão as palavras exatas de Jobs, de como ele preparou o terreno para a apresentação do Macintosh:

> Estamos em 1958. A IBM perdeu a chance de comprar uma nova empresa, que tinha inventado uma tecnologia inovadora denominada xerografia. Dois anos depois, surgiu a Xerox, e a IBM se lamenta desde então. Dez anos depois. Estamos no final da década de 1960. A Digital Equipment (DEC) e outras empresas inventam o minicomputador. A IBM rejeita o minicomputador, considera-o muito pequeno para realizar trabalhos de informática sérios e o julga irrelevante para seu negócio. A DEC cresce e se transforma em uma empresa multimilionária, antes de a IBM finalmente entrar no mercado dos minicomputadores. Quase dez anos depois. Final da década de 1970. Em 1977, a Apple, uma nova empresa da Costa Oeste, cria o Apple II, o primeiro computador pessoal como é conhecido hoje. A IBM rejeita o computador pessoal, considera-o muito pequeno para realizar trabalhos de informática sérios e o julga irrelevante para seu negócio. Início da década de 1980. Em 1981, o Apple II tornou-se o computador mais popular do mundo, e a Apple era uma empresa que valia 300 milhões de dólares, tornando-se a empresa de crescimento mais rápido da história empresarial norte-americana. Com mais de 50 concorrentes disputando uma

> fatia do mercado, a IBM entra no mercado do computador pessoal, em novembro de 1981, lançando o IBM PC. Agora estamos em 1984. Parece que a IBM quer tudo [A voz de Jobs fica mais alta e mais intensa]. A Apple é vista como a única esperança capaz de enfrentar a IBM. Inicialmente, os revendedores receberam bem a IBM, de braços abertos; agora, eles temem um futuro dominado e controlado pela IBM. Eles estão cada vez mais desesperadamente recorrendo à Apple como a única força capaz de assegurar sua liberdade futura [aplausos]. A IBM quer tudo e está apontando suas armas contra seu último obstáculo para o controle do setor: a Apple. Será que a Big Blue [apelido da IBM nos Estados Unidos] dominará todo o setor de informática? [gritos de "não" da plateia]. Toda a era da informação? [os gritos de "não" ficam mais altos]. George Orwell tinha razão a respeito de 1984? [a plateia grita "não, não" e irrompe em aplausos estrondosos].[3]

Os aplausos frenéticos que Jobs recebeu durante a apresentação revelam tudo que é preciso saber sobre o poder da visão. Ninguém se inspira por meio de um computador. Steve Jobs gerou aficionados elaborando uma visão do que os computadores podem fazer. Ele transformou os aficionados em entusiastas elaborando uma visão da Apple como a última empresa que podia proteger as massas contra a "dominação" da IBM. A visão inspira os entusiastas, e os entusiastas são participantes fundamentais na transformação de ideias em inovações de sucesso.

> *"Quando você coloca pessoas na Lua, está inspirando todos nós a atingirmos o máximo do potencial humano, que é como nossos maiores problemas serão finalmente solucionados. Permita-se sonhar. Além disso, alimente os sonhos dos seus filhos."*
>
> RANDY PAUSCH, *THE LAST LECTURE*

"Sem a adesão bem-sucedida dos desenvolvedores terceirizados, o Macintosh teria fracassado", afirmou Guy Kawasaki, ex-executivo da Apple.[4] Ele estava se referindo ao fato de que o Macintosh original era fornecido com um software muito limitado. O setor de informática acreditava que apenas os clones do IBM PC sobreviveriam. Os desenvolvedores tinham de ser inspirados para escrever programas para o Mac. "Em 1983 e 1984, Mike Boich e eu vendemos o sonho do Macintosh para centenas de empresas de software, apelando para suas emoções: fazer história com a Apple, querer mudar o mundo ou ajudar a Apple a ter êxito contra a IBM", escreveu Kawasaki em *The Macintosh way*.[5] A essência da disseminação, de acordo com Kawasaki, é mostrar de modo apaixonado para as pessoas como podemos fazer a história juntos. Tem pouco a ver com fluxo de caixa, lucros ou marketing. Você está vendendo um sonho e não um objeto. "Quando você vende seu produto, as pessoas o utilizam. Quando você entusiasma as pessoas, elas se contagiam, se apaixonam por você, compartilham sua emoção e o defendem contra seus inimigos. Quando você olha nos olhos delas, você vê seu logotipo."[6] O estilo Macintosh não é vender, mas, sim, disseminar. Você não consegue disseminar sem uma visão.

Cumprindo prazos impossíveis

As pessoas querem sentir alguma coisa. Elas querem ser movidas e inspiradas. Querem acreditar em algo maior do que são: um propósito nobre. Estudos revelam que mais de dois terços dos trabalhadores norte-americanos não estão "envolvidos" com seus trabalhos.[7] Os líderes bem-sucedidos esboçam visões grandes, ousadas e nobres para cultivar culturas de inovação, desencadeando a imaginação coletiva das suas equipes. Em estudo da Psicologia, o efeito Pigmalião refere-se ao fenômeno em que, quanto maior a expectativa posta sobre uma pessoa, melhor o seu desempenho. Em outras palavras, ao serem desafiadas com um grande propósito, as pessoas crescerão para enfrentar o desafio. Os pesquisadores constataram que as grandes expectativas atuam como uma profecia autorrealizável. Se um líder comunicar uma visão irresistível e manter sua equipe em um padrão elevado, os subordinados responderão para corresponder às expectativas.

Tudo é possível quando uma equipe de indivíduos comprometidos é inspirada por um grande propósito. As pessoas trabalharão mais arduamente, sonharão mais alto e encontrarão modos de transformar o impossível em possível. Em 8 de janeiro de 1983, Steve Jobs realizou uma teleconferência com a equipe de produção da Costa Leste, que montava as peças finais do Macintosh para uma excursão itinerante, na qual a Apple apresentaria o novo computador para os revendedores. Inflexível, Jobs não queria de modo algum que o software fornecido com o Mac fosse rotulado como "demonstração". Emitiria a mensagem errada, ele orientou. O prazo final para a duplicação do disco, 16 de janeiro, estava se aproximando, e os membros da equipe não acreditavam que teriam o código final funcionando. Eles queriam que Jobs fosse menos inflexível e deixasse o Macintosh ser fornecido com o software de demonstração. Jeffrey Young, autor de *Steve Jobs: The journey is the reward*, nos conta a história: "Steve não tomou conhecimento disso. Ele não reagiu com raiva, como todos estavam esperando. Ele começou dizendo o quão incríveis eles eram e como todos da Apple estavam contando com eles. Então, desligou o equipamento de teleconferência antes de alguém ter a chance de discutir. Na sala de reunião, em Cupertino, todo ficaram surpresos. Entreolharam-se. Já estavam exaustos, mas Steve conseguiu de novo. Eles cumpririam o prazo final. Ele os desafiara a fazer o que era necessário e tinha escolhido bem seu pessoal. Eles não o desapontariam".[8]

Poucos membros da equipe de produção do Macintosh dormiram durante aquela semana, mas, faltando quinze minutos para a manhã de domingo, 16 de janeiro, eles entregaram o computador final. "Algumas pessoas não estão acostumadas com um ambiente em que a excelência é esperada", afirmou Jobs certa vez. É verdade. Quando a excelência é esperada, as pessoas, em geral, cumprem o desafio. No entanto, Jobs omitiu um ponto-chave por trás do seu sucesso: as equipes responderão ao desafio só se acreditarem no grande propósito apresentado pelo seu líder. Uma visão fraca gera um esforço débil.

Um propósito nobre estimula a inovação

A Apple possui milhares de funcionários inspirados – entusiastas – que, em vez de dizerem "não podemos fazer isso", dizem "podemos não saber como fazer isso, mas descobriremos". Steve Jobs cultivou essa atitude desde o início. De acordo com Gary Hamel, autor de *O futuro da administração*, "um propósito nobre inspira o sacrifício, estimula a inovação e incentiva a perseverança. Desse modo, transforma o grande talento em um feito excepcional".[9]

Em agosto de 2005, o Katrina, um dos furacões mais devastadores da história dos Estados Unidos, varreu a Louisiana. A Entergy, companhia de energia que atende a região, lutou para manter a prestação de serviço. Um milhão de clientes ficaram sem energia elétrica e 1,5 mil funcionários da Entergy perderam suas casas ou tiveram de ser evacuados. Wayne Leonard, presidente da Entergy, pediu para os funcionários cuidarem das suas próprias crises pessoais. "Dediquem o tempo que precisarem antes de voltar ao trabalho", ele afirmou. Um dia, uma semana, um mês: nenhuma pergunta seria feita. Seus empregos estavam garantidos. O que aconteceu a seguir foi espantoso. Bem, espantoso para qualquer um que não entende o poder de um propósito nobre. Apesar de suas próprias circunstâncias, quase todos os funcionários da Entergy voltaram ao trabalho imediatamente. Não era incomum encontrá-los trabalhando dezesseis horas por dia, durante sete dias seguidos.

> *"Eis o que você encontra em diversas empresas. Você vê um carro de demonstração, e ele é realmente incrível, e, então, quatro anos depois, você vê o carro real, e ele é uma droga. E você pergunta: o que aconteceu? Eles tinham aquilo. Tinham aquilo na palma das mãos. Mas perderam no último minuto. O que aconteceu é que os designers tiveram uma grande ideia. Em seguida, levaram essa ideia para os engenheiros e estes disseram: 'Ah, não podemos fazer isso. Isso é impossível'. Então, a coisa piora. Em seguida, os engenheiros levaram para o pessoal da produção e estes disseram: 'Não podemos fabricar isso'. Então, a coisa piora ainda mais."*[10]
>
> STEVE JOBS

No final da primeira semana, a energia foi restaurada para mais de meio milhão de clientes da Entergy, um feito notável, segundo a opinião geral. Nenhum dos funcionários afetados tinha de voltar ao trabalho. Mas quiseram voltar. E quiseram porque Leonard havia cultivado uma cultura de serviço, um trabalho baseado em uma visão simples: tornar o mundo um lugar melhor do que eles encontraram. Em outras palavras, para os funcionários da Entergy, seu trabalho sempre representou mais do que um salário. "Nossos funcionários sabem que aquilo que fazem provoca uma diferença real na vida das pessoas", Leonard me contou. "Nós não fornecemos apenas energia elétrica. Nós resfriamos as casas no verão e as aquecemos no inverno. Permitimos que as pessoas cozinhem seus alimentos, limpem o ambiente e eduquem seus filhos."[11] Se os funcionários desabrigados da Entergy tivessem considerado suas funções como "apenas outro emprego", em vez de dar esperança para aqueles que ficaram sem energia elétrica, seus clientes poderiam ter ficado no escuro por muito mais tempo. Em um dos e-mails mais inspiradores que já li, Leonard diz aos seus funcionários:

> Na vida de cada homem e mulher há um momento de definição. É uma breve interseção de circunstâncias e escolhas que definem uma pessoa para o bem ou para o mal, uma vida de potencial não consumado ou uma vida que foi significativa, isso faz diferença. É verdade em relação às pessoas e é verdade em relação às empresas. Temos muita paixão com respeito à diferença que fazemos na vida das outras pessoas. Fornecemos uma utilidade que sustenta a vida. No entanto, de modo mais importante, fornecemos o bem mais precioso de todos: esperança.[12]

A Entergy fornece energia elétrica, mas seus funcionários acreditam na visão maior da empresa: causar um impacto positivo na vida das pessoas. A Apple fabrica computadores, mas seus funcionários acreditam na visão maior da empresa: criar ferramentas para melhorar a vida das pessoas. Quando líderes excepcionais apresentam uma visão irresistível do futuro e quando esperam excelência das suas equipes, isso inspira as pessoas a alcançar resultados que nunca acharam possíveis.

"Mas eu não tenho um propósito nobre", você pode dizer a si mesmo. "Não estou enviando pessoas à Lua, nem estou desenvolvendo um computador que mudará o mundo." Talvez não, mas é muito provável que você tenha ideias, produtos ou serviços que melhoram a vida dos seus clientes, e que, mesmo em pequena escala, transformam o mundo em um lugar melhor. Você pode não estar explorando o espaço exterior, mas você está tornando a vida de alguém aqui da Terra um pouco melhor, e esse é um objetivo nobre.

Construindo uma visão com uma colherada por vez

Os inovadores bem-sucedidos encontram um propósito nobre em quase qualquer coisa, mesmo num sorvete. Minhas filhas e eu gostamos muito do sorvete da Cold Stone Creamery. Elas sabem que uma visita ao escritório do papai geralmente significa atravessar a rua e caminhar até a sorveteria. Lá, somos atendidos por adolescentes empolgados, que retiram com uma concha um sorvete delicioso, colocam uma quantidade generosa sobre o balcão frio e misturam nela algum ingrediente escolhido pelas minhas filhas, como brownies, doces ou – meu favorito – cookie. Jogue uma moeda de gorjeta no pote e eles cantarão uma canção. A Cold Stone Creamery oferece mais do que sorvete; oferece uma experiência.

Em 1999, a Cold Stone Creamery era uma pequena rede de 74 lojas, localizadas principalmente no Arizona. Foi quando Doug Ducey, ex-presidente da empresa, entrou em cena. Ducey revelou-me que seu "objetivo" era expandir a rede, atingindo mil em todo o país nos cinco anos seguintes. Não seria uma tarefa fácil. Em grande medida, a Cold Stone Creamery era desconhecida e competia com marcas já consolidadas, como Baskin-Robbins e Dairy Queen. Nenhum funcionário iria trabalhar duro, prestar um serviço excepcional ao cliente e propor ideias inovadoras só porque o presidente da empresa queria ampliar o número de pontos de venda.

Ducey sabia que tinha de criar uma visão inspiradora. Refletiu muito a respeito das forças da empresa: fabricava um sorvete de alta qualidade e oferecia algo único: sorveteiros cantores. Em 1999, Ducey apresentou uma visão ousada para seus franqueados: o mundo nos conhecerá como a experiência definitiva em sorvetes. Para a materialização da visão, ele afirmou que a Cold Stone Creamery se tornaria uma das marcas de sorvete mais conhecidas do país e alcançaria seu objetivo de mil lojas em 31 de dezembro de 2004.

A "experiência" diferenciaria a Cold Stone Creamery das outras sorveterias. Ainda que a rede fosse bastante pequena em relação aos padrões nacionais de franquia, Ducey podia ver que os aficionados da Cold Stone Creamery estavam desenvolvendo uma conexão emocional com a marca. Claro que o sorvete – fabricado no próprio dia – desempenhava um papel na criação dessa devoção, mas o envolvimento emocional vinha do que Ducey intitulou "o fator X": a combinação de entretenimento e energia, que transformou a

Cold Stone Creamery em um destino e não apenas em uma outra sorveteria. De acordo com Ducey, "foi uma grande visão que exigiria trabalho árduo; levantaríamos cedo, dormiríamos tarde e usaríamos todas nossas energias e habilidades".[13] Era um objetivo difícil, mas possível, verossímil e consistente com os valores básicos da empresa.

Assim que Ducey divulgou seu plano, a dinâmica se estabeleceu. Nos cinco anos seguintes, a visão ganhou vida por si mesma, inspirando toda a equipe de funcionários e donos de franquias da Cold Stone Creamery a torná-la uma realidade. Ducey atingiu seu objetivo e divulgou a abertura da milésima loja no encontro anual de franqueados em janeiro de 2005. Atualmente, a Cold Stone Creamery possui mais de 1,4 mil lojas em todo o país e continua a desenvolver criações inovadoras em sorvetes. Enquanto isso, sua visão não cambaleou. "The ultimate ice cream experience" [A experiência definitiva em sorvetes] continua sendo o mantra da empresa.

Nunca subestime um grupo de mães desesperadas

O bairro de East Lakeview, em Chicago, é um enclave revitalizado localizado na área de North Side da cidade. Novos prédios de apartamentos e arranha-céus estão situados junto a edifícios históricos e igrejas. É um bairro agitado, com restaurantes, bares e bistrôs. Um lugar agradável para se viver, mas, até recentemente, não um lugar agradável para enviar os filhos para a escola pública. Jacqueline Edelberg, mãe de uma menina de dois anos e meio, quis mudar isso.

Embora Jacqueline, doutora pela Universidade de Chicago e pesquisadora do programa Fulbright, pudesse manter sua filha em uma escola particular, ela, como fruto das escolas públicas de Chicago, acreditava na missão do sistema público de ensino. A escola local, Nettelhorst, estava em um estado terrível. Não era desejada nem pela vizinhança, nem pelas crianças que eram despejadas ali vindas de escolas superlotadas, nem mesmo dos pais. Sobre isso, o diretor afirmou: "Das 300 famílias da minha vizinhança, somente seis mandavam seus filhos para a Nettelhorst", Jacqueline me revelou.[14]

Em 2003, em sua primeira visita à escola, Jacqueline e uma amiga se reuniram com o diretor, que perguntou a elas: "O que teríamos de fazer para que seus filhos estudassem aqui?". Surpresas com o convite, as duas mulheres voltaram no dia seguinte com uma lista de cinco páginas. "Bem, vamos nos mexer. Temos um ano movimentado à nossa frente", afirmou o diretor. E, com essa mensagem, as forças foram colocadas em movimento para melhorar uma escola pública dilapidada.

Jacqueline não podia fazer isso sozinha e precisava de entusiastas inspirados para abraçar a causa. Ela reuniu um grupo de oito mães amigas, que se encontravam regularmente em um parque local. Ao redor de uma caixa de areia, com todas sentadas, Jacqueline articulou sua visão: toda criança merece uma boa escola pública de bairro. "Em vez de conversar sobre o que está em liquidação na The Gap, vamos dar um jeito nessa escola. Assim, vamos poder mandar nossos filhos para lá", Jacqueline desafiou suas amigas.[15] As rodas começaram a girar. Enquanto as mulheres conversavam, descobriram que cada uma tinha uma habilidade específica, uma experiência empresarial valiosa obtida antes de abandonarem suas carreiras para se tornarem mães e donas de casa. Uma delas havia trabalhado no departamento de propaganda de uma das quinhentas maiores empresas norte-americanas, segundo a revista *Fortune*, enquanto outras tinham experiências como advogadas ou profissionais de marketing. Todas possuíam habilidades que podiam ser aproveitadas. "Agora, em vez de criar anúncios para o Twinkies, podíamos nos entregar ao propósito muito mais nobre de revitalizar nossa escola local", afirmou Jacqueline. As mães abordaram o projeto como se fosse um negócio, dividindo-se em equipes que enfocavam a reforma da infraestrutura, o marketing, as relações públicas e o enriquecimento sob a forma de programas extracurriculares.

Como o sistema de ensino público de Chicago não tinha recursos financeiros para se dedicar à recuperação da escola, as mães tiveram de achar soluções inovadoras. Decidiram trabalhar junto com pessoas e empresas. Pediram para artistas plásticos locais adotar uma sala de aula e pintá-la. Atualmente, a escola está cheia de murais, esculturas e cores vibrantes. Solicitaram a professores de balé, caratê e música para dar aulas após o horário letivo; assim, seiscentos alunos não seriam jogados na rua depois do último sinal. Pediram para chefes de cozinha locais darem aulas de culinária em uma sala de aula-cozinha recém-projetada.

Nove meses depois, as mães celebraram com uma festa a reabertura da escola. Trezentas famílias compareceram e 78 matricularam seus filhos imediatamente. Nos anos seguintes, mais famílias matricularam seus filhos. Quatro anos depois de as mães partilharem sua visão em torno de uma caixa de areia, as notas médias triplicaram e os alunos do terceiro ano da Nettelhorst se tornaram os melhores da cidade. Atualmente, as notas médias continuam entre as melhores das escolas públicas de Chicago, e, nos últimos dois anos, todos os alunos do sétimo e oitavo anos obtiveram notas suficientes para serem avaliados por qualquer uma das altamente seletivas escolas públicas com cursos ou currículos especializados da cidade. "O processo envolvendo todas essas mentes criativas se reunindo para realizar esse trabalho criou algo que foi muito mais do que a soma das partes. Aconteceu muito mais rápido do que jamais imaginamos. Atualmente, é um modelo para outros bairros de Chicago", afirma Jacqueline. "As escolas devem mudar radicalmente o modo pelo qual fazem negócios se quiserem ser o coração de uma comunidade. Requer uma nova visão a respeito do que elas oferecem, como oferecem e o que oferecem."[16]

Nunca subestime o poder da visão para criar a mudança, em qualquer nível. E nunca subestime oito mães desesperadas que querem o melhor para seus filhos.

Abrace a visão e não a missão

Uma visão irresistível é muito diferente de uma declaração de objetivos. As declarações de objetivos tradicionais incluem parágrafos longos, intricados, em geral redigidos por uma comissão, e se destinam a ser colocadas em uma gaveta qualquer e esquecidas. Nenhum profissional que já conheci – nenhum – foi capaz de citar a missão de sua empresa, palavra por palavra. Se você não consegue se lembrar, então por que se preocupar? Esqueça da declaração de objetivos. É uma perda de tempo. Em vez disso, crie uma visão; é muito mais inspirador.

Uma visão é uma imagem de um mundo melhor que seu produto ou serviço torna possível. As visões cativantes inspiram investidores, funcionários e clientes; e, melhor de tudo, inspiram aqueles acionistas que se tornam entusiastas da organização. Uma visão inspiradora satisfaz três critérios: é específica, concisa e constante.

- **Específica:** o problema com a maioria das declarações de objetivos é que são muito vagas. Quantas vezes você ouviu que a missão de uma determinada empresa é oferecer "as melhores soluções, centradas no cliente... bláblábla"? Não dizem nada significativo. Quando Howard Schultz, presidente da Starbucks, tentou vender aos investidores o conceito original por trás da empresa, apresentou a visão de "um terceiro lugar entre o trabalho e o lar". Nesse caso, isso é específico. É tangível. Você pode visualizar na sua imaginação.
- **Concisa:** quando os rapazes da Google, Sergey Brin e Larry Page, entraram no escritório da Sequoia Capital, os executivos perguntaram aos jovens estudantes universitários a respeito da sua visão. "Dar acesso à informação mundial em um único clique." Aquela única frase foi tão inspiradora que os investidores da empresa de capital de risco do Vale do Silício não só financiaram a empresa como agora também exigem que qualquer empreendedor que os procure enuncie a visão da empresa em dez palavras ou menos. Um investidor da Sequoia me revelou: "Se você não for capaz de descrever o que você faz em dez palavras ou menos, não vou investir, não vou comprar, não vou me interessar. Ponto final".
- **Constante:** uma visão não terá sentido se não possuir o poder de persuadir, e não poderá persuadir se ninguém souber nada a respeito! Certa vez, Marc Benioff, presidente da salesforce.com, empresa pioneira da computação em nuvem, disse-me que imprimiu a visão da empresa – o fim do software – sobre cartões. Assim, todos funcionários podiam sempre carregar o cartão consigo. Ele até mandou fazer broches com a palavra "software" riscada com uma linha vermelha. A visão foi divulgada de modo constante por todos os canais da empresa: nas apresentações, no site, nos anúncios e em todo material de marketing.

Agora, consideremos a visão original de Steve Jobs para a Apple: *Um computador nas mãos das pessoas comuns.* Era concisa: sete palavras e 35 caracteres, curta o suficiente para se encaixar num post do Twitter. Era específica: colocar um computador nas mãos das pessoas comuns. E era constante: Steve Jobs tirava proveito de cada oportunidade para comunicar a visão e fazia isso incessantemente. Consideremos as outras visões discutidas anteriormente.

A visão de Kennedy era pousar um homem na Lua e trazê-lo de volta à Terra em segurança no fim da década. Não se pode conseguir algo mais específico do que isso. Kennedy até fixou um calendário. Jacqueline Edelberg desafiou suas amigas com a visão: "Toda criança merece uma boa escola pública de bairro". A visão era específica e concisa, menos do que dez palavras. A visão de Ducey para a Cold Stone era concisa, específica e constante. "O mundo nos conhecerá como a experiência definitiva em sorvetes": essa frase foi colocada em todos os lugares, em todas as lojas. Desse modo, os funcionários sempre sabiam para que estavam se esforçando.

"As empresas, conforme crescem e se transformam em entidades multibilionárias, de alguma forma perdem sua visão", Steve Jobs disse. "Elas inserem diversas camadas de gerenciamento de nível médio entre as pessoas que administram a empresa e as pessoas que realizam o trabalho. Elas não têm mais um sentimento ou uma paixão inerente sobre os produtos. O pessoal criativo, aquele que se preocupa intensamente, tem de convencer cinco níveis administrativos para fazer o que sabem ser a coisa certa. Os melhores pedem demissão, e você acaba com os medíocres. O modo pelo qual não nos tornaremos uma empresa convencional é juntar pequenas equipes de pessoas incríveis e colocá-las para construir seus sonhos. Somos artistas e não engenheiros."[17]

Evite se tornar uma empresa convencional. Pense sobre o tipo de empresa em que você gostaria de trabalhar ou do tipo de causa que você quer apoiar. Você quer trabalhar para um líder que está sempre reagindo à competição em vez de ficar de olho no futuro? Você quer trabalhar para um líder que o arrasta para uma direção num dia e para outra no dia seguinte, sem destino claro? Você quer despender seu tempo em uma causa sem propósito definido? Claro que não quer, nem as pessoas que você precisa inspirar. Uma cultura de inovação não pode existir sem visão: uma imagem do mundo que é tão inspiradora que extrai as melhores ideias das melhores mentes. A visão começa no topo. A visão começa com você.

Uma visão para sua marca pessoal

Todas empresas inovadoras possuem líderes visionários. A visão deve estar presente para a criatividade florescer. O mesmo vale para a marca mais importante de todas: a sua marca. Se você se vir como uma "marca", então deverá ter uma visão a respeito do que espera realizar. Uma visão maior do que o faz levantar de manhã e mantém o combustível criativo fluindo.

Em 2003, fui designado para cobrir os primeiros cem dias do governo de Arnold Schwarzenegger para a sucursal da CBS 2, em Los Angeles. O famoso ator de cinema e fisiculturista foi eleito governador da Califórnia em uma eleição *recall* especial para substituir o então governador Gray Davis. Por três meses, escutei diversos discursos do governador Schwarzenegger. Alguns deles eram dedicados estritamente a temas políticos, mas muitos eram fortemente pessoais, em especial quando ele falava para grupos de jovens. Depois de escutar dezenas de discursos, constatei que as grandes ideias e os grandes sucessos começam com uma visão apaixonada; e isso é tão importante para as pessoas como para as empresas.

Nunca me cansei de escutar a história incrível de Schwarzenegger: um jovem de um pequeno povoado austríaco que emigra para os Estados Unidos, vence o concurso Mr. Olympia (sete vezes), torna-se um ator de fama mundial, casa-se com uma Kennedy e se elege o 38º governador da Califórnia. Em sua face está a história do sonho americano. Mas nada disso teria acontecido sem visão. Repetidas vezes, Schwarzenegger afirmou que sua visão, quando era um garoto de dez anos, era emigrar para os Estados Unidos, para tirar proveito de todas as oportunidades que esse país tinha a oferecer. Vencer o Mr. Olympia era um objetivo, uma passagem para realizar sua visão.

Diariamente, Schwarzenegger considerava a visão em sua imaginação, através de cada repetição cansativa, através de cada revés. Em sua mente, ele já havia alcançado o sucesso nos Estados Unidos. Naquele momento, ele simplesmente tinha de superar as etapas. Schwarzenegger não sabia exatamente como iria alcançar sua visão, mas confiava que as pessoas certas e as oportunidades certas apareceriam no seu caminho.

Uma visão inspiradora é importante para, no mínimo, dar-nos a confiança de continuar quando todos ao nosso redor dizem que nunca teremos êxito. Todos achavam que Schwarzenegger era louco, incluindo pais, amigos e, depois, agentes de Hollywood que não conseguiam conceber a contratação de um fisiculturista de quase 1,90 metro de altura, que não falava inglês e que queria se tornar ator. Um homem concebeu. O diretor James Cameron, que sabe algo a respeito de compromisso apaixonado em sua visão, escalou

Schwarzenegger em *O exterminador do futuro*. Cameron considerou o sotaque pesado de Schwarzenegger um trunfo. Sua fala "I'll be back" [Eu voltarei] tornou-se uma das citações mais famosas da história do cinema, exatamente porque era dita por um robô com um pesado sotaque austríaco! "Sempre confie em você e na sua visão, independentemente do que os outros pensam", Schwarzenegger diria. E ele saberia: como estrela do cinema influente e, depois, como governador da Califórnia, Arnold conseguiu espalhar sua visão para os outros, em todos os lugares.

Com a disseminação da internet, das ferramentas das redes sociais e dos processos de inovação aberta, onde as ideias são estimuladas a partir de todos os membros de uma organização, as ideias estão por toda a parte e são acessíveis a qualquer pessoa. Em outras palavras, as grandes ideias solitárias têm menos probabilidade de diferenciar sua marca em relação à concorrência. Roberto Verganti, italiano, professor de administração e especialista em inovação, acredita que a próxima década pertence não aos que geram ideias, mas aos visionários que construirão arenas para desencadear o poder das ideias e para transformá-las em ação. "Para gerar ideias novas, disseram que devíamos pensar de modo anticonvencional (fora da caixa) e, depois, recuar (pular para dentro dela); a construção da visão destrói a caixa e constrói uma nova", de acordo com Verganti. "Evidentemente, não estou questionando o valor essencial das ideias. Elas ainda despertarão o processo de inovação. Espalhar ao redor diversas ideias ainda será importante, em particular para melhorias incrementais. Não é uma coisa ou outra. É uma mudança no trunfo mais raro e precioso que impulsionará a vantagem competitiva: visões."[18]

Steve Jobs não acredita em sistemas de inovação, pois, em sua opinião, a inovação ocorre quando você contrata pessoas realmente inteligentes e as inspira a desenvolver grandes produtos. Parece simples. Mas de onde vem a inspiração? As pessoas são inspiradas por uma visão, um grande propósito, que dá sentido às suas vidas. E Jobs sempre foi um mestre em enunciar um grande propósito. De acordo com ele, "quando contrato alguém realmente graduado, a competência é a aposta. A pessoa tem de ser realmente inteligente. Mas a questão real para mim é: será que a pessoa vai se apaixonar pela Apple? Pois, se ela se apaixonar pela Apple, todo o resto virá junto".[19] Faça as pessoas se apaixonarem por você, por sua empresa, por seu serviço. Inspire-as com uma visão tão irresistível que elas não terão outra coisa a fazer a não ser pegar carona.

iDicas

1 Permita-se sonhar grande. Crie uma visão para sua marca que o inspire a levantar todas as manhãs. Desenvolva um propósito nobre que dê sentido à sua vida. A probabilidade é que também inspirará sua equipe.

2 Teste sua visão. Torne-a ousada, específica, concisa e constante. Certifique-se de que sua visão se ajusta facilmente em um post de Twitter com 140 caracteres ou menos.

3 Imagine-se já tendo realizado sua visão, independentemente de quão longe isso está no futuro. A paixão é o combustível que lhe fornece energia para alcançar seus sonhos, mas a visão fornece o roteiro.

PRINCÍPIO 3

Ponha seu cérebro para funcionar

Criatividade é apenas conectar coisas.

STEVE JOBS

CAPÍTULO 6

Procure novas experiências

Parte do que notabilizou o Macintosh foi que as pessoas que trabalharam nele eram músicos, poetas, artistas plásticos, zoólogos e historiadores, que, por acaso, também eram os melhores cientistas de informática do mundo.

STEVE JOBS

O nome da empresa "Apple" caiu de uma árvore, literalmente, entrando direto na visão de Steve Jobs sobre como um computador deveria ser: simples e acessível. Quando Jobs e Woz constituíram uma sociedade para desenvolver computadores, Jobs, então com 21 anos, ainda estava procurando iluminação espiritual a mais de mil quilômetros da modesta casa de um andar dos seus pais, em Los Altos, na Califórnia. Embora Jobs tivesse abandonado a Reed College, em Portland, ele retornava ao Oregon periodicamente para compartilhar ideias com pessoas com pensamentos afins, em uma comunidade de influência zen denominada All-One Farm, onde cultivavam – você adivinhou – maçãs. Poucas pessoas sabem exatamente o que aconteceu ali, e aquelas que sabem – como Jobs – não revelaram muita coisa. É razoável supor que havia muita meditação acontecendo, talvez com a ajuda de alguma "erva". Afinal de contas, era a década de 1970. Independentemente do que possa ter acontecido na fazenda de maçãs, é seguro afirmar que a experiência – fora dos limites voltados à engenharia do Vale do Silício – pôs a mente criativa de Steve Jobs para funcionar. Em uma viagem, ele fez uma observação aparentemente irrelevante, uma inovação com um "i" minúsculo. No entanto, essa ideia recebe nota A em um curso de identidade de marca.

Jobs e Wozniak decidiram criar sua própria empresa com mil dólares (o dinheiro necessário para construir circuitos impressos triviais). Woz vendeu sua amada calculadora HP 65 por 500 dólares, e Jobs vendeu seu igualmente amado furgão VW por algumas centenas mais. Assim, os amigos estavam no negócio. Eles só precisavam de um nome para tornar a sociedade completa. Woz relata a história: "Lembro de estar trazendo Steve do aeroporto pela Highway 85. Steve estava voltando de uma visita ao Oregon, de uma lugar que ele chamava de 'pomar das maçãs'. Na realidade, era algum tipo de comunidade. Steve sugeriu um nome: Apple Computer... Nós dois tentamos achar nomes que soassem técnicos, que eram melhores, mas não conseguimos pensar em nenhum bom. Apple era muito melhor, melhor do que qualquer outro nome que podíamos pensar. Então, ficou Apple. Tinha de ser Apple".[1]

A história de Steve Jobs e do pomar de maçãs nos dá um vislumbre precoce sobre o funcionamento da mente de Jobs. Sim, há um único Steve Jobs, da mesma forma que há uma única pessoa com suas habilidades e experiências únicas. E, não, ninguém pode reproduzir o sucesso de Steve Jobs no setor de informática. No entanto, todos nós podemos aprender a ser muito mais criativos do que somos hoje, o que diretamente conduz à inovação e ao sucesso. A pergunta é: como? O que Steve Jobs pode nos ensinar?

Criatividade é conectar coisas

Os psicólogos passaram anos tentando descobrir a resposta para a pergunta: "O que torna os inovadores diferentes?". Em um dos estudos mais completos sobre o assunto, os pesquisadores de Harvard despenderam seis anos e entrevistaram 3 mil executivos para descobrir. Suas conclusões são interessantes, mas eles poderiam ter economizado muito tempo simplesmente conversando com Steve Jobs. De acordo com a pesquisa de Harvard, a habilidade mais importante, que separa os inovadores dos profissionais não criativos, é a "associação": a capacidade de conectar com sucesso questões, problemas ou ideias de diversos campos aparentemente sem relação. "Quanto mais variada nossa experiência e nosso conhecimento, mais conexões o cérebro pode fazer. Estímulos novos ativam associações novas; para alguns, isso gera ideias novas".[2]

A pesquisa de Harvard, com duração de três anos, confirma aquilo que Jobs declarou para um jornalista quinze anos antes: "Criatividade é apenas conectar coisas". Eis o que os pesquisadores afirmaram:

> Quando perguntamos para as pessoas criativas como fizeram algo, elas se sentem um pouco culpadas, pois, na realidade, não fizeram; elas apenas viram algo. Pareceu óbvio para elas após um período de tempo. Isso ocorre porque elas foram capazes de conectar experiências que tiveram e sintetizaram novas coisas. E o motivo pelo qual foram capazes de fazer isso foi que tiveram mais experiências ou refletiram mais sobre suas experiências do que as outras pessoas. Infelizmente, essa é uma mercadoria muito rara. Muitas pessoas em nosso setor não tiveram experiências muito diversificadas. Assim, elas não têm pontos suficientes para conectar e acabam com soluções muito lineares, sem uma perspectiva ampla do problema. Quanto mais amplo é o entendimento de alguém sobre a experiência humana, teremos um projeto melhor.[3]

Claro que nunca saberemos se os neurônios e as sinapses estão agindo diferente no cérebro de Jobs, em oposição ao cérebro humano comum, mas cientistas importantes, que estudam o processo criativo, parecem concordar que um motivo subjacente à capacidade de Jobs de gerar ideia após ideia é que, como os pesquisadores de Harvard observam, "ele passou a vida toda investigando coisas novas e sem relação: a arte da caligrafia, as práticas de meditação em um *ashram* indiano, os detalhes refinados de um Mercedes-Benz".[4]

Os três professores de negócios que realizaram a pesquisa para o "The innovator's DNA" [O DNA dos inovadores], publicada na edição de dezembro de 2009 da *Harvard Business Review*, oferecem uma comparação sedutora. Primeiro, imagine que você tem um irmão gêmeo idêntico, eles sugerem. Agora imagine que vocês dois possuem os mesmos cérebros e talentos naturais e que vocês dois foram designados para a tarefa de criar um novo empreendimento comercial. Vocês têm uma semana para fazer isso. "Nessa semana, você produz ideias sozinho, em seu quarto. Em comparação, seu irmão gêmeo (1) conversa com dez pessoas – incluindo, um engenheiro, um músico, um pai dono de casa e um designer – a respeito do empreendimento, (2) visita três empresas nascentes inovadoras para observar o que elas fazem, (3) examina cinco produtos novos para o mercado, (4) exibe um protótipo que ele criou para cinco pessoas e (5) formula a pergunta: 'E se eu tentar isso?'... Quem você aposta que proporá a ideia mais inovadora (e factível)?"[5] Nesse exemplo, Steve Jobs pode facilmente desempenhar o papel do seu irmão gêmeo. Jobs é mais eficaz do que a maioria das pessoas na geração de ideias criativas, pois é habilitado em fazer associações, conectar coisas aparentemente sem relação. Mais importante, ele toma uma decisão consciente ao fazer isso. Ele nem sempre sabe onde ou como os pontos se ligarão, mas tem fé de que isso acontecerá.

Processador de alimentos, panelas elétricas de arroz e ímãs em computador

Um processador de alimentos Cuisinart tem muito pouco em comum com um computador pessoal. São "eletrodomésticos" que facilitam sua vida e são encontrados na casa. Exceto isso, os dois produtos apresentam funções completamente diferentes. No entanto, se você pensar ao estilo Steve Jobs, encontrará inspiração em qualquer lugar, mesmo na prateleira da Macy's [loja de departamentos].

Se você vir fotos antigas dos computadores Apple I e Apple II, perceberá que os dois são muito diferentes. O primeiro era um circuito impresso totalmente montado, que continha cerca de sessenta circuitos integrados. Em julho de 1976, foi colocado à venda, três meses depois de Jobs e Woz concordarem em entrar no negócio juntos. O Apple I foi vendido como um kit, principalmente para aficionados, que adicionavam componentes ao circuito impresso para criar um computador completamente operacional. Teria exasperado e confundido as pessoas comuns. Um ano depois, a Apple lançou o Apple II, e foi este computador – o Apple II – que colocou a empresa no mapa e iniciou a longa e incrível jornada que transformaria Jobs em um ícone global. O Apple II foi o computador pessoal mais popular de seu tempo: fácil de usar, com monitor colorido, teclado integrado, oito *slots* de expansão internos e um gabinete de plástico único. A história do gabinete é um exemplo clássico de "associação": a conexão aconteceu porque Steve Jobs decidiu olhar para fora do setor de informática em busca de inspiração.

Enquanto Woz melhorava os circuitos internos e o projeto do que se tornaria o Apple II, Jobs concentrava-se no gabinete, que, em sua opinião, tinha de atrair os não aficionados que buscavam um computador completo e pronto para uso. Caso contrário, não teria o apelo de mercado que seria necessário para tornar o produto e a empresa bem-sucedidos. Jobs imaginava o computador em casa, talvez na cozinha, onde toda a família poderia usá-lo. Evidentemente, o Apple II devia ter uma aparência muito mais acessível do que qualquer outro computador existente na época. Teria de ser mais como um eletrodoméstico e menos como algo encontrado na garagem do aficionado.

"Ficou claro para mim que, para cada aficionado em hardware que queria montar seu próprio computador, existiam mil pessoas que não conseguiam fazer isso, mas queriam se envolver com programação... exatamente como eu fazia quando tinha dez anos. Meu sonho em relação ao Apple II era vender o primeiro computador realmente empacotado... Tive a ideia de que queria o computador em um gabinete de plástico", Jobs afirmou.[6] Embora um designer industrial, Jerry Manock, fosse contratado para projetar o computador, ele aceitou as instruções de Steve Jobs, que achou sua inspiração não em uma loja de produtos eletrônicos, mas, sim, na Macy's. "Ele a achou na seção de cozinha da Macy's, enquanto olhava para processadores de alimentos Cuisinart", escreve Leander Kahney, autor de *A cabeça de Steve Jobs*. "Aquilo era o que o Apple II precisava: um belo gabinete de plástico moldado, com bordas suaves, cores tranquilas e uma superfície um pouco texturizada."[7] O gabinete moldado – uma inovação no design do computador – era a centelha que o Apple II precisava para se tornar um dos computadores pessoais mais populares já fabricado. Também transformou Jobs e Woz em milionários. Woz inventou o Apple II, mas o pensamento criativo de Jobs o converteu em um eletrodoméstico que as pessoas comuns usariam e desfrutariam.

Em uma das citações mais mal interpretadas da carreira de Steve Jobs, ele afirmou: "Os bons artistas copiam, os grandes artistas roubam".[8] Alguns críticos utilizaram essa citação para respaldar sua opinião de que Steve Jobs não tem ideias originais. No entanto, se lermos a citação completa, que raramente aparece publicada, perceberemos que Jobs estava falando sobre encontrar inspiração *fora* do setor de informática; em outras palavras, conectar uma coisa aparentemente sem relação. A citação completa é a seguinte: "Isso se caracteriza por tentar se expor às melhores coisas que a humanidade fez e, em seguida, tentar absorver essas coisas para o que você está fazendo. Picasso tinha um dito. Ele dizia: 'Os bons artistas copiam, os grandes artistas roubam'. Nunca tivemos vergonha de roubar as grandes ideias. Parte do que notabilizou o Macintosh foi que as pessoas que trabalharam nele eram músicos, poetas, artistas plásticos, zoólogos e historiadores, que, por acaso, também eram os melhores cientistas de informática do mundo". Quando vemos a citação completa, fica claro que Jobs tanto está falando em roubar quanto está reforçando a ideia de associação, tendo diversas experiências que põem em movimento o processo criativo.

Steve Jobs faz tantas associações que a Apple continua a inovar em todos os aspectos referentes ao design de computadores, inclusive no cabo de energia. O adaptador de corrente alternada que liga um laptop da Apple numa tomada de parede é denominado MagSafe; é um ímã que conecta o computador ao cabo de energia. Muitos usuários de computador passaram pela experiência, ou a temem, de prender o pé no cabo de energia e de ver desamparadamente o momento em que o computador cai com um estrondo no chão. O MagSafe é projetado para impedir esse cenário terrível, desconectando fácil e seguramente o computador do cabo. A Apple "roubou" a ideia dos japoneses. Mais especificamente, a Apple fez uma "associação" entre duas coisas basicamente sem relação: panelas elétricas de arroz e computadores.

> *"O motivo pelo qual a Apple é capaz de criar produtos como o iPad é porque sempre procuramos estar na interseção da tecnologia e das artes liberais, para sermos capazes de extrair o melhor das duas."*
>
> STEVE JOBS

Durante anos, as panelas elétricas de arroz japonesas foram construídas com fechos magnéticos, para impedir vazamentos. Quando um computador cai no chão, você pode perder um objeto substituível; se uma panela elétrica de arroz com água fervente cair no chão, especialmente se uma criança for responsável por tropeçar no cabo de energia, as consequências poderão ser uma tragédia irreparável. Em 2006, quando o MagSafe foi lançado para os Apple Macbooks, os quadros de mensagens se iluminaram com clientes empolgados, que consideraram isso um dos conceitos mais incríveis e inovadores a surgir em um longo tempo. Outros a desprezaram, considerando-a uma ideia "antiga", indicando as panelas elétricas de arroz japonesas e as fritadeiras elétricas da Wal-Mart, que tinham o mesmo recurso.

Não era uma nova ideia. A inovação ocorreu porque a Apple fez uma associação que nenhum concorrente havia levado em conta.

Como Steve Jobs "enxerga" as coisas de modo diferente

A ideia de realizar associações criativas por meio da procura de novas experiências merece ser investigada com mais atenção, pois desempenha um papel significativo no modo pelo qual Steve Jobs gerou um produto inovador após o outro. Jobs é um iconoclasta clássico, alguém que procura, ataca e subverte agressivamente as ideias convencionais. E os iconoclastas, em particular os bem-sucedidos, possuem uma "afinidade com novas experiências", de acordo com Gregory Berns, conceituado neurocientista da Emory University.

Em seu perspicaz livro *O iconoclasta: um neurocientista revela como pensar diferente e realizar o impossível*, Berns poderia estar escrevendo sobre Jobs quando afirmou: "Para ver as coisas diferentes em relação às outras pessoas, a solução mais efetiva é bombardear o cérebro com coisas nunca encontradas antes. A novidade libera o processo perceptivo das amarras das experiências passadas e força o cérebro a realizar novos julgamentos".[9]

Para Berns, as habilidades do iconoclasta serão atingíveis se entendermos como os iconoclastas supercarregam seus cérebros para executar novas conexões. É uma boa notícia para os admiradores de Steve Jobs que querem aprender como ele pensa.

Jobs não enxerga as coisas de modo diferente do resto de nós. Jobs *percebe* as coisas de modo diferente. Visão não é o mesmo que percepção; a percepção separa o inovador do imitador. A visão é o processo pelo qual os fótons de luz atingem as células fotorreceptivas da retina e são transmitidos como impulsos neurais para partes diferentes do cérebro. A percepção, como Berns assinala, "é o processo mais complexo pelo qual o cérebro *interpreta* esses sinais".[10] Dezenas de pessoas viram a interface gráfica do usuário no prédio da Xerox Parc, em Palo Alto, mas foi Jobs que a *percebeu* de modo distinto. Ele teve uma epifania, um choque massivo de criatividade.

Raramente a epifania ocorre em ambientes familiares, de acordo com Berns. Isso faz sentido, em particular se você se lembrar da história de Steve Jobs e do pomar de maçãs. Seu estalo foi ligar duas palavras que não parecem se relacionar: *apple* [maçã] e *computer* [computador]. A epifania ocorreu a centenas de quilômetros de distância do ambiente de "trabalho" de Jobs, que, na época, ainda era a garagem da casa dos pais. Alguns céticos afirmaram que a empresa precisava de um nome mais técnico, que soasse formal. Caso contrário, ela nunca seria levado a sério, eles sustentavam. Esses céticos, é claro, não *percebiam* as coisas do mesmo modo que Jobs. O ponto central era abrandar a imagem dos computadores, para torná-los mais atraentes para as pessoas comuns. O que podia ser mais simples e mais acessível do que uma maçã? "Parece quase óbvio que as rupturas perceptivas não vêm do fato de simplesmente contemplar um objeto e pensar muito nele", afirma Berns. "As rupturas vêm do sistema perceptivo que é confrontado com algo que ele não sabe como interpretar. A estranheza obriga o cérebro a descartar as categorias usuais de percepção e a criar novas."[11]

A chave para "pensar diferente" é perceber as coisas de modo distinto, por meio das lentes de um pioneiro. E, para ver as coisas de modo distinto mediante essas lentes, você deve obrigar o cérebro a fazer conexões; caso contrário, isso não seria percebido. Parece difícil, mas há jeitos simples de manter o combustível criativo fluindo. Primeiro, contudo, você deve entender por que é difícil.

O cérebro é a tecnologia verde definitiva; para manter você vivo, ele sempre procura maneiras de conservar a energia. A expressão "criaturas do habitat" soa verdadeira porque nossos cérebros funcionam sob aquilo que os psicólogos denominam supressão de repetição. Em outras palavras, se o cérebro for confrontado pelo mesmo estímulo visual repetidas vezes, as respostas neurais serão reduzidas. O cérebro está fazendo o que evoluiu para fazer, que é executar os sistemas do corpo do modo mais eficiente possível. A fim de a imaginação funcionar no nível máximo, contudo, os neurônios têm de se excitar no rendimento máximo. Cientistas como Berns, que estudaram inovação, criatividade e comportamento cerebral, sustentam que a resposta é "bombardear o cérebro com novas experiências".[12]

Quando Steve Jobs estudou caligrafia, foi uma experiência tão original que despertou sua criatividade. Quando passou seu tempo meditando em um pomar de maçãs, ele vivenciou algo novo, e isso levou a alguns insights criativos. Quando Steve Jobs visitou a Índia, na década de 1970, ele vivenciou algo radicalmente diferente da sua vida em um subúrbio californiano. E quando Jobs contratou músicos, artistas plásticos, poetas e historiadores, ele estava se expondo a novas experiências e formas originais de considerar um problema. Alguns dos insights mais criativos de Jobs são resultado direto de procurar experiências originais, ou em lugares físicos, ou entre as pessoas as quais ele escolheu se associar.

> *"Desejo o melhor para ele* [Bill Gates], *de verdade. Só acho que ele e a Microsoft são um pouco bitolados. Ele seria um sujeito menos careta se tivesse experimentado um ácido ou tivesse frequentado um* ashram *na juventude."*[13]
>
> STEVE JOBS

O Volkswagen sem manivela

Steve Jobs procurou experiências originais, tanto físicas quanto intelectuais. Sem dúvida, uma mudança física de lugar preenche a recomendação dos psicólogos sobre buscar experiências originais, mas, frequentemente, um estalo bem-sucedido pode ser obtido abordando um problema de modo original. Steve Jobs utiliza analogias e metáforas para iniciar um processo criativo e para pensar diferente sobre os problemas dos clientes.

Uma analogia mostra uma similaridade entre duas coisas diferentes. Utilizar analogias é uma técnica eficaz no desenvolvimento de plataformas de mensagem, pois ajuda os ouvintes a compreender novos conceitos. Ao comparar uma ideia à qual sua plateia não está familiarizada com algo que ela sabe, você aumenta a chance de eles aceitarem o conceito. Jobs utiliza analogias frequentes nas apresentações em que lança produtos pioneiros. Ele também parece usar analogias quando pensa sobre possíveis soluções para um problema. Ver algo original sob uma ótica familiar permite que Jobs faça conexões criativas. Consideremos o exemplo do Volkswagen sem manivela.

No verão de 1981, a IBM lançou o primeiro computador pessoal. Em novembro daquele ano, Jobs refinou o plano do computador que se tornaria o Macintosh. Mais importante para sua equipe, o plano descrevia o que diferenciava o Macintosh dos novos produtos oferecidos pela concorrência, como a IBM. O plano de negócios, redigido pelo próprio Steve, raramente foi citado nos livros ou publicações conhecidos; no entanto, fornece um vislumbre fascinante de uma das mentes mais criativas do nosso tempo. Eis como Jobs descreveu o Macintosh:

> Desde 1979, a Apple investiu milhões de dólares e milhares de horas de trabalho no desenvolvimento de uma interface de usuário consistente, que eliminará a "manivela" do computador pessoal. A filosofia por trás do Macintosh é muito simples: para o computador pessoal se tornar um produto verdadeiramente de consumo de massa, terá de ser funcional, barato, muito amigável e fácil de usar. O Macintosh representa um passo importante na evolução do computador pessoal de consumo de massa. O Macintosh é o Volkswagen sem manivela da Apple, acessível para o consumidor consciente da qualidade.[14]

O poder da visão de Steve e sua analogia despertaram uma onda de entusiasmo em toda a Apple no início da década de 1980. Discutimos a importância da visão para desencadear a inovação, mas as visões mais criativas requerem pensamento criativo, e esse tipo de pensamento é o resultado de experiências originais e de modos novos de considerar problemas comuns.

O telefone da indústria do computador

Steve Jobs, o inovador, também encontrou uma analogia útil no trabalho de outro inovador brilhante: Alexander Graham Bell, inventor do telefone. "Queremos fabricar um produto como o primeiro telefone. Queremos fazer aparelhos para o consumo de massa", afirmou Jobs. "O Macintosh consiste nisso. É o primeiro telefone do nosso setor."[15]

Jobs considerou a invenção de Bell análoga à do Macintosh, pois, em 1844, antes do telefone, as pessoas estavam prevendo que um telégrafo ocuparia cada mesa dos Estados Unidos. Jobs achou que isso nunca teria funcionado, pois a maioria das pessoas nunca teria aprendido a usá-lo. A sequência de pontos e traços do código Morse era muito intimidante para a maior parte das pessoas. Elas podiam aprender, mas poucas iriam querer. Jobs desafiou a equipe do Macintosh a desenvolver o primeiro "telefone da indústria do computador", um computador suficientemente fácil para a pessoa comum aprender a usar.

A analogia com o telefone também ajudou Jobs a propor uma visão a respeito da aparência do Macintosh. Ele sempre foi um grande pensador, com um talento especial para a analogia inspiradora, como o autor Jeffrey Young relata: "À medida que Jobs pensava sobre a máquina, meditava sobre ela e considerava as opções, passou horas observando telefones sobre mesas dos escritórios e nas casas. Quanto mais ele observava, mais se impressionava com uma coisa: muitos telefones ficavam sobre o catálogo telefônico e isso pareceu ser o espaço máximo que o computador devia ocupar sobre uma mesa".[16]

Young descreveu o que aconteceu a seguir. Jobs entrou em uma reunião de projeto com um catálogo telefônico debaixo do braço. Ele o jogou sobre a mesa e pediu que a área ocupada pelo Macintosh não fosse maior do que a daquele catálogo. Lembremos que um computador compatível com um catálogo telefônico teria de ser três vezes menor que qualquer computador existente na época. *Três vezes menor.* Os projetistas ficaram espantados com o pedido, e alguns falaram sem rodeios a respeito do seu ceticismo. No entanto, como discutimos no princípio anterior, uma visão grande, ousada e inspiradora possui um modo de desencadear a criatividade. De fato, a equipe reagiu e calculou como construir o computador verticalmente, em vez de horizontalmente. De acordo com Young, "a orientação vertical reforçou a ideia, para todos aqueles que trabalhavam na máquina, de que estavam abrindo novos caminhos com o Mac, de que estavam produzindo um computador pequeno e revolucionário, como ninguém mais tinha construído antes. Além de revolucionário, era inovador. A magia do Mac estava no acondicionamento, na mistura de recursos.

Essa mistura e compatibilização, o rearranjo e a reciclagem de velhas ideias em um novo pacote, foi sempre o trunfo de peso de Steve".[17]

Steve Jobs enxerga as coisas de modo diferente? Sim. A habilidade é exclusiva de Jobs? Não. Você pode aprender a ser mais criativo, desde que se lembre que seu cérebro lutará contra você em cada etapa do caminho. Ao buscar novas experiências e pensar diferente sobre problemas comuns, você está pedindo ao seu cérebro para gastar energia, quando seu papel natural é conservá-la o máximo possível. Não é fácil, mas, ao se forçar a sair da zona de conforto – física e mentalmente –, você colocará em movimento a descarga de sinapses, melhorando as chances de gerar ideias novas e notáveis, que possuem o potencial de transformar sua empresa e sua vida. Não fique surpreso ao descobrir abordagens originais para problemas comuns enquanto amplia sua compreensão a respeito das experiências humanas.

iDicas

1 Utilize analogias ou metáforas para pensar sobre um problema. Ao encontrar similaridades entre duas coisas que não são parecidas, seu cérebro realiza conexões novas e, às vezes, profundas.

2 Deixe sua zona de conforto de vez em quando. Fazer isso é básico para o processo criativo florescer.

3 Não viva com medo do novo. Abrace a mudança. Abrace a diversidade de opinião e experiência.

CAPÍTULO 7

Pense diferente de como você pensa

A imaginação é mais importante que o conhecimento.

ALBERT EINSTEIN

Um dos períodos mais inovadores da história remonta sua origem a Florença, na Itália. O Renascimento começou no século XIV e se difundiu pela Europa nos quatrocentos anos seguintes. Uma explosão de ideias caracterizou o período. Pintores, escultores, pensadores e inventores floresceram. Gênios como Leonardo da Vinci e Michelangelo contribuíram para importantes avanços culturais, científicos e artísticos do período e definiram o termo homem do Renascimento.

Os acadêmicos debatem como o Renascimento começou e por que começou em Florença. Alguns sugeriram que foi resultado da sorte e do momento: diversos grandes pensadores nasceram ao mesmo tempo e todos viviam na Toscana. Altamente improvável. A teoria mais difundida refere-se ao "efeito Médici", sugerindo que o papel desempenhado por Lourenço de Médici e sua abastada família teve muito, ou tudo, a ver com o estabelecimento das condições para o maior movimento cultural da história mundial.

Os historiadores atribuem à família Médici o papel de catalisadora da inovação, pois ela fez o esforço consciente de reunir pessoas de campos e disciplinas muito diferentes: arquitetos, cientistas, escultores, poetas e pintores.

Em diversos casos, esses talentos estavam concentrados em uma única pessoa. Por exemplo, Leonardo da Vinci era cientista, matemático, inventor, pintor, escultor, engenheiro e escritor. Ele era um verdadeiro "homem do Renascimento" e foi muito admirado por ser tão diverso. Pensadores da época, como Leonardo, possuíam três traços principais em comum: curiosidade insaciável, desejo de modificar o *status quo* e o conhecimento de que a inspiração criativa vinha da busca de novas experiências. Essa lista parece familiar? Deveria. Essas qualidades são muito parecidas com os traços que impulsionam o sucesso revolucionário de outro empreendedor: Steve Jobs. Seja fazendo um curso de caligrafia, visitando um *ashram*, usando um telefone como inspiração para um computador ou realizando parcerias com designers talentosos de fora do mundo dos computadores, Steve Jobs compreende que a "criatividade é conectar coisas". Experiências divergentes lhe permitem fazer conexões que outras pessoas, em geral, não perceberiam. Em "The innovator's DNA", os pesquisadores de Harvard concluem: "As empresas mais inovadoras do mundo prosperam capitalizando-se sobre as associações divergentes dos seus fundadores, executivos e funcionários".[1]

> *"Ao contrário do pensamento convencional, a inovação não constitui um dom genético magicamente concedido a uma pessoa e não a outras; é um conjunto de habilidades que podem ser desenvolvidas com a prática. Se quiser ser uma das pessoas realmente bem-sucedidas que representam um marco na empresa, você vai querer ser a pessoa que propõe a ideia e não apenas a pessoa que executa as ideias dos outros."*[2]
>
> DOUTOR JEFFREY DYER, BRIGHAM YOUNG UNIVERSITY

Aja diferente para pensar diferente

O mantra da Apple, "Pense diferente", parece simples, mas os pesquisadores que estudam inovação descobriram que, para pensar diferente, você tem de *atuar* diferente. "A maioria dos executivos considera a criatividade e inovação uma 'caixa-preta' ou algo em que as outras pessoas são boas, mas eles não sabem como fazer isso sozinhos", de acordo com Jeffrey Dyer, professor de administração da Brigham Young University.[3] Dyer, junto com dois outros pesquisadores, investigou 3 mil executivos e gerentes para o estudo "The innovator's DNA". Com respeito ao modo pelo qual os entrevistados geravam ideias criativas, o estudo revelou: "Em quase todos os casos, eles descrevem o envolvimento em um comportamento antes de ter a ideia. Algo que observaram, alguém com quem conversaram, algum tipo de experimento que realizaram, ou alguma pergunta que responderam foi o gatilho da ideia".[4] Agir diferente estimula o cérebro a realizar conexões novas e criativas. Embora Dyer e seus colegas não falassem diretamente com Steve Jobs, as conclusões do estudo correspondem àquilo que conhecemos acerca de Jobs e como ele gera ideias criativas. De fato, eles ecoam algumas das próprias palavras de Jobs sobre o tópico da inovação e do processo criativo.

O DNA dos inovadores

Dyer e seus colegas pesquisadores, Hal B. Gregersen e Clayton M. Christensen, identificaram cinco habilidades que distinguem os inovadores verdadeiros do resto de nós. Já discutimos "associação", considerando diversas experiências. Eis um curto resumo das quatro outras habilidades que podem ajudar a pôr em movimento seu próprio processo criativo.

QUESTIONANDO

Os inovadores têm prazer em questionar o *status quo*. Os pesquisadores constataram que os inovadores bem-sucedidos despendem muito tempo pensando em como mudar o mundo. Mais especificamente, em um brainstorm, eles formulam perguntas, tais como "se fizéssemos isso, o que aconteceria?". Muitos empreendedores conseguem se lembrar das perguntas específicas que fizeram a si mesmos quando tiveram suas rupturas mais estimulantes. Por exemplo, Michael Dell, que falou com os pesquisadores, afirmou que sua ideia de criar a Dell Computer apareceu após se perguntar: "Por que um computador custa cinco vezes a soma da suas peças?".

Para formular perguntas eficazes, os pesquisadores sugerem que você proponha perguntas em termos de "por quê?", "por que não?" e "e se...?". Eles perceberam que a maioria dos gerentes se dedica a melhorar um pouco o *status quo*, não o explodindo inteiramente. As perguntas que começam com "como?" tendem mais a levar a pequenas melhorias. As perguntas com "por quê?" e "e se...?" geram respostas mais explosivas.

Provavelmente, o iPad da Apple nunca teria sido criado se Steve Jobs não formulasse perguntas efetivas. Se ele tivesse perguntado à sua equipe: "Como podemos desenvolver um leitor de livro eletrônico melhor para o iPhone?", um novo aparelho nunca teria entrado em discussão. Em vez disso, ele perguntou: "Por que não existe uma categoria intermediária de aparelho entre um laptop e um smartphone? E *se* desenvolvêssemos uma?". A pergunta "e se...?" desencadeou uma discussão: uma categoria intermediária teria de ser melhor que um smartphone ou um laptop na execução de algumas tarefas-chave, tais como navegar na internet, apreciar e compartilhar fotos e ler livros eletrônicos. As perguntas levaram à criação do aparelho mais inovador da Apple desde o iPhone, um produto que possui o potencial de revolucionar os mundos das publicações, do entretenimento e da mídia.

Em 1996, em uma entrevista para a revista *Wired*, Steve Jobs declarou: "Há uma expressão no budismo: a 'mente de principiante'. É maravilhoso ter uma mente de principiante".[5] Jobs estava falando a respeito de um conceito no zen-budismo denominado *shoshin*. Significa ter uma atitude de abertura, uma ânsia de aprender e uma falta de ideias preconcebidas. Para os professores do zen, ter uma mente de principiante indica enfrentar a vida à maneira de uma criança cheia de curiosidade, assombro e espanto. É mais fácil desafiar o *status quo*, pois você se sente livre para formular perguntas na forma de "por quê?" e "e se...?". É uma mente aberta a todas as possibilidades.

EXPERIMENTANDO

Os inovadores bem-sucedidos se envolvem na experimentação "ativa", quer seja investigação intelectual, reformulação física ou busca de novos ambientes. Steve Jobs é um experimentador, física e espiritualmente. Ele é um experimentador físico, pois gosta de desmontar aparelhos para ver como funcionam. Ele é tão focado no interior de um aparelho quanto é na sua aparência. Ao mesmo tempo, Jobs também é um experimentador espiritual. Por exemplo, Jobs interessou-se pelo zen-budismo durante os dezoito meses que passou "circulando" na Reed College. Ele revelou que se sentiu atraído pelo zen porque "este depositava valor na experiência, em contraste com o entendimento intelectual". Explicou: "Via muitas pessoas contemplando as coisas, mas isso não parecia levar a muitos lugares. Fiquei muito interessado nas pessoas que descobriram algo mais significativo que um entendimento intelectual, abstrato".[6]

Não é um fato muito conhecido, mas as experiências espirituais de Jobs são, na realidade, a inspiração por trás de diversas inovações iniciais da Apple. Por exemplo, Jobs se convenceu de que o Apple II não devia ter uma ventoinha para resfriar a fonte de alimentação. Para ele, os consumidores considerariam um computador silencioso mais atraente. "Essa convicção brotou a partir da sua prática de meditação, pois as ventoinhas barulhentas existentes em todos os outros computadores eram invasivas e perturbavam a elegância pura da máquina."[7] Um computador sem ventoinha requeria uma fonte de alimentação que não gerasse o calor intenso característico dos computadores da época. De acordo com alguns autores que escreveram sobre a história inicial da Apple, Wozniak não estava interessado em fontes de alimentação, nem os diversos jovens engenheiros da época, que consideravam as fontes de alimentação um ramo enfadonho da eletrônica, que não merecia ser tratado. Jobs "enxergou" as coisas de modo diverso. A visão de Jobs, baseada em sua experimentação intelectual, desafiou o *status quo*. Ele contratou um engenheiro, Rod Holt, que projetou uma fonte de alimentação inovadora para o computador, uma que reduziu consideravelmente o tamanho do Apple II e – sim – eliminou a necessidade de uma ventoinha.

> *"A única maneira de criar algo novo – algo que muda o mundo – é pensar fora das limitações que todos os demais têm. Você tem de pensar fora dos limites artificiais que todos os demais já fixaram."*[8]
>
> STEVE WOZNIAK

NETWORKING

A maioria das pessoas considera o networking como a distribuição de cartões de visitas em um mixer de câmeras de comércio. Os pesquisadores constataram que os inovadores praticam o networking, mas não no sentido tradicional. Em vez disso, eles se cercam de pessoas interessantes, que expandem seu domínio de conhecimento. Por exemplo, Michael Lazaridis, fundador da Research in Motion, revelou aos pesquisadores que sua inspiração para o BlackBerry ocorreu em uma conferência. Da mesma forma, David Neeleman teve as ideias de criação da JetBlue em conferências que acompanhou. Inovadores como Lazaridis e Neeleman propositadamente buscaram novas experiências e novas pessoas, sabendo que ideias originais desencadeariam seus próprios processos criativos. Esse é um clássico pensamento do Renascimento. Steve Jobs não comparece a muitas conferências, mas se conecta com outras pessoas fora do mundo da tecnologia, para ampliar sua perspectiva. Por exemplo, entre numa Apple Store e você encontrará produtos com design de Philippe Starck, amigo de Jobs, um designer contemporâneo mais conhecido por saguões de hotel, suportes para fita adesiva e babás eletrônicas vendidas na Target do que por computadores.

Quanto mais gente fora do seu campo você estabelecer ligação, mais "conexões" você fará que podem levar a ideias revolucionárias. Por exemplo, Marc Benioff me disse que sua ideia para criar entusiastas da salesforce.com veio do seu relacionamento com MC Hammer, estrela do rap. O rapper contou a Benioff acerca de um conceito do *hip-hop* denominado "*street teams*" [equipes de rua], isto é, redes locais de aficionados que apoiam um artista específico. Benioff aplicou a ideia à sua empresa recém-aberta e criou um programa "City Tour", em que se encontrava com usuários locais para ampliar a mensagem da salesforce.com, despertar paixão pelo produto e reunir clientes disseminadores da mensagem da empresa. O "gênio" de Benioff estava em sua capacidade de adotar um conceito que era convencional em uma comunidade – a cena hip-hop – e aplicá-lo de modo incomum a uma nova comunidade – uma comunidade técnica.

> *"Às vezes, uma simples mudança de ambiente é suficiente para empurrar o sistema perceptivo para fora das categorias familiares. Esse pode ser um motivo pelo qual os restaurantes figuram de modo tão destacado como locais de rupturas perceptivas. Uma mudança mais drástica de ambiente – viajar para outro país, por exemplo – é ainda mais eficaz. Quando confrontado com lugares nunca antes vistos, o cérebro deve criar novas categorias. É nesse processo que o cérebro mistura antigas ideias com novas imagens, criando novas sínteses."*[9]
>
> GREGORY BERNS, *ICONOCLAST*

OBSERVANDO

Os inovadores observam as pessoas com atenção, em especial o comportamento dos possíveis clientes. Aparentemente, é durante esses momentos de observação que os inovadores bem-sucedidos descobrem suas rupturas principais. Os pesquisadores relatam histórias tanto de Scott Cook, fundador da Intuit, que criou o software Quicken ao observar sua mulher tentando manter-se a par das suas finanças, quanto de Pierre Omidyar, que criou o eBay em 1996, após ligar três pontos desconectados: "Uma fascinação pela criação de mercados mais eficientes... o desejo de sua noiva por comprar dispensadores da marca Pez, difíceis de encontrar, e a ineficácia dos anúncios classificados locais na localização de certos itens".[10]

Empresas inovadoras, como a Intel, sabem há muito tempo acerca do poder da observação. A Intel contrata milhares de engenheiros para desenvolver microprocessadores da próxima geração para computadores, carros, netbooks, GPSs e diversos outros aplicativos eletrônicos que afetam a vida cotidiana. Os engenheiros são apenas uma parte da história. Enquanto esses engenheiros estão projetando a próxima geração de tecnologias, outro grupo de funcionários muitas vezes pode estar a milhares de quilômetros de distância, visitando vilarejos na Índia, vivendo com uma família na Malásia ou observando estudantes usarem computadores em salas de aula. São antropólogos que trabalham para ajudar a Intel a ver o mundo através dos olhos dos clientes.

Os antropólogos, ou etnógrafos, comunicam o que aprendem aos engenheiros, que, por sua vez, desenvolvem tecnologia compatível com a vida diária das pessoas comuns. Por exemplo, há diferenças significativas entre os Estados Unidos e a Ásia com respeito ao tamanho e à configuração das casas das pessoas, e como a Intel está muito interessada no futuro dos aparelhos eletrônicos domésticos, essas diferenças influenciam o projeto informático e tecnológico para diversos mercados globais.

Os antropólogos descobriram que a poeira e a falta de eletricidade eram problemas nos remotos vilarejos indianos. Assim, a Intel projetou a tecnologia informática para laptops incorporando vida útil da bateria mais longa e gabinetes antipoeira. Os antropólogos também constataram que diversas famílias gostavam de compartilhar fotos e vídeos dos seus laptops, mas conectar a uma tela de tevê era muito complicado para a maioria das pessoas. Desse modo, os familiares se acomodavam em torno de uma pequena tela de laptop. Com base nessa informação, os engenheiros criaram a tecnologia Intel Wireless Display para enviar a informação do laptop sem fio a uma tela de tevê. Assim, a Intel sistematizou a ideia de "sair do escritório".

Lembremos que a função do cérebro é conservar energia. As observações desencadeiam o processo criativo e forçam a mente a realizar conexões que, caso contrário, teria evitado. A Intel descobriu que fazer observações eficazes requer encontrar as pessoas em seus ambientes e não no seu próprio.

Adriana Herrera é diretora da ERA Communications, empresa de relações públicas, com escritórios no Havaí e em San Diego. Antes de trabalhar em relações públicas, Adriana atuou com psicologia industrial e organizacional, período em que estudou o pensamento criativo. Sua empresa dedica-se a cultivar uma cultura de criatividade. Um elemento dessa cultura criativa é encontrar clientes em ambientes atípicos. Como a criatividade raramente ocorre em uma sala de reuniões cinzenta, as reuniões com os clientes da ERA são realizadas ao ar livre: passeando, caminhando e até surfando (é o Havaí, afinal de contas). Os encontros de *brainstorming* acontecem em jardins públicos, em praias ou sobre as ondas, enquanto os participantes remam pranchas de surfe. "Meu histórico educacional em Psicologia ensinou-me que, quando fazemos algo físico, as sinapses estão se excitando e o sangue está fluindo para o cérebro", afirma Adriana.[11]

> *"O cérebro humano é intensamente interativo. Você utiliza diversas partes dele em cada tarefa que realiza. É, de fato, no uso dinâmico do cérebro – encontrando novas conexões entre as coisas – que a ruptura verdadeira acontece. Albert Einstein, por exemplo, tirava grande proveito da dinâmica da inteligência. A destreza de Einstein como cientista e matemático é lendária. No entanto, Einstein foi um estudante de todas as formas de expressão, acreditando que podia colocar em uso tudo o que desafiasse a mente, de diversos modos. Por exemplo, ele entrevistou poetas para aprender mais sobre o papel da intuição e da imaginação... seu sucesso não veio da força bruta do seu poder de processamento mental, mas da sua imaginação e criatividade."*[12]
>
> KEN ROBINSON, *THE ELEMENT*

A empresa de Adriana Herrera recebeu a missão de promover uma conferência em San Diego voltada para a redução de resíduos. Ao agendar um encontro com o assessor de imprensa do San Diego Environmental Services, Adriana propôs que, em vez de se encontrarem no escritório dele ou em um café, eles poderiam realizar a reunião em um aterro sanitário. A experiência deu ideias a Adriana para ajudá-la a comunicar efetivamente o propósito da San Diego Zero Waste Business Conference.

As empresas que têm sucesso em indicar novos caminhos – quer seja um novo modo de fornecer software (salesforce.com), projetar microprocessadores (Intel), criar campanhas de relações públicas (ERA Communications) ou lançar novos aparelhos de informática, música e entretenimento (Apple) – são, em geral, lideradas por pessoas que entendem que o cérebro precisa de alguma ajuda para manter o combustível criativo fluindo. Esses líderes procuram novas experiências para realizar associações inteligentes, conectando ideias aparentemente sem relação para obter novo conhecimento.

Buscar novas experiências pode ajudá-lo a ativar o processo criativo. Para essa abordagem funcionar, contudo, você deve confiar que escapar da sua rotina física ou mental conhecida levará a rupturas desconhecidas, não agora, talvez, mas algum dia. A rotina é a inimiga do crescimento, do progresso e da inovação, mas é necessário confiança para acreditar que escapar da rotina abrirá caminhos novos e criativos em seu cérebro. A criatividade nem sempre acontece no seu cronograma. Algo que você viu naquela viagem exótica a um país estrangeiro há dois anos pode desencadear uma ideia hoje que você pode aplicar no seu negócio. Comparecer a uma conferência que não tinha nada a ver com seu campo pode lhe proporcionar um dia o estalo necessário para levar sua empresa ao próximo nível. Observar seu cliente no ambiente dele ou marcar um encontro ao ar livre pode acabar se convertendo em uma nova ideia bem-sucedida. E fazer aquele curso excêntrico – como Jobs e o curso de caligrafia – pode levar a um novo modo de olhar para o mundo, somente *anos depois*. "Você não pode ligar os pontos olhando para a frente; você só pode ligá-los olhando para trás", Steve Jobs afirmou, em seu discurso de paraninfo, em Stanford. "Assim, você tem de confiar que os pontos, de alguma forma, se ligarão em seu futuro. Você tem de confiar em alguma coisa: intuição, destino, vida, carma, seja o que for. Essa abordagem nunca me desapontou e fez toda a diferença na minha vida."

iDicas

1 Dedique quinze minutos por dia formulando perguntas que desafiam o *status quo*. Em vez de perguntar "como?", utilize perguntas que começam com "por quê?" e "e se...?".

2 Busque novas experiências. Se você geralmente lê textos de não ficção, leia um livro de ficção. Se você geralmente compra revistas de negócios na banca, escolha outro gênero de vez em quando, como casa e jardinagem ou artes e antiguidades. Acompanhe conferências fora do seu setor. Voluntarie-se para eventos locais que não têm nada a ver com seu trabalho. Aproveite cada oportunidade para viajar. Os pesquisadores documentaram que, em quanto mais países uma pessoa viveu, mais essa pessoa tende a aproveitar essa experiência para criar ideias, processos ou métodos inovadores.

3 Contrate pessoas fora das regras convencionais. Lembre-se do que Steve Jobs disse a respeito das pessoas que projetaram e comercializaram o primeiro Macintosh. A equipe teve sucesso porque incluiu músicos, artistas plásticos, poetas e cientistas. Os psicólogos organizacionais e os escritórios de design inovadores descobriram que as equipes mais criativas são diversificadas, compostas de pessoas com talentos, habilidades e experiências muito diferentes, mas complementares.

PRINCÍPIO 4

Venda sonhos em vez de produtos

Nós também pensamos diferente e atendemos as pessoas que estão comprando nossos produtos desde o início. Porque, muitas vezes, os outros acham que essas pessoas são malucas, mas, nessa maluquice, vislumbramos a genialidade.

STEVE JOBS

CAPÍTULO 8

Enxergue a genialidade na sua maluquice

As pessoas malucas o suficiente para acreditar que podem mudar o mundo são as que realmente o mudam.

ANÚNCIO DA APPLE

Em 7 de agosto de 1997, a Macworld Expo podia ter sido o ato final da Apple. Jobs ficou afastado da empresa que ele fundou por onze anos, e a empresa estava produzindo produtos medíocres sob uma sequência de presidentes. Os presidentes John Sculley, Michael Spindler e Gil Amelio tinham todos formação superior avançada em Negócios, Engenharia ou Física. Eram homens inteligentes, exceto por um defeito fatal: nenhum deles conseguiu entender o cliente básico da Apple. Em consequência, as vendas despencaram, de 11 bilhões de dólares, em 1995, para cerca de 7 bilhões de dólares. A Apple estava perdendo dinheiro e funcionários. Diversos veteranos da Apple estavam desiludidos e se demitiram de suas funções. Em 1996, alguns saíram involuntariamente quando Gil Amelio dispensou milhares de funcionários. A Apple estava perto da falência. A empresa que desencadeou uma revolução informática estava em risco real de desaparecer.

Em Boston, na Macworld Expo, Steve Jobs – que Amelio trouxera de volta como "consultor" da Apple – subiu ao palco sob aplausos entusiasmados, fazendo diversos anúncios, incluindo a demissão de Amelio e a nomeação de uma nova diretoria. Jobs manteria sua função de presidente da Pixar, mas assumiria o comando da Apple como "interino". A manchete real, contudo, tinha pouco a ver com quem não estava lá e, em vez disso, enfocava quem estava ali, ao menos via satélite. Jobs anunciou um investimento de 150 milhões de dólares do inimigo da Apple: a Microsoft. Bill Gates surgiu em uma tela gigante. Ele foi saudado com aplausos tímidos e algumas vaias. Rapidamente, Jobs saiu em defesa de Gates e deixou claro que as duas empresas tinham de trabalhar juntas no melhor interesse do setor – e para a sobrevivência da Apple. O evento também foi notável pelo fato de não incluir o lançamento de nenhum novo produto. Assim, a mídia, de forma compreensível, enfocou o retorno de Steve Jobs e o "negócio com a Microsoft". Em retrospecto, a apresentação nos deu um vislumbre da estratégia de inovação que levaria ao ressurgimento da Apple: Jobs conhecia seus clientes melhor do que ninguém na empresa. Ele entendia suas necessidades, expectativas e sonhos. Sobretudo, ele abraçava a maluquice deles.

Nossos clientes estão determinados a mudar o mundo

Nas semanas anteriores ao discurso de Boston, Jobs formulou a cem pessoas da Apple esta pergunta: qual é a maior empresa de educação do mundo? Só duas pessoas responderam corretamente: a Apple. A empresa era, facilmente, a maior fornecedora de produtos para a comunidade da educação. A Apple era responsável por um total de 65% de todos os computadores utilizados pelos professores. De acordo com Jobs, se as pessoas dentro da empresa não sabiam – ou reconheciam – seu cliente principal, então seria impossível criar novos produtos para atender às necessidades dos consumidores.

Além do mercado de educação, a Apple era a ferramenta de informática dominante entre os profissionais de criação dos setores editorial e de design. Jobs citou o fato de que, embora a participação de mercado da Apple fosse de 7%, ela era responsável por 80% de todos os computadores utilizados em propaganda, design gráfico, editoração e impressão. Sessenta e quatro por cento de todos os sites também eram criados usando Macs. Sem dúvida, os "caras criativos" eram clientes importantes para a Apple, uma base de consumidores que a empresa podia aproveitar para recuperar sua saúde econômica. Para Jobs, a Apple havia negligenciado essa base básica de clientes, ou seja, os profissionais de criação. "Por exemplo, de 10% a 15% das vendas do Mac relacionam-se diretamente com pessoas que utilizam o Adobe Photoshop como seu aplicativo principal", Jobs revelou para a plateia. "Qual foi a última vez que vocês viram a Adobe e a Apple comercializando em conjunto o Photoshop? Qual foi a última vez que a Apple foi à Adobe e perguntou: 'Como podemos fazer um computador que executa o Photoshop mais rápido?'. Enfocaremos muito mais essas coisas."[1] Antes da apresentação de Jobs, uma edição da revista *Wired* publicou uma foto de capa de um logotipo da Apple coberto de espinhos. O título era: "Rezem". Outra publicação proclamou: "A Apple se tornou irrelevante".[2] Onde muitas pessoas enxergavam uma empresa agonizante, Jobs via uma empresa que era extremamente relevante, pois ele conhecia seus clientes e o papel que a Apple desempenhava em suas vidas. A Apple estava executando de modo brilhante, declarou Jobs. Estava só executando as coisas erradas e não estava atendendo às necessidades dos seus 25 milhões de clientes básicos.

Em Boston, Jobs encerrou sua apresentação com uma observação que prenunciou uma das campanhas publicitárias mais influentes da história empresarial e deu o tom do ressurgimento da Apple. Jobs fez uma pausa, abaixou a voz e desacelerou o ritmo. Ele passou os dois minutos seguintes descrevendo o cliente básico da Apple – suas habilidades, necessidades e sonhos:

> Por fim, quero falar um pouco sobre a marca Apple e o que ela significa para muitos de nós... Acho que você ainda tem de pensar de modo diferente para comprar um computador Apple. Acho que as pessoas que o compram pensam de modo diferente. Elas são os espíritos criativos desse mundo. São as pessoas que querem não só realizar um trabalho, mas também mudar o mundo. E querem mudar o mundo usando todos os tipos de ferramentas incríveis que podem conseguir. Fazemos ferramentas para esse tipo de pessoas. Com esperança, o que vimos aqui hoje são alguns passos iniciais que dão a vocês alguma confiança de que nós também vamos pensar de modo diferente e vamos atender às pessoas que estão comprando nossos produtos desde o início. Muitas vezes, os outros acham que

essas pessoas são malucas. Mas, nessa maluquice, vislumbramos a genialidade. São para essas pessoas que desenvolvemos ferramentas.[3]

Saudações aos malucos

Um mês depois da Macworld Expo, em Boston, a Apple lançou a campanha publicitária *Think different* [Pense diferente], considerada responsável amplamente por restaurar a imagem da Apple após a derrocada dos anos anteriores. A campanha, criada pela agência TBWA/Chiat/Day, estreou em setembro de 1997. Recebeu muitos elogios importantes, tornou-se objeto de culto e permaneceu o destaque das iniciativas publicitárias da Apple até 2002, uma eternidade para uma campanha de imagem empresarial. Nos onze anos anteriores, sem Steve Jobs no comando, a empresa perdera seu *status* como pioneira. Levou trinta segundos para recuperar a imagem. O anúncio televisivo acabou sendo um sucesso porque lembrou aos funcionários da Apple quem eram seus clientes e, para os clientes, reforçou a ideia de que estavam fazendo negócios com uma marca que entendia suas expectativas e sonhos.

Os anúncios televisivos que compunham a campanha *Think different* eram denominados *Crazy ones* [Os malucos]. Foi uma das campanhas publicitárias mais inovadoras de todos os tempos. No anúncio televisivo, uma montagem em branco e preto de heróis, pensadores, inventores e rebeldes preenchia a tela: Albert Einstein fumando cachimbo, Bob Dylan tocando gaita, Martin Luther King Jr. pronunciando o discurso "*I have a dream*" [Eu tenho um sonho], Richard Branson sacudindo uma garrafa de champanhe, Martha Graham dançando e Picasso pintando. Enquanto imagens inspiradoras preenchiam a tela, o ator Richard Dreyfuss lia um poema de versos livres que, apesar de não escrito por Steve Jobs, refletia sua crença no espírito da descoberta:

> Saudações aos malucos. Aos desajustados. Aos rebeldes. Aos problemáticos. Aos inadequados. Aos que enxergam as coisas de modo diferente. Eles não gostam de regras. E não têm respeito pelo *status quo*. Você pode citá-los, discordar deles, glorificá-los ou difamá-los. A única coisa que você não pode fazer é ignorá-los. Porque eles

mudam as coisas. Eles empurram a humanidade para a frente. E enquanto alguns os consideram malucos, nós os consideramos gênios. Porque as pessoas malucas o suficiente para acreditar que podem mudar o mundo são as que realmente o mudam.[4]

A leitura do texto não tem o mesmo impacto que escutar Dreyfuss narrá-lo, o que você pode fazer no YouTube (youtube.com/watch?v=XufH--BEBMoY). De fato, você deve ver o vídeo para apreciar como um ator perfeito é capaz de dar vida às palavras. Para Steve Jobs, a campanha publicitária teve o objetivo de lembrar aos funcionários da Apple quem são seus heróis. Também lembrou aos clientes para acreditar em si mesmos, nas suas esperanças, nos seus sonhos. O comercial termina com uma menina pequena abrindo os olhos, como que enxergando as possibilidades diante de si. A mensagem implícita era de que as pessoas que utilizam os computadores Apple também conseguem enxergar as possibilidades que os outros não alcançam. Essas pessoas eram os "espíritos criativos" do mundo, os inadequados. A Apple estava falando diretamente com eles.

A campanha publicitária, junto com a apresentação de Jobs que a precedeu, revela uma diferença fundamental entre os inovadores radicais e os imitadores medíocres: os primeiros acreditam nos sonhos dos seus clientes e na capacidade deles de mudar o mundo; os últimos enxergam seus clientes como cifrões e nada mais.

"O objetivo integral da campanha Think different *era de que as pessoas tinham esquecido o que a Apple significava, incluindo os funcionários. Pensamos muito sobre como falar para uma pessoa o que significamos, quais são os nossos valores. Ocorreu-nos que, se não conhecemos alguém muito bem, podemos perguntar-lhe: 'Quem são seus heróis?' Podemos aprender muito sobre as pessoas conhecendo seus heróis. Então, dissemos: 'Tudo bem, vamos revelar para as pessoas quem são os nossos heróis.'"*[5]

STEVE JOBS

Os clientes não são entes virtuais

De 1995 a 2000, durante o boom das empresas ponto-com, elas foram geradas, oferecendo pouca ou nenhuma proposição de valor. Estavam no ramo de caçar visitantes de sites. Em geral, os empreendedores, os investidores e os analistas estavam unidos na crença de que, uma vez que uma quantidade suficiente de visitantes tivesse acessado um site, essas jovens empresas virtuais teriam sucesso na "monetização". Todos nós sabemos o que aconteceu. Algumas pessoas que chegaram cedo na corrida do ouro digital ficaram ricas, mas a maioria saiu empobrecida.

Na época, eu apresentava um programa de finanças em uma rede nacional de tevê, a TechTV, agora G4 (entre meus colegas, incluíam-se Leo Laporte, autor de tecnologia; John Dvorak, colunista da revista *PC*; e Kevin Rose, empreendedor da internet e fundador do site Digg). Era uma plataforma ideal para observar o que ficou conhecido como "exuberância irracional". Lembro-me do encontro com os rapazes que caracterizaram a bolha das empresas virtuais, Stephan Paternot e Todd Krizelman. Eles ficaram conhecidos como os *Bubble boys* [garotos da bolha], e não no bom sentido.

Os dois amigos criaram o site TheGlobe.com. Em novembro de 1998, a empresa abriu o capital e contabilizou um dos maiores ganhos em um único dia na história do lançamento de ações. Até hoje, não sou capaz de dizer exatamente o modo pelo qual o TheGlobe.com melhoraria a vida de alguém ou, francamente, para que ele servia. Ao que se revelou mais tarde, nem os fundadores sabiam na época. Era uma espécie de site de bate-papo on-line e de envio de mensagens gratuito: um "portal", na falta de uma palavra melhor. Não tinha importância para os fundadores. Os garotos gastaram dinheiro loucamente, fizeram um grande espetáculo do seu sucesso e perderam tudo um ano depois, quando o TheGlobe.com desmoronou. O preço da ação despencou de um máximo de 97 dólares para cerca de 10 centavos de dólar. Em retrospecto, seu fim deveria ter sido fácil de prever. Uma equipe de reportagem da CNN flagrou Paternot em uma casa noturna de Nova York dançando com sua namorada, uma modelo. "Pegue a garota. Pegue o dinheiro. Agora, estou pronto para levar uma vida bem frívola", ele disse.[6] Evidentemente, esses rapazes nunca compartilharam do *ethos* de Steve Jobs. Enquanto os *Bubble boys* estavam ocupados desempenhando o papel de magnatas, Jobs estava desenvolvendo produtos reais para ajudar os clientes reais a alcançar objetivos reais. No mundo da Apple, ao contrário do mundo dos *Bubble boys*, os clientes não são entes virtuais. São homens e mulheres, jovens e adultos, profissionais e amadores que têm uma coisa em comum: sonham com uma vida melhor. A Apple criou produtos que mudaram o mundo precisamente porque ajudaram seus clientes a preencher seus sonhos de mudar o mundo.

Em uma determinada noite, entre em qualquer casa noturna e, provavelmente, você verá um DJ usando um Mac. Alguns utilizam PCs, mas os notebooks Mac parecem ser a ferramenta preferida dos DJs. Ora, não sou exatamente um *habitué* de casas noturnas, mas suponho que os DJs são sujeitos "descolados" e, bem, os Macs são bacanas. No entanto, quando perguntei a um DJ, na boate do Venetian, hotel cinco estrelas de Las Vegas, por que ele usava um Mac, a primeira coisa que ele disse não tinha nada a ver com o fato de ser "descolado": "Ele não trava. Não posso me arriscar a arruinar meu show no Venetian porque meu computador congelou", ele afirmou.

Esse DJ não estava usando um Mac para parecer "descolado". Ele o estava usando porque era confiável. Seu sonho era se tornar um DJ de sucesso, que seria contratado pelas melhores casas noturnas de Las Vegas, Nova York e Londres. Ele é um entusiasta afeiçoado da Apple, porque os produtos da empresa o ajudam a alcançar seu sonho. Se a estética do Mac faz ele parecer "descolado", isso é perfumaria. Sua maior preocupação é que a terrível "tela azul da morte"* seguramente interromperia seus sonhos, independentemente de quão na moda fosse sua aparência.

Fazemos um ideia do que queremos

Steve Jobs conhece seus clientes tão bem que consegue desenvolver produtos incríveis sem grupos de foco. Ele não vê necessidade deles. Tampouco Jobs realiza muita pesquisa de mercado ou contrata consultores. "Em meus dez anos, o único consultor que já contratei foi uma empresa para analisar a estratégia de varejo da Gateway, para eu não cometer alguns dos mesmos

* Trata-se de uma tela exibida nos sistemas operacionais Windows em caso de erro grave do sistema. (N. T.)

erros cometidos por eles [no lançamento das Apple Stores]. Mas nunca contratamos consultores propriamente ditos. Só queremos desenvolver produtos incríveis", Jobs afirmou certa vez.[7]

Isso não quer dizer que a Apple não escuta seus clientes; com certeza, ela faz isso, e o resultado é um fluxo constante de atualizações, cores, recursos e funcionalidades. No entanto, lembremos, há inovação com "i" minúsculo e inovação com "i" maiúsculo. Pode não haver a letra "i" [eu] na palavra *team* [equipe], como afirma o dito "no *I* in *team*", mas há um grande "I" maiúsculo na palavra *Inovação*, e, no que diz respeito ao sucesso revolucionário da Apple, Steve Jobs não hesita em se perguntar: "O que eu quero?". Acontece que Jobs e as pessoas que trabalham na Apple são o melhor grupo de foco da empresa. Indagado do por que a Apple não realiza grupos de foco, Jobs respondeu:

> Não se trata de cultura pop, não se trata de enganar pessoas, e não se trata de convencer as pessoas de que precisam de algo que não precisam. *Somos uma ideia do que queremos.* E acho que somos muito bons em ter a disciplina correta de refletir se diversas outras pessoas também vão querer. Somos pagos justamente para isso. Por isso, não saímos na rua e perguntamos para as pessoas: qual é a próxima novidade sensacional? Há uma grande citação de Henry Ford, sabe? Ele disse: "Se eu tivesse perguntado aos meus clientes o que queriam, teriam dito: 'um cavalo mais rápido'".[8]

"Steve Jobs evita como praga a maioria dos grupos de foco", escreveu Rob Enderle, analista de tecnologia. "O fato muito real é que a maioria dos consumidores não sabe o que quer de um novo produto." Enderle suspeita que, se a Apple tivesse recorrido a grupos de foco no desenvolvimento do iPad, o produto ficaria muito parecido com o tablet da Microsoft de uma década atrás. Seria mais caro, mais pesado e mais complicado: um laptop sem teclado. Em vez disso, a Apple lançou um aparelho mais fino, mais leve e mais simples. De acordo com Enderle, a Apple venderá milhões de unidades a mais do que venderia se a empresa tivesse perguntado aos clientes o que eles queriam. "A maioria dos fornecedores lança inúmeros produtos que foram testados em grupos de foco, na expectativa de que o volume e a escolha abrangerão efetivamente seu público potencial e capturarão os clientes", afirma Enderle. "A Apple, por outro lado, desenvolve poucos produtos e utiliza o marketing para orientar os clientes para seus lançamentos."[9]

Para Jobs, é difícil projetar por meio de grupos de foco, pois na maior parte das vezes as pessoas não sabem o que querem até você mostrar a elas. Então, como os funcionários da Apple solucionam o dilema de saber se um produto terá sucesso com seus clientes antes de desenvolvê-lo? Na realidade, é muito simples. Eles recorrem ao grupo de foco definitivo, o grupo com os critérios mais exigentes: o constituído por eles mesmos. *Somos uma ideia do que queremos.* O DNA da Apple é uma empresa para o consumidor, e é para o consumidor que Jobs e sua equipe pensam obsessivamente. Se algo atrair Jobs e sua equipe, provavelmente atrairá inúmeras pessoas fora da Apple, quantidade suficiente para tornar o produto muito popular e altamente lucrativo.

Epifanias tecnológicas

Os "consultores" de tecnologia gostam de usar palavras-chave como *inovação centrada no usuário, colaboração em massa* e *crowdsourcing* [terceirização em massa]. Todos esses termos representam um jargão referente à ideia básica de que devemos prestar muita atenção nos clientes e envolvê-los diretamente no desenvolvimento e na implantação de novos produtos ou serviços. Você nunca escutou Steve Jobs utilizar esses neologismos, mas, frequentemente, escuta-os dos "especialistas" em inovação. Isso me diz que esses especialistas não entenderam a questão. Steve Jobs não se impressiona com o jargão. Ele se impressiona com a criação de algo muito simples, acessível e agradável esteticamente, que ajuda os clientes da Apple a melhorar suas vidas.

A Apple escuta seus clientes todos os dias. No entanto, o verdadeiro segredo por trás das inovações da Apple, a inovação com "i" maiúsculo, não vem da ação de ouvir os usuários, mas da introdução dos seus clientes em um modo completamente novo de pensar a respeito de soluções para seus problemas. Isso é o que Jobs quer dizer quando afirma que a Apple não faz grupos de foco. De forma alguma ele está recomendando que você pare de escutar seus clientes. Jobs está defendendo que você se aproxime mais do que nunca dos seus clientes. Tão perto, de fato, que você lhes diz o que eles precisam muito antes que percebam por si mesmos.

Roberto Verganti, professor de administração italiano, apresenta um argumento persuasivo, qual seja, as empresas que criam inovações radicais geram uma visão, ou o que ele denomina uma *proposta*, revelando para nós aquilo que vamos gostar. "Os insights não se deslocam dos usuários para a Apple, mas vice-versa. Mais do que a Apple nos escutando, somos nós que escutamos a Apple", Verganti afirma.[10] Escutar seus clientes é aceitável para estimular a inovação incremental, mas dificilmente gera saltos extraordinários, diz. Uma melhor descrição para o que a Apple fornece é o que Verganti denomina "epifania tecnológica", isto é, uma visão do que o cliente vai querer no futuro. Dessa maneira, a Apple muda o modo pelo qual percebemos o mundo. De acordo com Verganti, a Apple não é orientada por uma abordagem "centrada no usuário" em relação à inovação tanto quanto é orientada por algo muito mais significativo: o valor do cliente. "Se você se concentrar em ter orgulho do tipo de produto que oferece aos clientes, então sua empresa acabará tendo sucesso e o valor para o acionista virá. Muitos presidentes de empresa e gerentes de linha de frente se concentram tanto no valor do acionista que se esquecem do valor do cliente, que é, em última análise, o que torna uma empresa lucrativa."[11] A Apple é uma empresa extremamente lucrativa porque se concentra nas necessidades dos seus clientes básicos. Steve Jobs começou revelando epifanias tecnológicas com o lançamento do Apple II e continua a fazer isso hoje, particularmente nas áreas de música, telecomunicações e computação móvel.

A receita para a música digital

Em 2001, a Apple não lançou o iPod para iniciar uma revolução, mas sim para solucionar o sofrimento dos seus clientes. Os tocadores de música digital da época, que se baseavam em chips de memória muito limitada, conseguiam armazenar somente algumas dezenas de músicas, não muito melhor do que um tocador de CDs portátil. Alguns produtos baseados em um novo disco rígido Fujitsu de 2,5 polegadas podiam armazenar potencialmente centenas de músicas, mas apresentavam um defeito fundamental: de modo torturante, as baixas velocidades do computador para o tocador. A Apple apresentou a solução: o FireWire.

Em 23 de outubro de 2001, Steve Jobs lançou o primeiro iPod: "Mil músicas em seu bolso". Ele descreveu o aparelho como um grande avanço no ato de ouvir música, pois os ouvintes podiam transportar suas bibliotecas musicais completas nos bolsos. Na sua apresentação, Jobs dedicou diversos minutos ao FireWire, demonstrando exatamente como o iPod solucionaria o problema das transferências penosamente lentas. A Apple desenvolveu o FireWire na década de 1990 como um método de transmitir informações muito rapidamente entre dispositivos digitais. Ao incorporar a tecnologia no seu novo tocador de música, a Apple resolveu o problema que os aficionados de música se queixavam. Eis como Jobs revelou a solução:

> A Apple inventou o FireWire, e incluímos o FireWire em todos os computadores que fabricamos. Ele está integrado ao iPod. É o primeiro e único tocador de música com FireWire. Por quê? Porque é rápido. Você pode fazer um download de um CD inteiro para o iPod de cinco a dez segundos. Vamos ver como ele se compara a uma conexão USB. De cinco a dez segundos para carregar um CD inteiro com o FireWire. Com uma conexão USB: cinco minutos. Vamos falar de mil músicas. No iPod, com WireFire, leva menos de dez minutos; no tocador com USB, cinco horas. Dá para imaginar? Você tem de prestar atenção durante cinco horas enquanto as músicas são carregadas. Menos de dez minutos com o iPod. É trinta vezes mais rápido do que qualquer outro tocador de MP3.[12]

Naturalmente, havia outros aspectos notáveis do iPod. Ele tinha um *scroll wheel* [roda de rolagem] para navegação fácil, bateria com autonomia de dez horas, um pequeno tamanho físico do drive (a dimensão de um baralho) e os clássicos elementos de design acessíveis da Apple. Em resumo, o iPod era um tocador de música digital muito melhor. Mas não era uma inovação radical. A "epifania tecnológica" ocorreu dois anos depois, com o lançamento da iTunes Music Store.

Em 28 de abril de 2003, Steve Jobs redefiniu o que significava adquirir e apreciar música. Nas palavras de Verganti, Jobs apresentou uma proposta para seus clientes; uma que nenhum grupo de foco teria oferecido: em troca pelo pagamento de uma música, apenas 99 centavos de dólar por canção, os clientes desfrutariam de uma experiência musical mais gratificante. Se ele tivesse simplesmente escutado os seus clientes, nenhum deles teria dito a Jobs que queria pagar por música. Jobs teve de mudar o modo como seus clientes pensavam sobre suas experiências. Ele fez isso começando com uma aula de história. "Em 1999, todos nós sabemos que ocorreu o fenômeno Napster. Ele encerrou suas atividades em 2001, mas revelou algumas coisas para nós. Demonstrou que a internet era feita para distribuição de música. Seu rebento, o Kazaa, está vivo e bem hoje. Há um lado bom e um lado ruim em relação a isso. O lado bom é que oferece aos usuários uma gratificação quase instantânea, ao menos em comparação ao fato de ter de ir a uma loja de discos. O lado negativo é que é roubo. Assim, do ponto de vista do usuário, vamos considerar o lado bom e o lado negativo."[13]

Então, Jobs expôs uma lista de benefícios oferecidos pelo *status quo*:

- Grande seleção de músicas, melhor do que qualquer loja de discos do mundo
- Gravação de CDs ilimitada
- Armazenamento de música em uma quantidade ilimitada de tocadores de MP3
- É grátis!

"O que há de errado com isso?", Jobs perguntou. Ele respondeu sua própria pergunta com uma discussão acerca do "lado negro" do *status quo*:

- Downloads não confiáveis
- Qualidade não confiável ("Muitas dessas músicas são codificadas por crianças de 7 anos, e elas não fazem um trabalho muito bom.")
- Não há audição prévia ("Você pode passar muito tempo fazendo o download de uma música e descobrir que não é aquela que queria.")
- Nenhuma arte de capa
- É roubo[14]

"A maior parte das pessoas não enfoca essas coisas", Jobs afirmou. "Elas enfocam as coisas boas. Bem, por que isso se disseminou? Porque não há alternativa legal que valha a pena." Depois desse prólogo, Jobs apresentou a iTunes Music Store: "Downloads de música do jeito certo".

Jobs descreveu como a Apple negociou acordos com as principais gravadoras. A iTunes Store original foi lançada com 200 mil músicas, dando o direito de possuir sua música em uma quantidade ilimitada de iPods. Jobs sabia que alguns consumidores podiam considerar mesmo 99 centavos de dólar por música muito caro, especialmente quando podiam obter música gratuitamente. Então, ele abordou essa questão:

> Quanto é 99 centavos? Quantos de vocês tomaram um *latte* da Starbucks essa manhã? São três dólares. Você podia ter comprado três músicas. E pense sobre quantos *lattes* estão sendo vendidos em todo o mundo hoje. Agora, consideremos novamente o lado negativo. O que significa um download não confiável ou uma codificação não confiável? Eis um cenário típico. Você vai ao Kazaa para achar uma música. Você nunca acha uma única música, mas sim de cinquenta a sessenta da mesma. E você tem de escolher aquela que vai permitir um download confiável. Frequentemente, você escolhe errado. O download é muito lento e trava no meio do caminho. Você tenta de novo e tem o mesmo resultado. Depois de algumas vezes, você finalmente consegue fazer o download da música e acaba descobrindo que os últimos quatros segundos estão faltando, ou que há um defeito no meio, ou que o arquivo foi codificado por alguém que não sabia o que estava fazendo e a qualidade do som é péssima. Você tenta muitas vezes e, após quinze minutos, finalmente consegue obter uma versão limpa da música que deseja. O que isso significa é que você passará uma hora para baixar quatro músicas que pode conseguir por menos de quatro dólares da Apple. Isso significa que você está trabalhando por menos do que o salário mínimo! Além disso, está roubando.[15]

A iTunes Music Store é um exemplo de epifania tecnológica. "O iPod não é simplesmente um tocador de música portátil. O sistema completo que a Apple criou – o iPod, o aplicativo iTunes, a iTunes Store, o modelo de negócios para a venda de música – oferece uma experiência perfeita... Portanto, o sucesso do iPod não se deve somente, como muitos afirmam, ao seu estilo elegante e às funcionalidades únicas, tais como sua interface do usuário e a quantidade de músicas que pode armazenar. O motivo principal do seu sucesso resulta das pessoas com intenção, em associação com os componentes imateriais do iPod", afirma Verganti.[16]

A sorte da Apple decolou após a inovação radical da iTunes Music Store e não a partir do lançamento do iPod. O iPod foi uma forma impressionante de inovação, mas incremental. A Music Store desencadeou uma revolução. Verganti nos lembra que a Apple lançou o iPod em 2001 e a iTunes Store em 2003; a compatibilidade do iTunes com o Windows apareceu um ano depois. Verganti assinala que a demanda pelo iPod começou a subir vertiginosamente em 2004, quando as vendas foram oito vezes maiores do que as vendas acumuladas durante os dois primeiros anos. Atualmente, a iTunes Store é responsável por mais de 70% de todas as vendas legais de música digital on-line do mundo, tornando a Apple a maior revendedora de música do mundo. No momento da redação deste livro, 10 bilhões de músicas já tinham sido vendidas. O catálogo da iTunes ampliou-se e inclui mais de 12 milhões de músicas, 55 mil programas de tevê e 850 filmes.

Como a Apple se tornou a empresa de música mais bem-sucedida do mundo? Ela inventou os tocadores de música? Não. Criou conteúdo musical? Não. A Apple foi a primeira empresa a disponibilizar música digital para download? Não. Mas a Apple fez algo que nenhuma outra empresa havia feito: melhorou radicalmente a experiência do cliente,

Enquanto o iPod foi um exemplo clássico de projeto centrado no usuário (vocês têm um problema e nós temos uma solução), a iTunes Store foi um exemplo de inovação radical, que, como Verganti observa, "raramente emerge correndo atrás dos usuários".[17] Em vez disso, a Apple apresentou uma *proposta* para seus clientes. Se vocês estiverem dispostos a pagar uma pequena quantia por sua música, eis o que forneceremos em troca: downloads rápidos, fáceis e confiáveis, uma grande biblioteca de conteúdo e um bom carma!

A Apple revoluciona o telefone

O iPod transformou a Apple e toda a indústria da música. Em 2007, o iPhone transformou a Apple de novo e revolucionou todo o setor de telecomunicações. A revista *Times* proclamou o iPhone como a melhor invenção de 2007, por diversos motivos:

- **É bonito.** (Jobs acredita que o bom design é tão importante quanto a boa tecnologia.)
- **É sensível ao toque.** Da mesma forma que a Apple foi pioneira em relação à interface gráfica do usuário com o Macintosh, soube o que fazer com a tecnologia multitoque, dando aos usuários a ilusão de manipular dados com as mãos.
- **Melhorará os outros telefones.**
- **Não é um telefone; é uma plataforma.** Isso se materializou quando milhares de desenvolvedores terceirizados criaram *apps* [aplicativos] que facilitam nossa vida.[18]

Vale notar que nenhum dos motivos que impressionaram os jornalistas da *Time* teria aflorado nos grupos de foco se a Apple tivesse perguntado aos clientes o que queriam em uma experiência de smartphone. Imagine se a Apple tivesse perguntado aos membros de um grupo de foco se eles considerariam utilizar o aparelho sem uma *stylus**? *Sem uma* stylus? *O que vocês querem que a gente use? Como vamos navegar na tela? Com nossos dedos? Isso é um absurdo. Faça um telefone com um teclado retrátil e ficaremos felizes.* Os clientes não inovam; eles repetem. Assim, a Apple teve de apresentar uma proposta, uma visão de como o telefone podia mudar sua vida. Em suas próprias palavras, eis como Steve Jobs propôs sua visão, em janeiro de 2007:

> Os telefones mais avançados são chamados de smartphones; é o que dizem. Em geral, combinam telefone, e-mail e um pouco de internet. O problema é que eles não são tão inteligentes [*smart*] assim, e não são tão fáceis de usar. Na realidade, são bem complicados. O que queremos é oferecer um produto muito mais avançado, isto é, bem mais inteligente que qualquer dispositivo móvel já lançado. Isso é o que o iPhone é...[19]

Steve Jobs e a equipe do iPhone se basearam na intuição. Eles eram seus melhores clientes. "Todos nós tínhamos celulares. Nós os odiávamos; eles

* Caneta para uso em dispositivos que possuem tela sensível ao toque. (N.T.)

eram muito ruins para usar. O software era terrível. O hardware não era muito bom. Conversávamos com nossos amigos e eles todos também odiavam seus celulares. Todo mundo parecia odiar seus telefones", declarou Steve Jobs a um jornalista da revista *Fortune*. Ele continuou:

> Foi um grande desafio. Criar um telefone incrível, apaixonante... Tínhamos a tecnologia. Tínhamos a miniaturização do iPod. Tínhamos o sofisticado sistema operacional do Mac. Ninguém nunca tinha pensado em colocar sistemas operacionais tão sofisticados quanto o OS X dentro de um telefone. Assim, essa era a questão real. Tivemos um grande debate dentro da empresa se conseguiríamos fazer isso ou não. Nesse momento, tive de decidir e disse: "Vamos fazer". Os rapazes mais espertos de software afirmavam que podiam fazer. Então, vamos dar uma chance a eles. E eles conseguiram.[20]

Ao desafiar o *status quo* e apresentar uma proposta acerca do que um telefone podia ser, Steve Jobs não só criou um telefone melhor, como também criou um "ecossistema" completo, uma rede vibrante de desenvolvedores que criaram aplicativos (140 mil *apps* e em crescimento) que poucas pessoas imaginariam que viriam a desfrutar e recorrer todos os dias.

Certa vez, Guy Kawasaki, ex-funcionário da Apple, Mac-entusiasta e fundador da Alltop, afirmou que o propósito da inovação não é desenvolver produtos e tecnologias interessantes; o propósito da inovação é alegrar as pessoas. Em outras palavras, utilizar todas as ferramentas digitais à disposição para criar novos produtos e serviços (computadores, sites, smartphones, equipamentos avançados para diagnóstico médico etc.), mas sempre lembrar que o objetivo é o mesmo: colocar um sorriso na face de alguém. Manter um compromisso com a excelência e um desejo insaciável de subverter o *status quo*.

Preenchendo uma lacuna que os clientes não sabiam que tinham

Num sábado, em 3 de abril de 2010, milhares de pessoas permaneceram em longas filas fora das Apple Stores, em todo os Estados Unidos. (Ver Figura 8.1.)

Muitas passaram a noite na fila para ser uma das primeiras a comprar o novo iPad. Entre os primeiros aficionados: Steve Wozniak, cofundador da Apple, que dirigiu seu Segway a um shopping center em San Jose. Ele chegou na sexta-feira, às seis da tarde. Sim, na noite anterior à abertura da loja. (O próprio Steve Jobs teve menos pressa, dirigindo-se a uma Apple Store perto da sua casa, em Palo Alto, perto do meio dia, no sábado.) Woz deixou a loja com dois novos iPads para os pais de sua mulher. "Eles não estão prontos para o complicado mundo da informática", ele revelou à revista *PCWorld*. "Eles têm computadores velhos. Mas o iPad simplifica as coisas. É como um recomeço. Todos nós dizemos que queremos que as coisas sejam mais simples. De repente, temos essa coisa simples."[21]

FIGURA 8.1
Consumidores "iniciais" aguardam a oportunidade de comprar um novo iPad.
Fonte: Bobby Bank/Getty Image News

Como seu genro foi pioneiro em relação ao computador pessoal, você achou que podia se sentir confortável em relação à informática ou, no mínimo, podia ter algumas aulas com ele. Os comentários de Wozniak para a *PCWorld* reforçam o fato de que, para muitas pessoas, os computadores são, em geral, muito complicados. Para Wozniak, o iPad atrairia aqueles que consideram os computadores tradicionais intimidantes. Ele tinha razão. Trezentos mil iPads foram vendidos no primeiro dia. É muito cedo para dizer o quão popular será o iPad, mas o evidente é que Jobs voltou a transformar a informática, desenvolvendo produtos que as pessoas, de fato, gostam de usar.

É seguro afirmar que o iPad não foi o resultado de um grupo de foco. Como poderia ser? É difícil acreditar que os usuários do computador tradicional teriam manifestado as seguintes preferências: *Quero um computador que seja maior que um smartphone, mas que não seja tão grande quanto um laptop. Que não faça chamadas telefônicas e que não tenha todos os recursos de um computador completo. Que não inclua um mouse e um teclado externo. Quero navegar no novo aparelho com meus dedos.* Os clientes da Apple não pediram o iPad, mas entenderam a mensagem e, assim que isso aconteceu, constataram que não podiam viver sem um.

Inicialmente, Dan Lyons, da revista *Newsweek*, considerou que o iPad seria um produto pelo qual ele não se apaixonaria. Supôs que seria simplesmente uma versão maior do iPod Touch, um aparelho que inclui todos os aplicativos do iPhone, mas sem os recursos do telefone. "Então, tive a oportunidade de usar um iPad, e ele me cativou: queria um. Imediatamente, percebi como o usaria. Manteria-o na sala de estar para consultar e-mails e navegar na internet. Levaria-o para a cozinha e leria o *The New York Times* durante meu almoço. Levaria-o comigo à bordo de um avião para assistir a filmes e ler livros", Lyons escreveu. "Pode não mudar a vida de alguém, mas vale 500 dólares? Sim. Feito. Vendido."[22]

> *"Vamos inventar o amanhã, em vez de pensar a respeito do que aconteceu ontem."*
>
> STEVE JOBS, EM *D: ALL THINGS DIGITAL*

Jesus Diaz, do blog Gizmodo, sugeriu que o iPad é o futuro da informática, pois não requer nenhum treinamento. "As pessoas normais não gostam dos computadores atuais", ele escreveu. "A maioria odeia-os, pois não é capaz de entender plenamente sua complexidade absurda... Assim como o iPhone mudou a ideia do que um telefone deve ser, sem ninguém realmente perceber isso, o novo computador da Apple mudará completa e permanentemente nossa ideia do que um computador é e como deve se comportar."[23]

O iPad preencheu uma lacuna que a maioria de nós não sabia que existia. Isto é, até Steve Jobs revelá-la:

> A maioria de nós utiliza laptops e um smartphone. Uma pergunta surgiu: há espaço para uma terceira categoria de aparelho no meio? Algo entre um laptop e um smartphone? Refletimos sobre essa pergunta durante anos. O nível de exigência é muito alto. A fim de criar uma nova categoria de aparelhos, esses aparelhos teriam de ser muito melhores na execução de algumas tarefas básicas, melhores que um laptop e melhores que um smartphone. Que tipo de tarefas? Coisas como navegar na internet. Essa é uma tarefa de vulto. Enviar e receber e-mails. Apreciar e compartilhar fotografias. Assistir a vídeos. Aproveitar sua coleção de músicas. Disputar jogos. Ler livros eletrônicos. Se fosse para existir uma terceira categoria de aparelho, teria de ser melhor nesses tipos de tarefas do que um laptop ou smartphone; caso contrário, não há razão para existir.[24]

Então, Jobs elaborou uma lista de benefícios que os clientes encontrariam ao usar o novo aparelho. Nas palavras de Jobs, esses são os benefícios que os consumidores desfrutariam com a experiência do iPad:

- A melhor experiência de navegação que você já teve
- É um sonho para digitar
- Uma forma maravilhosa de compartilhar suas fotografias
- Um modo incrível de apreciar sua coleção musical
- Excelente para assistir a programas de tevê e filmes
- Mais amigável que um laptop; mais poderoso que um smartphone[25]

Os clientes da Apple não pediram um tablet, mas, assim que a Apple propôs a epifania tecnológica, seus clientes se apaixonaram por ela.

O que Jobs e Streisand têm em comum

Alguns analistas sugerem que a maioria das empresas nunca será capaz de inovar como a Apple. Sem dúvida, é possível adotar os princípios que orientam Steve Jobs, mas a verdade pura e simples é que a maioria dos líderes não tem a disposição de persistir. A Apple lança produtos incríveis porque o compromisso com a excelência está profundamente enraizado em seu DNA. "Algumas pessoas não estão acostumadas com um ambiente onde a excelência é esperada", revelou Steve Jobs para a revista *BusinessWeek* em 1988. Jobs fez a observação em resposta a uma ação trabalhista movida por um ex-funcionário, que afirmou que Jobs tratava seus funcionários com muita severidade. Jobs não pareceu perturbado. "Parte da minha responsabilidade é ser um parâmetro de qualidade", ele disse.[26]

O hábito de Jobs de ficar de olho em cada aspecto do projeto do produto pode tê-lo feito perder alguns funcionários, mas lhe trouxe legiões de clientes fiéis. Incessantemente, Job enfoca o cliente e a experiência dele com o produto e com a empresa. Ele não tolerará nada que não satisfaça seus padrões de exigência. Se ele deixa algumas pessoas insatisfeitas no processo, tudo bem. "Steve Jobs chamava algumas pessoas de 'patetas'", afirmou Sharon Aby, ex-funcionária da Apple. "Mas muitos outros funcionários faziam o mesmo. Um pateta era alguém que tentava fazer algo que não era do melhor interesse do cliente. Tínhamos padrões mais elevados do que qualquer outra empresa." Aby revela que Jobs possuía o mesmo compromisso com a excelência que Barbra Streisand tem com sua música. Streisand deixava os engenheiros de som loucos porque insistia em gravar suas músicas repetidas vezes até ficarem perfeitas. Os produtores e engenheiros afirmavam que não conseguiam perceber a diferença, mas após dezenas de regravações tinham de admitir que a música estava realmente melhor. "Steve Jobs consegue escutar coisas que os outros não conseguem e, no final, ele melhora o produto", afirma Aby.[27]

Então, por que a maioria das empresas não consegue inovar como a Apple? Porque carecem de duas coisas: o compromisso de Jobs com a excelência e com a experiência do cliente. "Ele examinava tudo, indo até o nível do pixel", declarou Cordell Ratzlaff, ex-gerente da Apple, em uma entrevista para a revista *Wired*.[28] Nenhum detalhe é muito pequeno. Em janeiro de 2000, quando Jobs anunciou o sistema operacional Mac OS X, ele afirmou que um dos objetivos do projeto para a Aqua, a nova interface do usuário, era fazer a tela parecer tão boa que o usuário gostaria de lambê-la. Foi o primeiro Mac OS a incluir os botões vermelho, amarelo e verde, que Jobs passou meses se certificando de que estavam corretos. Ele quis que os botões espelhassem o efeito de um sinal de trânsito (o vermelho significa fechar, o amarelo, minimizar e o verde, maximizar). Jobs se preocupou com o aspecto, o ajuste e o acabamento dos botões e de como se comportavam quando o cursor passava por cima deles.

> *"Não fazemos grupos de foco. Eles apenas asseguram que você não ofenda ninguém e que fabrique produtos inofensivos, insípidos.*
>
> JONATHAN IVE, VICE-PRESIDENTE DA APPLE

"Jobs evita estudos estafantes a respeito de usuários trancados em uma sala de reunião", escreve Leander Kahney. "Ele mesmo brinca com a nova tecnologia, observando suas próprias reações, que é dada como feedback aos seus engenheiros. Se algo for difícil de usar, Jobs dará instruções para simplificar... Se funcionar para ele, funcionará para os clientes da Apple."[29]

Steve Jobs cria produtos inovadores, que continuam a surpreender seus clientes, pois ele os conhece muito bem. Ele demonstra empatia com eles. Sob vários aspectos, Jobs conhece-os melhor do que eles mesmos. Ele enxerga o seu espírito e eles são as pessoas para quem Jobs cria ferramentas.

iDicas

1 Comprometa-se com a excelência em todos os aspectos do seu negócio.

2 Exija excelência dos outros.

3 Desafie-se e desafie todas as pessoas da sua equipe para tornar a experiência do cliente uma prioridade.

CAPÍTULO 9

Pense diferente a respeito de seus clientes

Ninguém se interessa pelos seus produtos (exceto você).

DAVID MEERMAN SCOTT, ESTRATEGISTA DE MARKETING

Adrian Salamunovic e Nazim Ahmed encontraram milhões de dólares enterrados em seus DNAs. Os dois amigos e empreendedores criaram uma empresa do nada e construíram um negócio multimilionário em apenas cinco anos, graças às ideias que adotaram da Apple e a algo com que todos nós nascemos: DNA. A sua empresa, a DNA 11, transformou o DNA em arte. É tão simples assim. Eles mandam para os clientes um kit com um cotonete especial para a coleta de DNA. O cliente devolve a amostra e a empresa transforma o DNA em arte, que o cliente pode pendurar na parede.

Em 2005, Salamunovic era um consultor de internet em tempo integral e Ahmed era vendedor de uma empresa de biotecnologia. Certo dia, bebendo vinho, Ahmed mostrou ao seu amigo algumas imagens de DNA. "A parte abstrata do meu cérebro achou que pareciam uma pintura de Mark Rothko", Salamunovic me contou.[1] Rothko era um pintor expressionista abstrato de origem russa, que fez sua carreira em Nova York depois que seus pais emigraram para os Estados Unidos. Salamunovic quis uma imagem para si, pois achou que ficaria muito bem na sua parede. Ele avaliou que as outras pessoas também poderiam querer a "arte" relativa ao DNA. Ocorreu-me que a história da DNA 11 não é diferente da criação da Apple: dois amigos, trabalhando em empregos em tempo integral, estão dispostos a causar seu próprio impacto no mundo. Um tem mais cabeça científica do que o outro, mas não é capaz de comercializar o produto sem o insight de marketing do amigo. O rapaz do marketing é capaz de realizar conexões únicas, pois suas diversas experiências e interesses ativam o lado criativo do seu cérebro. Os dois amigos não fazem nenhuma pesquisa de mercado, nem escutam nenhum grupo de foco. Em vez disso, criam algo com o qual eles se divertirão.

"Estamos nos afogando em um mar de lixo tecnológico, pois cada produto que é colocado no mercado é o resultado de diversos compromissos baseados em decisões do gerente de produto, do gerente de engenharia, do gerente de marketing, do gerente de vendas e de todos os demais que têm interesse no negócio, enquanto preparam o lançamento do produto para satisfazer o que acham ser as necessidades do cliente-alvo. O motivo pelo qual Jobs e [Jonathan] *Ive* [guru de design da Apple] *entendem bem o cliente é porque projetam produtos sedutores, com interfaces elegantes e simples – para eles mesmos. Então, eles confiam em seu grupo 'descolado' de adotantes iniciais para verem da mesma forma. Depois que a bola começa a rolar, a dinâmica ganha força."*[2]

ALAIN BREILLATT, DIRETOR DE GERENCIAMENTO DE PRODUTO, NIELSEN COMPANY

Salamunovic e Ahmed injetaram suas poupanças combinadas, ao todo 2 mil dólares, para criar sua própria empresa, em um apartamento de 55 metros quadrados. Aqui é onde o *ethos* da Apple entra em ação. A maior parte do capital da empresa nascente foi para um fotógrafo profissional, que tirou retratos para o site. A visão de Salamunovic era criar a "Apple do mundo da arte"; então, antes de fazer qualquer coisa, perguntou-se: "O que Steve faria?". E Jobs não utilizaria fotos comuns. Os dois fundadores também se perguntaram: "Como a Apple projetaria o produto?. Quantos produtos a Apple ofereceria? Como a Apple criaria a experiência do cliente?". Cada aspecto da experiência do cliente da DNA 11 tem como modelo a Apple. Ao formular essas perguntas para si mesmos, os dois empreendedores geraram 1 milhão de dólares em vendas no primeiro ano.

Steve Jobs não usa grupos de foco, tampouco a DNA 11. Se os dois empreendedores tivessem reunido um grupo de amigos ou de desconhecidos como grupo de foco informal, a DNA 11 nunca teria nascido. Pense a respeito. Se Salamunovic tivesse perguntado a um grupo de pessoas o que queriam como objetos de arte para suas casas, ninguém teria dito: "Colete meu DNA e o transforme em um objeto de arte que eu possa pendurar na parede". Os clientes não sabiam que queriam isso, mas assim que viram se apaixonaram pela ideia. Atualmente, a DNA 11 cria e envia objetos de arte para clientes de cinquenta países.

Raramente as rupturas transformacionais são resultado de grupos de foco. Os clientes não pediram a iTunes Store, mas, atualmente, não conseguem viver sem isso. Os clientes não pediram o iPhone, mas, hoje, milhões de pessoas não conseguem viver sem ele. Os clientes não pediram o iPad, mas muitos descobriram que é um produto que não conseguem se imaginar vivendo sem.

Os inovadores de sucesso, como Steve Jobs, podem não empregar grupos de foco, mas estão atentos aos sinais do que está acontecendo, para melhorar seus produtos, as escolhas e a experiência de compra. A DNA 11 é um exemplo excelente. As pessoas amam seus animais de estimação, e como Salamunovic sempre presta atenção em seus clientes, começou a perceber que cada vez mais pessoas estavam pedindo para que o DNA dos seus animais de estimação fosse transformado em arte. Isso não foi algo que Salamunovic previu quando fundou a DNA 11, mas reagiu aos pedidos dos seus clientes. A inclusão desse serviço satisfez a "necessidade" de uma parte dos seus atuais clientes e também comunicou uma nova oferta aos clientes que nunca tinham pensado nisso. Atualmente, a DNA 11 lida com centenas de pedidos para "Retratos de animais de estimação", um nicho popular para a próspera empresa. Salamunovic também descobriu que o preço de 1,2 mil dólares para o retrato de DNA mais caro estava fora do alcance de muitos dos seus possíveis clientes. Então, perguntou-se: "O que Steve faria?". A resposta: Steve ofereceria uma opção mais barata; "o equivalente do iPod Shuffle", Salamunovic ponderou.

Atualmente, a DNA 11 oferece opções de diversos níveis de preço, começando pelos "Minirretratos de DNA".

A DNA 11 não fez sucesso por causa de pesquisa de mercado ou dos grupos de foco. Teve êxito porque ajudou seus clientes a realizar seus sonhos (nesse caso, o desejo por arte única, mais personalizada). Que sonhos os seus clientes têm? Venda sonhos, não produtos.

Pai do sanduíche de metro de 5 dólares

Stuart Frankel é um empreendedor que possuía duas franquias da rede Subway, em Miami. A ideia inovadora de Frankel desencadeou uma revolução no setor de fast-food. Era uma ideia simples, que surgiu a partir da compreensão dos seus clientes: não perguntando a eles, mas os conhecendo. A área de South Miami estava em recessão, e diversos clientes de Frankel enfrentavam dificuldades financeiras. Frankel teve uma ideia para aumentar as vendas, principalmente durante os períodos da semana de menor movimento. Ele venderia os sanduíches de metro por 5 dólares. Nenhuma pesquisa de mercado foi feita em relação a esse preço. Frankel simplesmente gostava de números simples e redondos, e o preço pareceu suficientemente barato para seus clientes carentes de dinheiro.

Os clientes de Frankel adoraram a ideia. Em pouco tempo, as filas iam parar na calçada. Essa ideia simples e inovadora foi responsável por ressuscitar a rede Subway em todo o país, gerando estimados 3,8 bilhões de dólares de vendas anuais. Atualmente, a Subway está entre as dez maiores marcas de fast-food dos Estados Unidos, em grande parte devido ao sucesso da campanha do sanduíche de 5 dólares. No entanto, ela quase não aconteceu.

"Frankel, junto com outros dois gerentes locais, na área economicamente devastada do sul da Flórida, incessantemente defendeu a ideia junto à diretoria da Subway e se deparou com um ceticismo generalizado", de acordo com a revista *BusinessWeek*.[3] Levou mais de um ano para a ideia finalmente interessar aos mandachuvas da empresa, que decidiram testar a ideia em cidades selecionadas antes de implementá-la em todo o país. Por que levou tanto tempo para eles captarem as coisas? Porque os executivos da empresa não estavam pensando do modo que a Apple pensa. A ideia de Frankel não foi criada conforme a noção preconcebida de inovação da Subway: pesquisa de mercado e grupos de foco, que podiam respaldar a validade da ideia. Afinal, como um franqueado podia saber mais do que os MBAs do escritório central da empresa? "Isso violava todos nossos processos normais", afirmou o diretor de marketing da Subway. Felizmente para a Subway, a administração central logo mudou de postura e percebeu o apelo da ideia de Frankel.

A campanha começou em 23 de março de 2008. Nas duas primeiras semanas, os franqueados relataram um salto de 25% nas vendas. Os imitadores logo entraram em ação. Boston Market, Domino's, KFC e T.G.I. Friday's começaram a oferecer itens de 5 dólares no cardápio. Cinco dólares era o número mágico. Nenhum grupo de foco apresentou a ideia. Frankel a teve porque conhecia seus clientes e compreendeu a luta que enfrentavam para chegar ao final do mês com o que ganhavam. A ideia de Frankel não satisfez uma "necessidade". Ninguém precisa de um sanduíche da Subway. O que as pessoas sentiam era o simples desejo de tornar suas vidas diárias um pouco melhor: uma boa refeição, por um preço razoável. Elas estavam procurando por valor, e Frankel o forneceu. Para a maioria das empresas, provavelmente não seria sensato desistir inteiramente das suas pesquisas de marketing, mas, de vez em quando, viole seu "processo". Você ficará feliz de fazer isso, e seu cliente vai gostar.

Construindo a autoestima – um jogo de tabuleiro por vez

Durante as férias, nos Hamptons, Richard Tait e sua mulher, Karen, estavam jogando Pictionary, seu jogo de tabuleiro favorito, com alguns amigos. Karen e Richard eram invencíveis. Eles humilhavam os adversários de Pictionary. Seus amigos quiseram uma revanche. Assim, desafiaram os Tait a jogar Scrabble. Apesar de Scrabble não ser o jogo favorito dos Tait e de que seus amigos eram muito bons nesse jogo, Richard se repreendeu pela derrota que sofreu. A derrota não só levou a um momento de triunfo dos adversários, como deixou Richard com a sensação de parecer um idiota perante a mulher e os amigos. A epifania o atingiu no voo de volta para casa, em Seattle: *E se existisse um jogo que tivesse algo para todos os jogadores, onde todos tivessem a chance de brilhar, de exibir um talento especial e ser celebrado por essa habilidade?* Para satisfazer a visão de Richard, o jogo teria de incluir desafios de desempenho, desafios de dados e cultura inútil, charadas de língua e palavras e atividades criativas. Richard pegou um guardanapo do avião, sob seu drinque, e esboçou uma ideia no verso dele. Nesse voo, o jogo Cranium nasceu.

Richard sentiu uma fé tão forte no poder da sua visão que saiu da Microsoft para criar sua empresa. Quando o pai de Richard perguntou ao filho "O que vou dizer aos meus amigos?", a resposta deste – como relatada em um programa do canal CNBC – foi: "Diga-lhes que estou seguindo meu coração; eu vou mudar o mundo". O Cranium tornou-se um dos jogos de tabuleiro mais bem-sucedidos da história, recebendo o prestigioso título de *Game of the year* [Jogo do ano], na Toy Fair (Feira de Brinquedos) de Nova York, e foi vendido para a Hasbro, grande empresa norte-americana de brinquedos e videogames, por quase 80 milhões de dólares, menos de dez anos depois de começar como uma ideia no verso de um guardanapo.

O Cranium teve êxito em uma categoria de brinquedos saturada, pois seu criador não estava determinado a vender produtos, mas sim a satisfazer sonhos. Richard Tait, meu ex-cliente, contou-me que nunca teve a intenção de desenvolver um jogo de tabuleiro. Em vez disso, ele estava decidido a desenvolver a autoestima, a extrair o melhor das pessoas. Quando fui consultado pela Cranium a respeito de sua mensagem, decidimos que "Todos brilham" deveria ser o slogan da empresa. Pareceu resumir tudo que a empresa defendia. Fiquei feliz de ver que a Hasbro manteve o mantra. O fundador da Cranium nunca perguntou aos possíveis clientes o que queriam de um novo brinquedo ou jogo. Richard desenvolveu um jogo que ele gostaria de jogar. Ele também sabia que as famílias e os amigos desejavam mais tempo juntos e que todos queriam "brilhar" de um jeito ou de outro. Assim, ele satisfez sonhos. Criou brinquedos, jogos e livros que reuniram as pessoas e revelaram seus talentos singulares, muitas vezes ocultos. O Cranium despertou os artistas, os cantores, os soletradores e os gênios adormecidos. Quando você satisfaz sonhos, o sucesso é inevitável.

Em que negócio você está?

Se você quer criar produtos ou serviços realmente inovadores, pergunte-se: "Em que negócio estou de verdade?". A resposta correta nem sempre é a óbvia. Quando entrevistei Howard Schultz, fundador da Starbucks, para um dos meus livros anteriores, *10 simple secrets of the world's greatest business communicators*, fiquei impressionado com o fato de que ele raramente mencionava a palavra *café* em nossa conversa. "Não estamos no negócio do café. É o que vendemos como produto, mas não é o que representamos", Schultz explicou.[4]

A Starbucks está no negócio de vender sonhos e não café. A empresa vende sonhos para os clientes que desejam um "terceiro lugar" entre o trabalho e o lar. Vende sonhos para funcionários que buscam um trabalho que os trata com dignidade e respeito. A Starbucks não está no negócio do café e por isso tem sucesso. A Cranium não está no negócio dos jogos; está no negócio da autoestima. A Apple não está no negócio de informática; está no negócio da criatividade pessoal. A distinção entre produtos e sonhos é fundamental para criar produtos e serviços inovadores que mudam o mundo.

Sinta a dor dela

Seus clientes não se interessam por você. Soa desagradável, mas é verdade. Eles não se interessam pelo sucesso da sua empresa. Eles não se interessam por seu produto ou serviço. Eles se interessam por eles mesmos, por seus sonhos, por seus objetivos. No entanto, eles se interessarão muito mais se você ajudá-los a alcançar seus objetivos, e, para isso, você deve entender seus objetivos, assim como suas necessidades e desejos mais profundos.

David Meerman Scott, especialista em mídia social, recomenda a criação de uma *persona* de comprador: "As *personas* de comprador são um dos aspectos mais fundamentais do marketing de excelência. Uma *persona* de comprador representa um grupo distinto de clientes potenciais, um arquétipo a quem você quer que seu marketing alcance. Direcionar seu trabalho para *personas* de comprador impede você de se acomodar em seu escritório confortável e cometer erros sobre seus produtos, que é a causa do marketing mais ineficaz".[5]

De acordo com Meerman Scott, uma *persona* de comprador deve ser personalizada em relação aos seus clientes-alvo. Um administrador de universidade pode visualizar um estudante ou um pai, um político se lembrará de um eleitor típico, enquanto um diretor de uma organização sem fins lucrativos enxergará um doador. "Ao compreender realmente os problemas de mercado que seus produtos e serviços solucionam para suas *personas* de comprador, você transforma seu marketing de mero jargão ininteligível egocêntrico e específico do produto, que só você entende e se interessa, em informação valiosa que as pessoas estão ávidas para consumir e que utilizam para realizar a escolha de fazer negócios com sua organização", afirma Meerman Scott.[6]

O quão bem você conhece seus clientes? Crie uma *persona* de comprador tão específica e realista que você pode literalmente "sentir a dor dela". Desse modo, você chegará mais perto de captar o *ethos* da Apple.

Conte mais histórias

Como Steve Jobs fez no final de sua apresentação em 1997, você vai querer encontrar maneiras de lembrar seus funcionários sobre quem são seus clientes. Uma maneira eficaz é mediante o compartilhamento de histórias.

Richard Tait, da Cranium, contou-me que lia e-mails de clientes todas as noites antes de se deitar, cerca de cem por dia. Todas as noites, ele encaminhava diversas histórias para seus funcionários, para que as tivessem em suas caixas de entrada na manhã seguinte. Por exemplo: "Uma mulher me escreveu às onze e meia de uma certa noite; ela tinha quatro filhos próprios e três adotados. Em vez de se divertir no fim de um longo dia e saborear um copo de vinho, ela estava escrevendo para me contar sobre a sensação de união que nossos jogos traziam para sua família; uma família previamente fragmentada e separada pela idade, etnias e antecedentes. Essa mulher me escreveu às onze e meia da noite para me agradecer por criar esses produtos. Quando foi a última vez que você escreveu para uma empresa agradecendo por criar um produto? Não sei você, mas eu nunca fiz isso na minha vida. Um dos nossos valores básicos enquanto empresa é proporcionar alegria aos nossos clientes constantemente. Esses momentos de deleite me inspiram todos os dias e eu os utilizo como estímulo para inspirar minha equipe".[7]

Richard Tait levou o ato de contar história um passo adiante. Ele afixou histórias no ambiente do escritório. E-mails, cartas e fotografias foram emoldurados ou laminados e espalhados por toda parte: no corredor, nas prateleiras da cozinha e na portaria. As histórias ajudaram os funcionários da Cranium a perceber a diferença que estavam fazendo nas vidas das pessoas. As histórias também inspiraram os funcionários a desenvolver ideias criativas próprias, que se transformaram em novos jogos, livros e brinquedos que encantaram seus clientes.

Todo membro de sua equipe está querendo ser parte de algo especial. Como discutimos, a inovação raramente acontece como consequência da ideia de uma única pessoa. Requer uma equipe para comercializar aquela ideia, e os participantes precisam de inspiração contínua para superar os obstáculos que inevitavelmente surgirão na jornada. As histórias são motivadores poderosos. Conte mais histórias.

Os três primeiros princípios prepararam o terreno para a inovação acontecer: paixão, visão e ativação do processo criativo. No entanto, a inovação é mais do que uma ideia. A inovação ocorre quando uma ideia se transforma em um produto, serviço, empresa, iniciativa ou ação de verdade, que move a sociedade para a frente. Se você for capaz de conhecer seus clientes – realmente conhecê-los, incluindo suas expectativas, seus sonhos e seus objetivos –, isso o deixará mais propenso a transformar suas ideias em produtos de sucesso. Para isso acontecer, você deve enxergar a genialidade na sua maluquice.

iDicas

1 Quando se trata do seu cliente, não é sobre você; é sobre eles. Seus clientes não se interessam por você; eles se interessam pelos sonhos deles. Eles estão se perguntando: "Como esse produto ou serviço tornará minha vida melhor?". Ajude a satisfazer os sonhos deles e veja suas vendas dispararem.

2 Seja seu próprio grupo de foco. Nenhum grupo de foco externo dará a você a luz verde para desenvolver uma inovação revolucionária.

3 Escutar seu cliente não é tão valioso quanto conhecer seu cliente. Mantenha uma obsessão em "nível de pixel" em relação a cada aspecto da experiência do cliente.

PRINCÍPIO 5

Diga não para mil coisas

Sinto-me orgulhoso tanto do que não fizemos quanto do que fizemos.

STEVE JOBS

CAPÍTULO 10

A simplicidade é a sofisticação máxima

O modo pelo qual abordamos o design é procurando alcançar o máximo com o mínimo. Estamos totalmente absorvidos na tentativa de desenvolver uma solução que é muito simples, pois, como seres físicos, entendemos a clareza.

JONATHAN IVE, GURU DE DESIGN DA APPLE

Uma tabela impressa de duas linhas e duas colunas conta tudo o que precisamos saber sobre como Steve Jobs cria produtos inovadores, que as pessoas amam. Em 1998, em Nova York, em uma apresentação da Macworld, Jobs reconheceu que a Apple estivera à beira da morte um ano antes e estava adotando os primeiras medidas para recuperar sua saúde. A receita exigia uma redução na quantidade de produtos oferecidos pela Apple. Jobs esboçou a estratégia da seguinte maneira:

> Há um ano, quando chegamos na empresa, existiam quinze plataformas de produto e zilhões de variantes de cada uma. [O slide exibe um mostruário estonteante de plataformas de produtos, com números como 1.400, 2.400 e 3.400.] Eu mesmo não conseguia entender. Após três semanas, disse: "Como vamos recomendar esses produtos aos outros se nós mesmos não sabemos que produtos recomendar

> aos nossos amigos?". Então, voltamos para a escola de negócios e perguntamos: "O que as pessoas querem?". Bem, elas querem dois tipos de produto: consumidor e profissional. Em cada uma dessas duas categorias precisamos de modelos de desktop e portátil. Se tivermos quatro produtos incríveis, será tudo que o precisamos. Na verdade, se tivermos apenas quatro, poderemos colocar nossas melhores equipes em cada um deles. E, se tivermos somente quatro, poderemos girar a equipe a cada nove meses, em vez de a cada dezoito meses. E se tivermos somente quatro, poderemos trabalhar na próxima geração de cada produto, enquanto estamos lançando a primeira geração. Isso é o que decidimos fazer: enfocar quatro produtos incríveis.[1]

A Figura 10.1 reproduz o slide com duas linhas e duas colunas que Jobs exibiu em sua apresentação. Posteriormente, ele preencheu as quatro células com o Power Mac G3 (desktop profissional), o PowerBook G3 (portátil profissional), o iMac (desktop para consumidor),e um ponto de interrogação na célula para o produto portátil para consumidor, que ele prometeu que seria lançado no ano seguinte (em 1999, a Apple lançou o iBook). No final de 1998, Steve Jobs tinha cortado a quantidade total de produtos da Apple de 350 para dez, uma redução considerável para qualquer padrão.

	CONSUMIDOR	PROFISSIONAL
DESKTOP		
PORTÁTIL		

FIGURA 10.1
Slide de apresentação da Macworld de 1998: Tabela de Produtos[2]

Simplificar a linha de produtos da Apple acabou ajudando a ressuscitar a empresa, levando a uma das décadas financeiras mais bem-sucedidas de qualquer empresa na história empresarial norte-americana. Ao simplificar tudo

– da oferta de produtos ao projeto dos produtos – a Apple superou a concorrência, criando produtos de fácil utilização, que impressionaram os analistas e trouxeram alegria para milhões de consumidores de todo o mundo.FOCO NO QUE É IMPORTANTE

No mundo da Apple, *simplicidade* e *foco* são a mesma coisa. Em 2004, a *BusinessWeek* publicou um artigo de capa intitulado "The Seed of Apple's Innovation" ["A semente da inovação da Apple"].

"Como você sistematiza a inovação?", o jornalista perguntou a Steve Jobs.

"O sistema é que não há sistema. Isso não significa que não temos um processo. A Apple é uma empresa muito disciplinada, e temos processos notáveis. Mas inovação é isso", respondeu Jobs. À medida que a resposta continua, ficamos sabendo que ele enxerga seu papel como alguém que mantém sua equipe enfocada no que conta: as tarefas e os produtos mais importantes.

> O processo o torna mais eficiente. Mas a inovação resulta das pessoas se encontrando nos corredores ou telefonando às dez e meia da noite umas às outras com uma nova ideia, ou porque perceberam algo que aclara o modo pelo qual estávamos pensando acerca de um problema. São reuniões informais de seis pessoas convocadas por alguém que acha que descobriu a coisa nova mais incrível de todos os tempos e quer saber o que as outras acham da sua ideia. E resulta de dizer não para mil coisas, para ter certeza de que não pegamos o caminho errado ou de que tentamos fazer muito. Sempre estamos pensando a respeito de novos mercados que podemos ingressar, mas é só dizendo "não" que você pode se concentrar nas coisas que são realmente importantes.[3]

Jobs diz "não" para muitas coisas, mesmo que isso irrite alguns clientes e parceiros. Em abril de 2010, Jobs postou um memorando no site da Apple defendendo sua decisão de dizer não em relação ao uso do aplicativo flash em iPods, iPhones e iPads. Para ele, produtos alternativos oferecem a melhor oportunidade para criar plataformas de computação móvel estáveis, avançadas e inovadoras. Incessantemente, Jobs enfoca a experiência do cliente, e ele diz não a algo que acredita que comprometerá uma experiência elegante. Esse princípio é mais evidente no design.

Seu nome é Ive – Jonathan Ive

Para compreender o papel que o foco desempenha nas inovações da Apple, precisamos dedicar algum tempo para falar de um homem que compartilha a filosofia de design de Steve Jobs, um executivo que supervisionou a maioria dos designs revolucionários da Apple desde o retorno de Steve Jobs, em 1996.

Na Apple, o título oficial de Jonathan Ive é vice-presidente sênior, design industrial. Seu título informal é guru de design da Apple, e ele é responsável por tantas inovações de design da Apple que suas ideias sozinhas poderiam ser tema de um livro. Ive desempenha o papel que Steve Wozniak desempenhou na história inicial da empresa. Ele materializa a visão de Jobs.

No final da década de 1990, quando Jobs voltou para a Apple após onze anos afastado da empresa, Ive já estava ali. Jobs reconheceu seu talento e promoveu Ive, nascido em Londres, para supervisionar o design industrial da Apple. Jobs viu algumas coisas que gostou em Ive: paixão pela simplicidade, ideias de design esteticamente agradáveis e uma ética de trabalho implacável. (Frequentemente, Ive trabalha setenta horas por semana.)

Ive sonhava em trabalhar na Apple desde o tempo em que teve o primeiro contato com um Mac. Como Ives revela, ele não gostava de ler manuais de instrução, e o Mac foi o primeiro computador que conseguiu usar imediatamente, sem os manuais que ele tanto detestava. "Lembro-me da primeira vez que vi um produto da Apple. Lembro-me claramente. Quando vi o produto, tive uma noção clara das pessoas que o projetaram e o fabricaram", afirmou Ive.[4]

Foi um momento profundo para Ive, um momento de deslumbramento que mudou sua vida. Milhões de pessoas que agora desfrutam dos produtos da Apple por seu design maravilhosamente elegante devem sua experiência à reação de Ive.

Ive encontra inspiração em tudo à sua volta, até em um jardim de flores. Certa vez, ele revelou que o iMac 2002, com seu monitor rotativo ligado a um pescoço de aço inoxidável, foi inspirado em um girassol. A inspiração está em qualquer lugar, mas as ideias de Ive resultam em novos produtos somente quando satisfazem dois critérios: simplicidade e acessibilidade. Na opinião de Ive, o problema com a maioria dos produtos é que as empresas que os desenvolvem não se interessam realmente pela experiência do cliente. Quando você se interessa, ele afirma, os produtos tornam-se muito mais do que um ajuntamento de peças. Cada detalhe é refinado, e, mais importante, se algo não precisar estar ali, será eliminado.

Um avanço de 110 gramas

Em outubro de 2008, a Apple apresentou sua nova geração de laptops MacBook. Steve Jobs convidou Jonathan Ive para subir ao palco para explicar o novo processo de construção dos computadores portáteis, um processo que permitiu que a Apple oferecesse notebooks mais leves e mais robustos. O que veio a seguir foi um breve curso de filosofia do design da Apple e do poder do foco.

Ive revelou à plateia que o novo "compartimento monobloco de alumínio" eliminou 60% das peças estruturais principais do computador. A redução da quantidade de peças naturalmente deixou o computador mais fino. Ao contrário do que se poderia esperar, a eliminação de peças também o tornou mais rígido e robusto: o computador era mais forte. "É um avanço revolucionário em como projetamos e construímos os notebooks", Ive afirmou.[5]

Antes de 2008, os MacBooks eram montados a partir de inúmeras peças. Ive assinalou que o processo permitiu que a Apple desenvolvesse os melhores computadores em termos de tamanho e peso, mas que a empresa estava buscando uma nova maneira de construir notebooks. Achou a resposta por meio do processo de eliminação. "Em vez de começar com uma peça fina de alumínio e adicionar diversas peças da estrutura interna, descobrimos que, se começássemos com uma peça espessa de alumínio e removêssemos material para criar recursos mecânicos na estrutura, poderíamos obter uma peça muito mais leve e, principalmente, muito mais forte", Ive disse. "Começamos com uma chapa única de alumínio com alto grau de pureza, que pesava mais de um quilo. Acabamos com uma peça extraordinariamente precisa, que pesava apenas 110 gramas. Era leve e muito forte."[6]

Obtenha um design que não atrapalha

A Apple refina cada detalhe na última verificação para reduzir – ou eliminar – a complexidade. Se algo não precisar estar ali, não estará. "Muito do que aparentemente fazemos em um produto como o iPhone é obter um design que não atrapalha. Parece quase inevitável, quase subprojetado e quase parece, claro, que é desse modo. Por que seria de qualquer outro modo?"[7]

Ao discutir o design do ultrafino MacBook Air, Ive afirmou: "É realmente importante num produto haver um senso de hierarquia: o que é e o que não é importante, eliminando aquelas coisas que estão competindo por sua atenção. Por exemplo, um indicador tem um valor quando mostra algo, mas, se não estiver indicando nada, não deverá estar ali [a luz indicadora do modo de hibernação do MacBook desaparece quando o laptop está em uso]. Dedicamos muito tempo para torná-lo menos ostensivo e menos óbvio... é bastante obsessivo, não é?".[8] Sim, Ive parece obsessivo, principalmente quando se fixa em algo tão obscuro quanto uma luz indicadora. É uma obsessão que poucas empresas possuem, e os clientes da Apple são os que se beneficiam.

Em uma entrevista para o *The Observer*, jornal britânico, Ive mostrou ao jornalista um notebook no qual tinha delineado cada possível botão e alavanca que poderia ter instalado no primeiro iPod. Suas anotações também exibiram algo com que a equipe de design concordou, a roda de rolagem, que deu ao iPod sua aparência e funcionalidade inovadoras. "Tudo em um produto da Apple é considerado, analisado, melhorado e projetado para ser o mais fácil e organizado possível", escreveu a jornalista Sheryl Garratt.[9]

De acordo com Garratt, o iPod representou um avanço importante em inovação, pois mudou toda uma categoria de produto. "Os outros aparelhos eram coisas de plástico que incomodavam, de aparência banal, entulhados de botões e mostradores, atraindo principalmente *geeks* [nerds em informática] obcecados com *gadgets*, com tempo para descobrir como o negócio funcionava. Em comparação, o iPod era uma jukebox digital elegante, que cabia com conforto na palma da sua mão; podia armazenar mil músicas – para começo de conversa – e permitia que você as acessasse com apenas alguns cliques na sua elegante roda de navegação. Se você se interessasse por música, assim que o segurasse e entendesse o quão fácil era usá-lo, você ia querer um. O iPod mudou tudo."[10]

Em um artigo da *New York Times Magazine*, publicado dois anos após o lançamento do iPod, o jornalista Rob Walker formulou a Ive diversas perguntas acerca do design do iPod. Em certo momento, a voz de Ive foi baixando. Ele fez uma pausa e disse: "É mais fácil falar sobre isso como o que não é".[11]

Ive explicou que a visão de Jobs era desenvolver um aparelho "focado". "Consistia em tentar não fazer muita coisa em relação ao aparelho – o que teria sido sua complicação e, portanto, seu fim. Os recursos capacitadores não são óbvios e evidentes, pois o segredo era se livrar dos penduricalhos", revelou Ive a Walker. "O que é interessante é que por essa simplicidade, e quase aquele sentido desavergonhado de simplicidade, e de expressá-lo, resultou um produto muito diferente. Mas a diferença não era o objetivo. Na realidade, é muito fácil criar uma coisa diferente. O que era estimulante é começar a perceber que sua diferença era, na realidade, uma consequência dessa busca de fazer uma coisa muito simples."[12] A Apple não estava à frente do seu tempo na criação de um aparelho para tocar música obtida por download. Mas estava muito à frente dos seus concorrentes no desenvolvimento de um aparelho que era tão simples, organizado e focado, que era uma deleite utilizar.

> *Conecte. Zzzzzz. Pronto.*
>
> STEVE JOBS, SOBRE A SIMPLICIDADE DO IPOD

Para o iPod, o design de Ive enfocou a atenção do consumidor relativa ao propósito para o qual o aparelho foi criado: escutar música. Nada que afastasse do objetivo de escutar música tinha lugar no produto final. Sem dúvida, diversos botões desviariam do foco principal do produto. Mesmo a cor do iPod original foi escolhida para minimizar a dispersão: branco. Adotar um design simples e minimalista em uma cor surpreendentemente neutra o tornou inconfundível e, no final das contas, notável.

No livro de 2006 de Steven Levy, *The perfect thing: how the iPod shuffles commerce, culture and coolness*, Ive afirmou que os consumidores são cercados por produtos que chamam sua atenção. Os designers adicionam cada vez mais recursos (confusão) na tentativa equivocada de se destacar. Mais recursos tornam os produtos esquecíveis. Parece absurdo, mas eliminar a confusão, na realidade, permite que o produto se destaque. O produto é mais elegante. E a elegância é sedutora. Os grandes designers, como Ive, mobilizam nossa imaginação ao *excluir as coisas certas.* De acordo com Ive:

> A música era muito mais importante que o design. Nosso objetivo era obter um design que não atrapalhasse. Queríamos criar um objeto muito, muito novo. Mas pense sobre quantas centenas de milhares de objetos desse tipo foram lançados nos últimos vinte anos! Era um desafio bastante ambicioso: não criar outro pequeno objeto digital banal. O objetivo não era tentar fazê-lo imediata e instantaneamente reconhecível a 5 metros de distância. Mas ele é. É por causa da consequência do objetivo mais importante, isto é, simplesmente tentar projetar um produto que fosse eficiente, elegante e simples. O que, realmente, era o caso, em certo sentido, era obter um design que não atrapalhasse.[13]

"A simplicidade é a sofisticação máxima", Steve Jobs disse a Levy, na discussão sobre o design do iPod.[14] Porém, Jobs foi cauteloso ao acrescentar que a simplicidade significa muito mais do que remover coisas. A simplicidade é enfocar o significado essencial do produto. De acordo com Jobs:

> Quando você começa a estudar um problema e ele parece realmente simples, com todas aquelas soluções simples, você, na verdade, não entendeu a complexidade do problema. Suas soluções são simplificadas demais e não funcionam. Então, você volta ao problema e percebe que ele é realmente complicado. E você apresenta todas aquelas soluções enroladas. É, mais ou menos, um meio-termo, e é onde a maioria das pessoas para, e as soluções tendem a funcionar por um tempo. Contudo, a pessoa realmente notável persistirá e encontrará, até certo ponto, a solução; o princípio subjacente do problema. E traz uma solução bela e elegante, que funciona.[15]

Muitas empresas adotam o "meio-termo", como Jobs descreveu. Elas encontram uma solução enganosa para um problema complexo. As empresas realmente grandes enfocam a única coisa à qual o produto é dirigido e projetam uma solução simples e elegante para realizar aquela única tarefa.

Um produto avançado

Em 9 de janeiro de 2007, Steve Jobs anunciou o celular mais inovador do mundo: o iPhone – um aparelho que redefiniu o que um celular podia fazer. Seu minimalismo impressionou o setor e os consumidores. Enquanto os fabricantes de smartphones continuavam adicionando cada vez mais botões e recursos, a Apple seguiu a direção oposta, produzindo um telefone que era mais poderoso que seus concorrentes, mas com menos penduricalhos (um único botão e uma tela grande). Ninguém tinha visto tal simplicidade na categoria dos smartphones. Diversas resenhas a respeito do iPhone continham uma das duas palavras, muitas vezes as duas: *simples* e *organizado*. Nos anos seguintes, os concorrentes fizeram um esforço para recuperar o terreno perdido, apresentando suas próprias telas sensíveis ao toque, mas os adjetivos *simples* e *organizado* foram raramente empregados para descrever as interfaces do usuário. Alguns eram "organizados" ou, na melhor das hipóteses, "relativamente" simples de usar, mas poucos conseguiram reproduzir a simplicidade do iPhone.

Quando se trata de interfaces simples e organizadas, a Apple não falha. Os concorrentes tentam igualar a simplicidade da Apple, mas, frequentemente, ficam aquém das expectativas. Para Steve Jobs, o design não diz respeito apenas à aparência das coisas; design é como as coisas funcionam. A experiência deve ser simples, elegante e fácil. "O grande design significa que basta o usuário final dar uma olhada e ele já sabe o que fazer com um botão, sem pensar muito a respeito", escreveu Om Malik, analista de tecnologia. "Acho que é isso que os concorrentes da Apple não conseguem entender. Diversos recursos confusos com o que realmente se conecta com os clientes: as experiências do usuário."[16]

Antes de revelar o novo iPhone em sua apresentação, Steve Jobs dedicou alguns minutos para explicar o motivo pelo qual a Apple estava ingressando no setor de telefones e como a filosofia de design da Apple tinha resultado em um telefone que era mais poderoso e mais elegante do que aqueles dos seus concorrentes:

> Os telefones mais avançados são chamados de smartphones. Em geral, combinam telefone, e-mail e um pouco de internet. O problema é que eles não são tão inteligentes (*smart*) assim, e não são tão fáceis de usar. Os celulares regulares também não são tão inteligentes nem muito fáceis de usar. Os smartphones são certamente um pouco mais inteligentes, mas são, realmente, mais difíceis de usar. Na realidade, são bem complicados. Apenas para as coisas básicas, as pessoas sofrem para descobrir como usá-los. O que queremos é oferecer um produto muito mais avançado, isto é, bem mais inteligente que qualquer dispositivo móvel já lançado e superfácil de usar. Isso é o que o iPhone é...[17]

Fazer um produto que fosse "superfácil de usar" significava que a Apple tinha de repensar nova e completamente o modo pelo qual o cliente interagia com o telefone

> Vamos começar com uma interface de usuário revolucionária. Por quê? Aqui estão quatro smartphones, os suspeitos habituais. [O slide exibe fotos do Motorola Q, do BlackBerry, do Palm Treo e do Nokia E62.] O que há de errado com essas interfaces de usuário? O problema com elas está nos 40 botões. Todos esses aparelhos possuem teclados, que estão ali, quer você precise deles ou não. E todos têm esses botões de controle, que são fixados no plástico, e são os mesmos para cada aplicativo. Bem, cada aplicativo precisa de uma interface um pouco diferente, um conjunto eficiente de botões só para isso. O que vamos fazer é nos livrarmos de todos esses botões e criar somente uma tela gigante.[18]

Matthew May, autor de *In pursuit of elegance*, afirma que as melhores ideias têm algo ausente, e o que está ausente muitas vezes conduz a uma solução mais elegante. May não acredita que tudo que é simples é elegante, mas, segundo ele, tudo que é elegante é simples. O iPhone não é exceção. "Conforme a opinião geral, o iPhone é um objeto de beleza, uma peça de arte, e sedutor de modo irresistível", escreve May. "Mas embora o iPhone fascinasse a plateia, foi o que eles não viram que os pegou de surpresa, e até os chocou... O senhor Jobs removeu o único recurso físico que todo telefone do mundo compartilhava: o teclado numérico. De fato, não havia disco de polegar, *stylus*, botões para bater, disco de telefone, clique ou rolagem, exceto um único botão externo. Mesmo para os padrões de design da Apple, conhecido há muito tempo por honrar as linhas limpas e esteticamente agradáveis, o iPhone tinha o design mais frugal já concebido."[19]

Em seu relatório trimestral de ganhos para o período entre janeiro e março de 2010, a Apple relatou que o iPhone foi responsável por mais de 5,5 bilhões de dólares das suas receitas trimestrais. Cinco bilhões! Desde 2007, a quantidade total de iPhones vendidos alcançou 51 milhões de unidades. A simplicidade vende.

Mesmo se você não possuir nenhum produto da Apple e se sentir completamente satisfeito com aparelhos de outros fabricantes, será difícil sustentar que qualquer produto da Apple – iMac, MacBook, iPod, iPhone, iPad – é uma enrascada embaraçosa. Muito pelo contrário. A complexidade é reduzida para tornar os produtos tão simples e fáceis de usar quanto possível.

A Apple infringe a lei das atualizações de software

Lançado em 28 de agosto de 2009, o Mac OS X Snow Leopard é a sétima versão principal do sistema operacional baseado em Unix da Apple. David Pogue, colunista de informática do *New York Times*, chama o sistema de animal exótico, por diversas razões:

> A primeira tem a ver com a Lei das Atualizações de software, que existe desde o surgimento da computação pessoal. E essa lei afirma: "Se você não adicionar novos recursos todos os anos, ninguém atualizará, e você não ganhará dinheiro". E, assim, para mantê-lo fazendo atualizações, as empresas mundiais de software empilham recursos mais frequentes em todas as novas versões dos seus artigos. Infelizmente, isso não pode continuar para sempre. Mais cedo ou mais tarde, você acaba com um programa grande demais, complexo e incoerente. O algo chocante do Snow Leopard, contudo, é que elevar a contagem de recursos não era o ponto. De fato, Steve Jobs afirmou: "Estamos apertando o botão de pausa em relação aos novos recursos". Em vez disso, o objetivo do Snow Leopard era o

refinamento do sistema operacional perfeitamente adequado que a Apple já tinha na versão anterior, o Mac OS X Leopard (10.5).[20]

O refinamento resultou em uma melhor experiência de processamento, em uma "tonelada" de possibilidades, de acordo com Pogue. Esses refinamentos incluem um sistema mais rápido, mais estável e mais bem organizado. O refinamento também resultou em um sistema operacional que era menor do que a versão anterior, o Mac OS X. O Snow Leopard liberou 6 gigabytes de espaço do disco rígido. Novamente, a Apple demonstrou que a eliminação da complexidade pode resultar em um sistema mais robusto.

Tão simples que uma criança de 2 anos pode usar

Quando você cria um dispositivo tão elegante que os adultos o adoram e tão simples que uma criança pode usar, sabe que está a par de alguma coisa. A Apple é uma das poucas empresas que pode orgulhosamente reivindicar essa realização. Pouco depois do lançamento do iPad, em abril de 2010, o blogueiro Todd Lappin entregou o aparelho para sua filha de dois anos e meio e postou o vídeo no YouTube. O que aconteceu a seguir se transformou em uma sensação viral e proporcionou uma lição de design de produto inovador.

Em segundos, a menininha captou o que fazer. Como usar nossos dedos para manipular coisas é uma tendência natural, a criança começou a percorrer os ícones sobre o tablet, clicou no ícone de filme e até ampliou a tela. Lappin reconheceu que sua filha gostava de brincar com o iPhone do papai, ou seja, ela tinha alguma experiência com a tela sensível ao toque, mas, dado que era seu primeiro encontro com o novo produto, a capacidade da menina de navegar no aparelho era surpreendente.

> *"Em minha experiência, os usuários reagem positivamente quando as coisas são claras e compreensíveis... o que me incomoda hoje é a arbitrariedade e o descuido de como as coisas são produzidas e lançadas no mercado; não só no setor de bens de consumo, como também em arquitetura e propaganda. Temos muitas coisas desnecessárias por toda parte."*[21]
>
> DIETER RAMS, DESIGNER INDUSTRIAL

"A elegância do iPad reside no fato de que uma criança de dois anos e meio é capaz de usá-lo perfeitamente, mesmo sem saber ler. A interface sensível ao toque é tão natural para ela quanto um simples gesto de mão, e o modelo de navegação é refinado para eliminar a complexidade", Lappin observou. "Na teoria, a Apple também pode dar aos usuários acesso a uma funcionalidade mais complexa e de nível mais alto que alguns usuários avançados almejam. Mas, no mínimo, a ascensão da Apple nos últimos anos – primeiro com o iPod e, em seguida, com o iPhone – demonstra que vender simplicidade é um modo poderoso de cortejar os consumidores do mercado de massa."[22]

No espaço de 24 horas do carregamento do vídeo de Lappin referente à sua filha usando o iPad, o clipe foi visto mais de 180 mil vezes. Em um mês, o vídeo foi acessado quase 1 milhão de vezes.

Numa crítica para o jornal *Chicago Sun-Times*, Andy Ihnatko observou que o design do iPad era diferente em relação aos outros tablets do mercado. Os outros possuíam uma lista de recursos infindável. É fácil adicionar recursos, sustentou Ihnatko, mas adicionar mais funções também gera instabilidade do sistema e confusão para o cliente. Novamente, a Apple seguiu na direção contrária, eliminando recursos e funções, e criando um produto simples e elegante. "O que acontece quando os designers de computador abandonam todo instinto que está integrado em seu DNA e começam praticamente do nada? Eles criam o iPad", escreveu Ihnatko.[23]

Em menos de um mês – 28 dias –, a Apple vendeu 1 milhão de iPads. É simples, elegante e a interface amigável demonstrou-se irresistível para adultos e também para crianças de dois anos e meio.

Não complique

Para Steve Chazin, ex-executivo de marketing da Apple, a magia da Apple resulta do foco, que ele define desse modo: encontrar a coisa que a empresa pode fazer melhor do que qualquer um. "O iPod permitiu ter música no bolso sem complicação. O iMac permitiu acesso à internet sem complicação. O iPhone permitiu ter internet, telefone, filmes e música no bolso sem complicação", de acordo com Chazin.[24]

Chazin observou que a Apple nunca inventou algo completamente novo. Não inventou o computador pessoal, o tocador de MP3, a música para download, o celular ou o tablet. Ainda assim, a inovação não se limita a desenvolver algo que ninguém ainda viu. Em vez disso, a Apple faz uma coisa muito bem: desenvolve coisas complexas simples e elegantes. Isso é o que torna a Apple a empresa mais inovadora do mundo.

Quando indagado sobre o segredo da Apple em relação à inovação, Tim Cook, diretor operacional da Apple, dá crédito para Steve Jobs e seu compromisso incansável em enfocar o que importa. Em fevereiro de 2010, numa discussão abrangente na Goldman Sachs Technology Conference, Cook descreveu a filosofia que norteia a Apple:

> Somos a empresa com mais foco que conheço, que já li ou que tenho informações. Dizemos não para boas ideias todos os dias. Dizemos não para boas ideias a fim de manter a quantidade de coisas que enfocamos num número muito pequeno; assim, podemos investir grande energia naquelas ideias que escolhemos. Na mesa em que cada um de vocês está sentado hoje, é possível provavelmente colocar todos os produtos que a Apple fabrica; no entanto, a receita da Apple foi de 40 bilhões de dólares no ano passado. Acho que somente uma empresa de petróleo deve ter atingido esse feito. O difícil não é simplesmente dizer sim para os produtos corretos; é dizer não para muitos produtos que são boas ideias, mas não tão boas quanto as ideias dos outros produtos.[25]

Em outro insight fascinante, Cook equiparou arrogância com complexidade. Para ele, as empresas bem-sucedidas tornam-se arrogantes quando seu único objetivo é ficar maior. "Posso dizer a você que a equipe administrativa da Apple nunca deixaria isso acontecer. Não é o que nós somos", afirmou Cook.

Um site que diz muito com poucas palavras

O foco da Apple na simplicidade se estende ao seu site. Quando o iPad foi colocado à venda, era o único produto exposto na homepage da Apple. A foto sozinha ocupava três quartos da tela, junto com a legenda: "*iPad is here*" [iPad está aqui]. Essa é uma técnica consistente da Apple em seu site: remover produtos da homepage para abrir espaço para o novo. Veja você mesmo. Na época em que a Apple lançar um novo produto, visite o site apple.com; você notará que tudo foi removido para colocar a atenção – o foco – no que é novo. É um dos sites mais limpos, simples e elegantes de qualquer grande empresa. É limpo por causa do que a Apple escolhe remover, e não do que escolhe adicionar.

> *"Pense em digital, atue em analógico. Utilize toda ferramenta digital à disposição, para criar bons produtos e serviços. Mas nunca perca de vista o fato de que o propósito da inovação não são produtos e tecnologias incríveis, mas, sim, pessoas felizes. Pessoas felizes são um objetivo decididamente analógico."*
>
> GUI KAWASAKI

Em 18 de março de 2010, Jerome York, diretor do conselho da Apple de longa data, morreu. Naquele dia, a Apple removeu todas as imagens de produto da homepage e as substituiu por uma foto de York, ao lado de uma mensagem curta: "É com profundo pesar que comunicamos a perda de um membro da nossa família empresarial e querido amigo, Jerry York. Corajosamente, Jerry ingressou na diretoria da Apple em 1997, quando muitos duvidavam do futuro da empresa, e contribuiu com seu extraordinário caráter, capacidade empresarial e liderança para ajudar a orientar a Apple por mais de uma década...".

Lembro-me de ter ficado momentaneamente surpreso ao ver a mudança no site da Apple, como, tenho certeza, os clientes também ficaram. Embora os botões de navegação estáticos, no alto do site, permanecessem no lugar, o memorial era a única coisa que aparecia na homepage. Primeiro, demonstrou classe. Segundo, tornou evidente de novo o poder do foco e da simplicidade. A Apple não *adicionou* a notícia na homepage, nem na sua seção de notícias, como a maioria das empresas teria feito. A Apple *removeu* itens. Certa vez, Hans Hofmann, pintor impressionista abstrato, afirmou: "A capacidade de simplificar significa eliminar o desnecessário, de modo que o necessário possa falar". Ao eliminar dispersões, confusões e o desnecessário, a Apple permite que o necessário fale; nos seus produtos e no seu site.

Livre-se das porcarias

Em 21 de abril de 2010, a revista *Fast Company* patrocinou uma conferência denominada Innovation Uncensored [Inovação sem Censura]. Mark Parker, presidente e CEO da Nike, foi um dos palestrantes. Parker contou a história do que ocorreu quando, pouco antes de se tornar CEO, recebeu uma chamada de Steve Jobs.

"Você tem algum conselho?", Parker perguntou a Jobs.

"Bem, apenas uma única coisa", afirmou Jobs. "A Nike faz alguns dos melhores produtos do mundo. Produtos que desejamos. Produtos absolutamente lindos, maravilhosos. Mas vocês também fazem muita porcaria. Livre-se das porcarias e se concentre nas coisas boas."

Parker disse à plateia: "Esperava uma pequena pausa e uma risada. Houve uma pausa, mas nenhuma risada. Ele tinha toda a razão. Temos de editar".[26]

Parker utilizou a palavra *editar* não no sentido do design, mas no contexto de tomar decisões empresariais. O foco leva a grandes designs. Também leva a boas decisões empresariais. Certa vez, Tim Cook comentou que uma filosofia tradicional da administração, ensinada nas escolas de negócios, é reduzir os riscos diversificando sua oferta de produtos. A Apple, ele sustenta, representa a filosofia da antiescola de negócios. A abordagem da Apple é investir seus recursos em poucos produtos e se comprometer a desenvolver esses produtos de modo excepcional.

> *"O que torna a metodologia de Steve diferente de todas as demais é que ele sempre acreditou que as decisões mais importantes que você toma não são as coisas que você faz, mas as coisas que você decide não fazer."*[27]
>
> JOHN SCULLEY, EX-PRESIDENTE DA APPLE

"A Apple é uma empresa de 30 bilhões de dólares; no entanto, temos menos de trinta produtos principais. Não sei se isso aconteceu alguma vez antes", declarou Steve Jobs para a revista *Fortune* em 2008. Ele acrescentou:

> Sem dúvida, as grandes empresas de eletrônicos de consumo do passado produziam milhares de produtos. Tendemos a enfocar mui-

> to mais. As pessoas acham que foco significa dizer sim para a coisa que você tem de enfocar. Mas o significado não é esse. Significa dizer não para centenas de outras boas ideias que surgem. Você tem de escolher com cuidado. Na realidade, sinto-me orgulhoso tanto das muitas coisas que não fizemos quanto das coisas que fizemos. O exemplo mais claro foi quando fomos pressionados durante anos a desenvolver um PDA (Personal Digital Assistant – Assistente Digital Pessoal) e percebi, certo dia, que 90% das pessoas que utilizam um PDA só retiram informações dele em trânsito. Elas não colocam informações nele. Muito em breve, os celulares vão fazer isso. Assim, o mercado de PDAs ficará reduzido a uma fração do seu tamanho atual, e não será realmente sustentável. Desse modo, decidimos não nos envolver com isso. Se tivéssemos nos envolvido, não teríamos os recursos para desenvolver o iPod. Provavelmente não o teríamos visto acontecer.[28]

No início da história da Apple, Mike Markkula, importante investidor, enviou um memorando, aos funcionários da Apple, que esboçava sua estratégia de marketing. Nesse memorando, ele falava sobre a importância do foco. Markkula escreveu: "Para fazer um bom trabalho em relação às coisas que decidimos fazer, devemos eliminar todas as oportunidades irrelevantes, selecionar a partir das restantes somente aquelas que temos os recursos para fazer bem e concentrar nossos esforços nelas".[29]

Muitas vezes, no projeto do produto e na estratégia de negócios, a subtração agrega valor. "Quer falemos sobre um produto, um desempenho, um mercado ou uma organização, nossa dependência em relação à adição resulta em inconsistência, sobrecarga ou desperdício, e, às vezes, todas as três", Matthew May escreveu.[30] O piloto Antoine de Saint-Exupéry podia ter resumido a filosofia da Apple quando disse: "Um designer sabe que atingiu a perfeição não quando não resta nada mais a adicionar, mas quando não resta nada para tirar".

Voltemos à pergunta formulada anteriormente no livro: alguma outra empresa é capaz de inovar da mesma forma que a Apple? Novamente, a resposta é não. Qualquer um pode aprender os princípios que orientam a inovação da Apple, mas a inovação exige coragem e poucas pessoas a têm.

É preciso coragem para reduzir a quantidade de produtos que uma empresa oferece, de 350 para dez, como Jobs fez em 1998. É preciso coragem para remover um teclado da face de um smartphone e substituir os botões por uma tela gigante, como Jobs fez com o iPhone. É preciso coragem para eliminar um código de um sistema operacional para torná-lo mais estável e confiável, como a Apple fez com o Snow Leopard. É preciso coragem para eliminar todas as palavras de um slide de PowerPoint, exceto uma, como Steve Jobs frequentemente faz em uma apresentação. É preciso coragem para exibir apenas um único produto na homepage de um site. É preciso coragem para lançar menos novos produtos em um ano do que seus concorrentes lançam em um mês. É preciso coragem para assumir posições impopulares, como dizer que o flash da Adobe é inadequado para a era moderna da mobilidade, como Jobs fez em abril de 2010. E é preciso coragem para desenvolver um produto tão simples que uma criança pode usá-lo.

Você tem coragem de manter as coisas simples? Steve Jobs tem, e isso foi decisivo para seu sucesso.

iDicas

1 Você tenta fazer muitas coisas ao mesmo tempo? Enfoque aquelas áreas onde você se destaca. Delegue o resto.

2 Aplique a regra de três para sua lista de tarefas. Dedique o máximo do seu tempo às três coisas que você pode fazer hoje para sua empresa progredir.

3 Comece a dizer "não" com mais frequência. Pode ser muito libertador!

CAPÍTULO 11

Pense diferente acerca do design

Uma grande obra de arte é composta não apenas do que está no resultado final, mas, igualmente importante, do que não está.

JIM COLLINS

É preciso coragem para ser inovador, principalmente se você decidir eliminar a confusão em troca de um design focado, simples e elegante. Em 2007, os designers da Pure Digital foram suficientemente corajosos para apresentar uma ideia inovadora que acabaria reanimando o setor estagnado das filmadoras de vídeo. Eles decidiram desenvolver a filmadora mais simples do mundo. Instantaneamente, a Flip tornou-se a câmera mais vendida na Amazon.com. Três anos depois, mantém a primeira posição. Na realidade, na data da redação deste livro, seis modelos da Flip ocupavam as dez primeiras posições em câmeras de vídeo digital (o modelo preto ocupa o primeiro lugar, seguido pelo branco). Apenas três anos após seu lançamento, um produto que algumas pessoas desprezaram, considerando-o "um brinquedo" por causa da sua simplicidade, representa agora 36% de todas as filmadoras vendidas no varejo.[1]

Os céticos disseram que a Flip nunca seria bem-sucedida. Era muito simples, sustentaram. Os designers da Flip sabiam das coisas. Eles tinham se cercado de produtos da Apple para inspiração e incorporaram o etos da Apple, isto é, desenvolver um produto que é superfácil de usar. O sucesso da Flip foi não menos que um fenômeno. Antes do lançamento da Flip, o mercado de filmadoras de vídeo digital ficou estagnado durante anos. Poucas empresas estavam inovando no setor. A Flip mudou tudo. De 2008 a 2009, o mercado de filmadora cresceu 35%. Os produtos da Flip representaram 90% do crescimento. Como os críticos da Flip erraram tanto? Não pensaram do modo que Steve Jobs pensa.

A magia da Flip

Em 2009, a Cisco Systems adquiriu a Pure Digital, criadora da Flip. Escrevi um artigo sobre a empresa para a BusinessWeek.com, obtendo acesso à equipe de desenvolvimento do produto. Soube que a maioria dos produtos eletrônicos de consumo é desenvolvida por engenheiros, para engenheiros. O resultado é um excesso de recursos; uma adição de mais penduricalhos do que a maioria dos usuários vai querer ou usar alguma vez. Os designers da Flip seguiram a direção contrária. A Flip foi orientada por uma filosofia que sustentou que cada ponto de contato do consumidor – a embalagem, o produto e o site – devia ser simples, elegante e enfocado. As seções a seguir esboçam quatro princípios de design do tipo Apple, que ajudaram a Flip conquistar os corações e as mentes dos consumidores.

OBEDEÇA A REGRA DOS TRINTA SEGUNDOS

Os designers da Flip tinham um teste: sempre que criassem um protótipo e o entregassem para alguém, aquela pessoa tinha de ser capaz de ligá-lo e colocá-lo em funcionamento em trinta segundos. Da mesma forma que Jonathan Ive, da Apple, os designers da Flip também não gostam de manuais de instruções. Seus clientes teriam de entender o produto – e ser capazes de usá-lo em trinta segundos – sem a ajuda de um manual.

A regra dos trinta segundos regeu diversas decisões de design da Flip. Evitando a adição de inúmeros recursos, os designers limitaram a Flip a quatro botões: ligar/desligar, gravar, reproduzir e excluir. Para manter a simplicidade da experiência do usuário, todo o necessário para o uso do aparelho está embutido (incluindo uma conexão USB para conectar o aparelho a um computador). Isso deixa a filmadora sem nenhum CD de instalação e nenhum cabo. Tudo o que o usuário precisa está contido na filmadora. De acordo com Simon Fleming-Wood, diretor sênior de marketing da Cisco Consumer Products: "Nossos concorrentes continuam a encher de recursos seus produtos. Ficamos tentados a jogar de acordo com as regras, mas não jogaremos. Nosso foco está na experiência do usuário, enquanto os concorrentes tradicionais, que vêm do mercado das filmadoras de vídeo digitais, enxergam o mundo em termos de pixels e recursos. Fico feliz que eles enxerguem o mundo desse modo, pois não percebem a magia da Flip".[2]

OFEREÇA EMBALAGENS E INSTRUÇÕES SIMPLES

A caixa da Flip é distinguível pelo que ela elimina. Os designers da Flip resistem à tentação de incluir todas as especificações na embalagem. "Queremos que as pessoas se esqueçam da tecnologia e aproveitem a experiência", me disse Fleming-Wood. Quando você abre a embalagem, percebe que a Flip aboliu um volumoso manual do usuário. Os manuais tradicionais são opressivos, principalmente devido ao fato de que a grande maioria dos compradores não utiliza muitos dos recursos mais avançados das filmadoras de vídeo e das câmeras fotográficas digitais. Os designers da Flip fizeram sérias ressalvas a respeito de expedir o produto com algum manual, pequeno ou grande. Consideraram com seriedade expedir um aparelho eletrônico de consumo sem nenhum manual de instrução. No fim, decidiram incluir um manual básico, que daria aos seus clientes uma sensação de conforto, ainda que o objetivo fosse projetar um produto que não requeria nenhum manual. Sobretudo, cada elemento de design tinha de ser acessível e não ameaçador.

Você não deve se surpreender ao saber que os designers da Flip se inspiraram na embalagem da Apple. As caixas que contêm os produtos da Apple são inovadoras por causa da simplicidade, do estilo e da facilidade de uso. O compromisso da Apple de descomplicar a experiência do usuário estende-se à embalagem. Consideremos o MacBook Pro como exemplo. A caixa não está entulhada de fotos e recursos; a frente exibe uma visão lateral do laptop metálico sobre um fundo totalmente branco com duas palavras: MacBook Pro. Abra a caixa e, em vez de ser bombardeado com componentes e acessórios, você vê somente a parte superior do notebook, com o icônico logotipo da Apple. (O logotipo em si é inovador. Jobs quis uma maçã [*apple*] multicolorida, com um pedaço mordido, para humanizar a empresa de informática.

O logotipo de seis cores durou até o final da década de 1990 e foi substituído por um logotipo mais moderno, todo branco, estilizado.) A próxima camada revela uma pasta preta contendo o manual de instruções. A terceira camada possui dois compartimentos simples, que alojam o cabo de energia CA e a fonte de alimentação. Tudo a respeito da embalagem é projetado para que o cliente possa ligar o produto e começar a usá-lo de imediato. Todos os produtos da Apple são embalados da mesma forma. Abra a caixa do iPhone e a primeira e única coisa que você vê é a tela do telefone. Vá para a próxima camada e encontre o manual do usuário. A terceira camada revela três compartimentos pequenos, que contêm o fone de ouvido, o cabo de sincronização USB e uma pequena fonte de alimentação CA.

Construir essas caixas não é fácil, nem barato. Sem dúvida, a Apple está comprometida em criar uma experiência de usuário simples, indo até o nível da embalagem. No início de 2010, visitei uma fábrica de embalagens em Modesto, na Califórnia, para me preparar para uma palestra para executivos de manufatura. Essa empresa específica projeta e fabrica caixas para embalar produtos dos setores farmacêutico, alimentício e tecnológico. Os gerentes da fábrica me revelaram que a Apple era seu cliente mais exigente. Nada é aceito cegamente. O consumidor deve ter uma experiência prazerosa enquanto desembala um produto da Apple. Isso significa que as cores, a aparência, a textura, as alças, o material e os compartimentos das caixas devem proporcionar uma experiência simples e gratificante, em cada etapa do processo de desembalagem.

Desembalar um produto da Apple é tão excitante para algumas pessoas que elas se sentem compelidas a gravar a atividade e a carregar o vídeo no YouTube. Há milhares de links exibindo clientes desembalando MacBooks, iPods, iPhones e iPads. As pessoas dificilmente contêm sua empolgação. Sim, essa tendência no YouTube é um pouco estranha, mas é o que podemos esperar quando as pessoas se apaixonam com cada aspecto do seu produto.

CRIE UM SITE SIMPLES

Em vez de serem oprimidos por produtos, os visitantes do site da Flip são apresentados a apenas dois tipos de filmadoras: a Ultra e a Mino. Complementando a homepage, as abas são limitadas aos produtos, onde comprar, notícias quentes e suporte. De acordo com os princípios de comunicação simples da Flip, a informação que um consumidor está buscando deve ser facilmente acessada em até trinta segundos após o ingresso do visitante no site.

Nesse caso, novamente, os designers da Flip aprenderam algo com a Apple. A estética de design da Apple alcança cada ponto de contato do cliente: do produto à embalagem, passando pelo site. Em junho de 2010, a Apple revelou a próxima geração do iPhone: o iPhone 4. Os visitantes da homepage da Apple foram saudados com a foto do novo aparelho, junto com um título: "iPhone 4. Isso muda tudo. De novo". O site da Apple reflete a simplicidade da embalagem do produto. À primeira vista, o cliente vê o produto exposto. As camadas vêm a seguir. Por exemplo, clique na imagem do iPhone e o site o leva a uma página mais detalhada do produto, mas é uma página que ainda é relativamente simples. A subpágina destaca quatro recursos do novo telefone: chamada com vídeo, tela de alta resolução, recursos multitarefa e gravação de vídeo em HD. Em vez de encher toda a página com informações do produto, o site apresenta cada recurso com um parágrafo curto. Se você quiser saber mais sobre qualquer recurso, clique em um link que revela informações mais detalhadas. A questão é eliminar a confusão em cada página. A maioria dos designers tenta condensar tudo em uma única página, em geral a homepage. Um cliente confuso é um cliente perdido. A Apple não perde muitos clientes.

FAÇA UMA APRESENTAÇÃO SIMPLES

Em 2007, quando Fleming-Wood tentou convencer os varejistas a estocar a nova câmera, ele dedicou 50% da sua abordagem de vendas a um único slide muito simples. Ele pediu para eles "reimaginarem" a categoria. O slide continha fotos de duas filmadoras de vídeo: a tradicional e a Flip. Sob a filmadora tradicional havia uma legenda: "Utilize-a para ocasiões especiais". Sob a Flip, a legenda era: "Utilize-a para todo o resto". O slide enquadra a filosofia da Flip e demonstra como os criadores esboçaram sua visão para a categoria. A Flip, eles afirmaram, revolucionaria a categoria da mesma forma que as câmeras aponte e dispare democratizaram o mercado das câmeras fotográficas, que era dominado pelas câmeras reflex de lente única, mais avançadas. A filosofia de design que orientou o desenvolvimento da câmera de vídeo achou seu caminho no design da apresentação. A introdução de muitos dados num site teria sido relacionada à adição de diversos recursos na câmera. O foco estava no quadro global.

Philippe Starck, famoso designer francês, que projeta alguns produtos para a Apple, afirmou, certa vez, que o "belo" e o "descolado" são superestimados; em vez disso, os designers devem ambicionar o "bom". Com a Flip, podemos entender o que Starck quer dizer. Os criadores nunca planejaram criar um aparelho "belo", porém inacessível. Eles não resolveram criar um aparelho com novos recursos "descolados", que aumentariam a complexidade. Eles planejaram desenvolver um bom produto, que fosse acessível e divertido. Para esses empreendedores, o bom sobrepujava o descolado como princípio de design. Em consequência, criaram uma das inovações mais descoladas que a categoria viu em anos.

Robô, traga minha pasta de dentes

Se você comprar roupas, sapatos ou artigos de escritório de lojas como The Gap, Zappos ou Staples, sua experiência imediata terminará, em geral, no site ou no telefone com uma representante do serviço de atendimento ao cliente. Em um ou dois dias, os itens chegam na sua casa. Em grande medida, a complexa série de eventos que seu pedido provoca nos bastidores fica oculta nos centros de distribuição espalhados pelo país. Se você visitar um desses centros de atendimento de pedidos, verá milhares de robôs móveis laranja correndo, erguendo diversas bandejas, caixas e itens de consumo e entregando esses produtos para os humanos, que realizam o empacotamento final antes do envio para a sua casa. Esses robôs são fruto da imaginação de Mick Mountz, fundador e presidente da Kiva Systems, ex-funcionário da Apple, que entrevistei para este livro. Mountz aprendeu muito com Steve Jobs a respeito de redução da complexidade; lições que ajudaram Mountz a desenvolver um exército de robôs inovadores que revolucionou os centros de distribuição norte-americanos.

Como Jobs, Mountz não realizou grupos de foco tradicionais para iniciar sua empresa. Também como Jobs, ele conhecia seus clientes tão bem que entendia seu sofrimento. Ele demonstrou empatia. No boom das empresas ponto-com, Mountz trabalhou na Webvan, supermercado virtual, onde se deparou com um problema empresarial denominado "colete, embale e envie". Era terrivelmente improdutivo para as pessoas em um recinto de distribuição receber um pedido de uma escova de dente verde, uma escova de dentes azul e uma pasta de dentes e, em seguida, se deslocarem ou caminharem fisicamente para uma seção do armazém, coletarem os itens e os embalarem. Mountz teve a visão de tornar o processo de distribuição de um armazém mais fácil e mais produtivo.

Como sabemos a partir do Princípio 2, uma visão desencadeia a inovação. A visão de Mountz não foi desenvolver robôs. Os robôs, ao que se revelou, eram a melhor solução tecnológica para solucionar os problemas que os varejistas enfrentavam em seus centros de atendimento de pedidos. Mountz formulou a pergunta: "E se os produtos pudessem falar, caminhar e saltar para fora da caixa por conta própria?". Isso solucionaria o problema de "coletar, embalar e enviar" que atormentava os principais varejistas. A resposta levou ao desenvolvimento dos robôs específicos da Kiva.

"O que você aprendeu da Apple?", perguntei para Mountz.

"Nossa abordagem foi semelhante à da Apple na sua simplicidade", ele respondeu. "Se um varejista procurar a Kiva, queremos oferecer a solução completa. Fazemos o projeto, realizamos a simulação, desenvolvemos o software, testamos, instalamos, fazemos tudo trabalhar em conjunto e, em seguida, entregamos as chaves. Como operador, você não tem de se preocupar com o manuseio do material. Você pode dedicar sua atenção novamente aos seus clientes e realizar o que faz melhor: atendimento de pedidos. Isso é de grande eficácia para nossos clientes, tais como Staples, Walgreens, Gap e Zappos. Eles não precisam mais se preocupar com o manuseio do material. Eles podem voltar a ser especialistas em atendimento de pedidos e expedir o suéter verde da senhora Smith."[3]

Na verdade, o sistema Kiva é muito complexo. Nesse caso, Mountz também aprendeu da Apple que é importante ocultar a complexidade do cliente. "Quando você compra um iPod, está fazendo isso porque quer escutar música", Mountz me disse. "Você não precisa ser um especialista em MP3 ou em formatos de arquivos. Basta plugar e ver o aparelho funcionar. Esse é nosso mantra na Kiva."

Pergunte-se: *Como posso tornar a vida do meu cliente mais fácil, mais simples e melhor?* As empresas inovadoras desenvolvem produtos ou prestam serviços que permitem que o cliente enfoque o que ele faz melhor. Consideremos o exemplo da Kiva e de um dos seus clientes, a Staples. A Staples está no ramo de expedir artigos de escritório. Não está no ramo de manuseio de materiais, nem quer estar. A proposta da Kiva para a Staples foi direta: deixe-nos lidar com o manuseio de materiais e vocês podem dirigir sua atenção para a expedição de produtos de alta qualidade para seus clientes. "Na Apple, estávamos enamorados com a tecnologia e a inovação, mas não por amor à tecnologia. Aplicaríamos à computação gráfica tornando-a mais intuitiva para a realização do seu trabalho. Tinha o propósito de simplificar sua vida", afirma Mountz.

Mountz também aprendeu outra lição da Apple: o design diz respeito ao funcionamento das coisas e não apenas à aparência delas. O objetivo da Kiva é projetar produtos simples e de fácil utilização. Criar produtos simples significa reduzir a complexidade, eliminando recursos ou botões que distraem da tarefa básica dos produtos. Os robôs da Kiva devem ser acessíveis aos operários da fábrica e aos gerentes da instalação. Se os robôs parecessem intimidadores, seria mais difícil para o sistema ganhar a adoção difundida nos armazéns. De acordo com Mountz, "quando projetamos os robôs, queríamos que parecessem divertidos, amigáveis, acessíveis e de fácil utilização. Ao contrário de diversas tecnologias complexas, nossos robôs possuem somente dois botões: ligar e desligar. Posicionamos os botões em cada lado, de modo que, independentemente do lado que você se aproxima do robô, você pode tocar os botões sem ter de estender muito o braço. Deixamos esses robôs tão acessíveis que os trabalhadores os consideram ajudantes pessoais. Alguns até deram nomes para os robôs!"

Diversos empreendedores que iniciam negócios bem-sucedidos do nada estão comprometidos em projetar produtos simples e elegantes, que solucionam problemas do mundo real. Mountz nunca desejou desenvolver robôs. Ele pretendeu tornar os negócios mais produtivos. Os robôs revelaram-se a solução. Atualmente, os sistemas Kiva tornam os funcionários até quatro vezes mais produtivos. Dada a taxa de sucesso, é provável que um dos robôs laranja de Mountz esteja manuseando sua próxima compra on-line.

Tão simples que você não precisa de um manual

Roberto Verganti, especialista em inovação, afirma que, às vezes, quando um produto está sobrecarregado de funcionalidades, é sinal de que os líderes da empresa não têm uma ideia clara do que querem alcançar. Eles não conseguiram ter uma compreensão firme em relação ao o que o produto deveria ser ou convidaram muitas pessoas para contribuir para o resultado final, o que também fomenta a confusão. "Eles seguem processos democráticos muito restritos e, algumas vezes, isso acaba pondo de lado qualquer tipo de funcionalidade focalizada, porque diversos engenheiros e projetistas querem coisas diferentes e, ocasionalmente, incompatíveis no produto", sustenta Verganti.[4] De acordo com ele, tentar deixar todo mundo feliz, adiciona complexidade e o resultado final é decepção.

No outono de 2009, encontrei-me com uma equipe de executivos da Sonos que estava prestes a lançar um produto que ocultava uma tecnologia muito complexa. Fizeram isso com muito sucesso, enfocando a única coisa que seus clientes queriam do produto: audição de música sem fios.

Em outubro de 2009, o Sonos ZonePlayer S5 foi lançado e recebeu críticas entusiasmadas dos jornalistas e consumidores. Foi um primeiro sistema de música sem fio, em uma unidade com múltiplas funções, que os consumidores podiam controlar da internet ou de iPhones. Parecia destinado a ser bem recebido. A qualidade dos alto-falantes era excelente e – mais importante – era muito fácil montar. Praticamente qualquer pessoa podia instalá-lo e fazê-lo funcionar em cinco minutos. Uma resenha de Arik Hesseldahl resumiu: "Não se preocupe em consultar um manual. Você não vai perder tempo com configurações obscuras em seu roteador. Você vai acabar escutando muito mais música".[5] Hesseldahl assinalou que os produtos concorrentes também possuíam um som excelente, mas eram difíceis de montar e navegar.

Quando perguntei à equipe da Sonos a respeito do segredo por trás do projeto de um produto inovador e bem-sucedido, a resposta foi muito ao estilo Apple: "Não começamos com a tecnologia. Começamos com as pessoas e com suas aspirações. Aprendemos como as pessoas gostariam de vivenciar a música em suas casas e projetamos um sistema com base nisso". Em outras palavras, os projetistas da Sonos não começaram com o objetivo de desenvolver um sistema sem fio avançado; o sistema foi o resultado de formular a pergunta: "*Como as pessoas querem escutar música em suas casas?*". Esse questionamento levou a visitas aos lares, à pesquisa extensiva e a anos de criação de protótipos para obter o produto certo. O resultado é o que os designers denominam simplicidade inovadora, ou seja, um cliente pode afirmar: "Posso usar e desfrutar", pois não é ameaçador. O sistema tinha de ser muito fácil de instalar. Todos da casa tinham de ser capazes de usá-lo, mesmo aqueles que não se consideravam especialistas em tecnologia. Entre os objetivos do projeto, incluía-se o fato de que os clientes tinham de se apaixonar pelo produto em cinco minutos.

O zen do sushi

Os frequentadores de restaurantes de Nova York, Milão, Tóquio e Beverly Hills pagam uma pequena fortuna pelo sushi preparado no "estilo Nobu". Nobuyuki Matsuhisa (Nobu), chef japonês de renome, é considerado um empreendedor gastronômico inovador por misturar pratos japoneses tradicionais com ingredientes peruanos. Suas obras-primas são conhecidas pelo frescor, ingredientes de alta qualidade e uma apresentação enganosamente simples. Os ingredientes de Nobu são difíceis de encontrar e ainda mais difíceis de preparar, mas a complexidade é oculta do consumidor. O ator Robert De Niro ficou tão impressionado com as criações de Nobu quando visitou um restaurante em Los Angeles que bancou uma expansão do restaurante em Nova York. Atualmente, Nobu é dono de mais de doze restaurantes em todo o mundo, sendo considerado por muitos como o maior chef do mundo especializado em sushi.

As criações de Nobu são inovadoras e imaginativas. Uma combinação inclui bacalhau negro com missô; outra envolve polvo com suco de *yuzu* e pasta de pimenta *rocoto*. Apesar do cardápio exótico, o tema subjacente às inovações culinárias de Nobu é a simplicidade: técnicas de apresentação simples para revelar os sabores.

Da mesma forma que Jonathan Ive decidiu que a cor toda branca do iPod destacaria o produto, Nobu enxerga um prato branco como sua tela, permitindo que a comida chame sua atenção. Tudo que distrai da apresentação ou da experiência das combinações únicas de sabor deve ser eliminado. As receitas de Nobu são um estudo de eliminação. O que ele deixa de lado é tão importante quanto os ingredientes que ele mantém.

Nobu compartilha a filosofia de Steve Jobs: faça o que você gosta. Para ele, o ingrediente mais importante para o sucesso não é a expertise técnica, mas a paixão, e não só em relação a chefs, como também para qualquer um que deseja ter êxito em um determinado setor. Foi necessária toda sua paixão para mantê-lo no setor de restaurantes depois que seu primeiro restaurante, que era em Anchorage, no Alasca, pegou fogo apenas dois meses após sua abertura. Não estava no seguro, e Nobu tinha contraído um grande empréstimo para montá-lo. Ele ficou abalado e deprimido, mas decidiu que nada iria impedi-lo de seguir a paixão que se apossou dele desde os 13 anos: criar pratos inesquecíveis com sushi.

Nobu também compartilha o compromisso com a excelência. Nada é admitido como verdade absoluta. Peça um prato de vieira e pepino e você receberá quinze tiras finas de pepino cuidadosamente arranjadas em um círculo sobre um prato todo branco. Exatamente sete conchas de vieira circundarão os pepinos e poucas folhas de coentro encimarão cuidadosamente cada vieira. Finalmente, uma porção (não duas) de pasta de pimenta *rocoto* será posicionada no meio do coentro. O cardápio é consistentemente simples. Tudo que desvia a atenção do foco do ingrediente principal é cortado.

Os japoneses veem a apresentação do sushi como uma obra de arte. Há diversos estilos, mas a regra que prevalece em todas as preparações é a simplicidade. Os ingredientes devem falar por si mesmos. Muitos rolos ou muitos adornos tiram o foco dos sabores. Elegância simples. A inovação nem sempre consiste em adicionar coisas. É perguntar a si mesmo: o que posso eliminar?

Dizendo não para mil plaquetas de identificação

Meu livro anterior, *Faça como Steve Jobs*, abriu um diálogo entre mim e Allan Mulally, presidente da Ford, que me disse que tinha lido o livro de cabo a rabo. Comecei a acompanhar a carreira de Mulally como fabricante de automóveis muito mais de perto. A primeira coisa que chamou minha atenção foi o otimismo incansável e a energia positiva. Os e-mails, as entrevistas e as apresentações públicas de Mulally refletem seu compromisso inabalável com a fabricação dos melhores carros do mundo. A segunda coisa que me impressionou foi a estratégia de Mulally de cumprir seu objetivo. Seu mantra: "Melhorar o foco. Simplificar as operações".

Em 5 de setembro de 2006, Mulally foi nomeado presidente da Ford. A família Ford escolheu Mulally, ex-executivo da Boeing, para trazer uma perspectiva nova à icônica marca norte-americana. A Ford precisava de uma injeção importante de sangue novo. Da mesma forma que, em 1996, a Apple estava perto da morte antes do retorno de Jobs, a Ford também estava perto do fim antes do ingresso de Mulally. Em 2006, a empresa perdera 12,6 bilhões de dólares e o preço da sua ação tinha despencado para menos de 2 dólares, resultado de anos de participação de mercado declinante.

Dos capítulos anteriores, podemos lembrar das primeiras medidas adotadas por Steve Jobs para ressuscitar a Apple: eliminar produtos para se concentrar no que a empresa fazia melhor. Mulally também não perdeu tempo em se desfazer de marcas. A Jaguar foi a primeira a partir. A Land Rover, a Aston Martin e a Volvo foram as seguintes. A Ford reduziu a quantidade de suas plataformas – chassis – de mais de vinte para oito. Reduziu seus modelos mundiais de 97 para 25. Cada modelo representava centenas de milhões de dólares em custos de engenharia, e, como a Ford não conseguia vender uma quantidade suficiente de cada modelo, o movimento economizou bilhões de dólares para a empresa. Além de economizar dinheiro, permitiu que a empresa colocasse suas melhores equipes em cada um dos produtos mantidos. Ao simplificar as operações, Mulally concentrou a atenção da Ford. A iniciativa funcionou. A Ford foi a única empresa automobilística norte-americana a não precisar de socorro financeiro do governo. Em 2009, contabilizou um lucro de 2,7 bilhões de dólares e viu o valor da sua ação sextuplicar. Além disso, em uma estatística que você não verá nas manchetes, as pesquisas internas da Ford indicaram que 87% dos seus funcionários acreditam que a empresa está no caminho certo. Ao dizer não, a Ford disse sim ao sucesso.

O que é mínimo não é simples

Não confunda simplicidade com minimalismo. Um design "minimalista" é um conceito amplo que as pessoas aplicam a todo tipo de assuntos: desde apresentações até produções teatrais, passando por interiores de lojas. Entre em uma loja Michael Kors para comprar uma bolsa de mão de 500 dólares e você encontrará muito espaço vazio, mesas grandes e poucas bolsas de mão. Isso é minimalismo. Visite o site da Google e você encontrará uma única caixa de busca e muito espaço em branco. Isso é minimalismo. Assista a uma apresentação de Steve Jobs e você verá muitos slides sem palavras, somente fotografias.

No que diz respeito à inovação, menos realmente aparenta ser mais. Sim, os designs mais simples são mínimos, mas designs mínimos nem sempre são simples. O *foco* deve ser o objetivo e não o *minimalismo*. Um site com um belo design é elegante porque permite que os visitantes encontrem rápida e simplesmente o que estão procurando. Portanto, tudo que atrapalhe o motivo pelo qual as pessoas visitam o site deve ser eliminado. Adicione muita informação e isso competirá pela atenção do seu público, distraindo-o da solução do problema à mão, quer seja comprando um livro, lendo conteúdo relevante ou assinando um serviço.

Há duas tendências dominantes no design de um site, nenhuma das quais é particularmente atraente. A primeira é sites confusos devido à grande quantidade de texto. Recentemente, visitei o site de uma empresa da Flórida que fabrica portões e cercas personalizadas para casas e empresas. Era o site mais feio que já vi. A homepage incluía mais de trinta fotografias das cercas da empresa e mais de mil palavras. Pondo as coisas em perspectiva, a homepage da Apple contém menos de cinquenta palavras.

A segunda tendência, um pouco melhor, mas ainda preocupante, é os designers levando o "minimalismo" a um extremo. Esses designers de sites estão tão apaixonados pela sua criatividade que criam páginas de abertura baseadas em flash que são penosamente lentas para carregar e não acrescentam nenhum valor real à experiência do cliente. Essas técnicas impedem o cliente de fazer aquilo que pretendia ao entrar no site.

Gosto de escutar uma estação de rádio local. Os apresentadores são muito bons a respeito da conexão com o site da emissora, dizendo que os ouvintes podem fazer um link no site em relação a um livro, artigo ou entrevista apresentado. O problema é que tentei diversas vezes encontrar as informações no site e não tive sucesso nenhuma vez. Os designers amontoaram tanta informação no site – utilizando cada centímetro quadrado da homepage – que é quase impossível localizar algo mencionado em um programa específico. Certa vez, fiquei tão frustrado que acessei o site da empresa de um determinado convidado (ele afirmara que arquiva suas entrevistas para emissoras de rádio). Novamente, não consegui encontrar o que queria. O convidado tinha abarrotado de conteúdo a homepage. Trinta minutos depois, desisti.

Criar um site simples não é fácil. Demanda tempo e habilidade. É fácil gerar confusão. Qualquer um é passível disso e, como inúmeros sites aparentam ser criados por crianças de treze anos, a confusão é comum. Os designers não estão levando em consideração o cliente. É irônico pensar que adicionar confusão é mais fácil do que eliminar conteúdo que reduz o foco do seu site.

Muitas alternativas paralisam seu cliente. Sheena Iyengar, professora da Columbia University, realizou um experimento que ficou conhecido como o famoso "estudo da geleia". Em uma loja de comidas finas da Califórnia, Iyengar e sua assistente montaram uma mesa para distribuir amostras de geleia. A cada poucas horas, elas reduziam a quantidade de amostras de 24 para seis. Os clientes que paravam recebiam um cupom de desconto a ser resgatado no caixa se decidissem comprar um pote antes de deixar a loja. Os resultados foram surpreendentes. Mais clientes paravam diante do grande sortimento do que diante do menor sortimento; desse modo, suporíamos que mais vendas foram registradas quando os clientes tinham uma maior variedade de opções. Errado. Somente 3% dos clientes que se defrontavam com o maior sortimento compravam a geleia, enquanto 30% dos clientes que se deparavam com o menor sortimento adquiriam a geleia. Iyengar concluiu que a presença de alternativas era atraente como uma teoria, mas, na realidade, mais alternativas era debilitante.

A hipótese de Iyengar faz muito mais sentido para mim agora que tenho filhas pequenas. Dê a uma criança de 3 anos a alternativa do que vestir a partir de um armário cheio de roupas e ela levará um tempo muito longo para decidir. Ofereça somente duas alternativas e ela decidirá imediatamente.

Agora retornemos à discussão sobre o site da Apple. Em geral, a Apple apresenta um único produto na homepage, como o iPad. Se você quiser mais opções, poderá selecionar a partir de quatro outras categorias e é tudo: Mac, iPod, iPhone ou iTunes.

Quando as pessoas acessam seu site, elas estão concentradas numa tarefa: tomar conhecimento de alguma coisa, ler algumas coisa ou pedir alguma coisa. Ter muito texto ou oferecer muitas alternativas acaba reduzindo a experiência do cliente.

Perdendo a guerra – um slide por vez

No Princípio 7, enfocaremos muito mais o papel que a comunicação efetiva desempenha na inovação, mas, por enquanto, lembre-se que a complexidade interfere no design, quer seja de produtos, sites ou apresentações. Em 27 de abril de 2010, o *The New York Times* apresentou um artigo de primeira página sobre o uso do PowerPoint pelo exército norte-americano. O título dizia tudo: "Encontramos o inimigo e é o PowerPoint".[6] O artigo relatava a história do general Stanley McChrystal, que, na época, era o comandante das forças norte-americanas e da Otan no Afeganistão. McChrystal tinha visto um slide de PowerPoint a respeito da estratégia militar na região. O slide continha mais de quatrocentas palavras e parecia muito com uma tigela de macarrão. McChrystal afirmou que, se conseguisse entender o slide, os Estados Unidos venceriam a guerra. A afirmação foi entendida como uma piada, mas alguns líderes militares não acharam nada engraçado o problema referente ao PowerPoint. Alguns proibiram o uso do aplicativo porque acharam que era perigoso, literalmente sufocando a discussão e impedindo o pensamento crítico.

O PowerPoint não é o problema. O problema é que os líderes militares norte-americanos não estão pensando ao estilo Steve Jobs, ao menos no que diz respeito à comunicação. Claro que qualquer operação militar é muito complexa, com milhões de peças, pessoal e equipamento em movimento. O segredo é ocultar a complexidade. Assim, a plateia (os clientes da Apple, os soldados do exército) podem rápida e simplesmente entender o que eles precisam enfocar. A complexidade reprime a comunicação, a compreensão e a inovação. Lembre-se: uma ideia ou uma invenção torna-se uma inovação somente quando faz a sociedade avançar. Se uma ideia não puder ser materializada por causa da sua complexidade, nunca satisfará os critérios requeridos pela inovação.

Um modo simples de criar o design da vida dos seus sonhos

É possível aplicar a filosofia de design da Apple na sua vida? Sal Sberna, pastor de Houston, acredita que sim. Em janeiro de 2006, Sberna elaborou uma série de quatro sermões para a Metropolitan Baptist Church, intitulada

"A teologia do iPod". Sberna afirmou que criou os sermões para ajudar os jovens da sua congregação a fazer a conexão entre o iPod e o que Deus estava tentando lhes ensinar. Sberna me enviou suas anotações para os sermões. Sua lição básica envolveu a ideia da simplicidade. Sberna observou que o iPod é elegante e simples para usar por causa do modo pelo qual foi projetado a partir do interior. Deus, ele afirmou, criou-nos para também sermos simples em nosso interior. Sberna acredita que temos tudo o que precisamos para ficar conectados com Deus, a menos que permitamos que influências externas confundam essa relação.

Você não precisa ser religioso para entender que projetar sua vida do modo que Steve Jobs e Jonathan Ive projetam os produtos da Apple pode, de fato, aumentar seu potencial de sucesso. Jim Collins, o autor do best-seller *Good to great*, descobriu esse segredo poderoso na aula de negócios, em Stanford. Collins estava realizando um curso sobre inovação e criatividade quando uma das professoras lhe disse que ele era um aluno indisciplinado e disperso. Esse comentário surpreendeu Collins. Ele se orgulhava de definir três objetivos no início de cada ano e perseguir esses objetivos (objetivos grandes, difíceis e audaciosos) implacavelmente. "Em vez de levar uma vida disciplinada", a professora de Collins lhe disse, "você leva uma vida movimentada".[7]

A professora deu a Collins uma tarefa. Ele pediu-lhe para imaginar que tinha acabado de herdar 20 milhões de dólares, mas que tinha apenas mais dez anos de vida. O que ele faria de modo diferente? De maneira mais específica, ela perguntou: O que ele "pararia de fazer"? Collins afirmou que a realização desse exercício foi uma das lições mais importantes da sua vida. Depois que ele encontrou a resposta para a pergunta, ele deixou um emprego na Hewlett-Packard. Ele adorava a empresa, mas detestava o trabalho. Em vez disso, foi atrás da sua paixão real, que era se tornar professor de negócios em Stanford. Se Collins não tivesse se empenhado no exercício de "pare de fazer", milhões de leitores nunca teriam apreciado seus textos, incluindo dois dos maiores best-sellers de todos os tempos no gênero de livros de negócios: *Built to last* e *Good to great*. Para Collins, o exercício é tão importante para um vida de sucesso que ele converte a lista de "pare de fazer" em fundamento das suas resoluções de Ano Novo.

Collins oferece um quadro simples que o ajudará a levar uma vida fora do comum. Ele sugere que você se faça três perguntas:

- Estou muito apaixonado pelo quê?
- Sou geneticamente codificado para o quê, ou seja, que atividades você sente que "nasceu para fazer"?
- O que faz sentido econômico, ou seja, como posso ganhar a vida?[8]

Então, Collins recomenda que você faça um inventário das suas atividades. Se 50% do seu tempo cair fora dessas três áreas, então é o momento de desenvolver uma lista de "pare de fazer". "Torne sua vida uma obra de arte criativa", Collins escreveu no jornal *USA Today*. "Uma grande obra de arte é composta não apenas do que é a obra final, mas também, de modo importante, do que não é. É a disciplina de descartar o que não se encaixa que distingue o artista realmente excepcional e marca a obra ideal, seja uma sinfonia, um romance, uma pintura, uma empresa ou, mais importante de tudo, a vida."[9]

A Apple projeta produtos que são simples e elegantes. Esses objetivos orientaram Steve Jobs durante toda a sua carreira. Arranque uma página do manual de estratégia de inovação de Steve Jobs: na empresa, diferencie-se dos seus concorrentes não por aquilo que você adiciona, mas por aquilo que você remove. Na vida, prepare-se para o sucesso não pela quantidade de projetos que você decide enfrentar, mas pela quantidade que você decide remover. Simples, não é?

iDicas

1 Pergunte-se: "Qual é o motivo principal pelo qual as pessoas compram meu produto?". A resposta deve se tornar o foco do seu produto. Tudo que reduz esse foco deve ser eliminado.

2 Examine tudo sobre seu produto ou serviço da perspectiva do seu cliente. Pergunte-se: "Qual é a coisa que faz nossos clientes virem nos procurar?". Facilite para seus clientes fazer ou encontrar a coisa. Considere tudo: o produto, a embalagem, o site, o manual de instruções, a comunicação. Tudo. É confuso ou simples e elegante?

3 Como resolução de Ano Novo – ou a qualquer momento do ano –, crie uma lista de "pare de fazer". Reduza o tempo que você dedica aos projetos e às tarefas que não promovem seu propósito básico e preenchem sua paixão.

PRINCÍPIO 6

Crie experiências incríveis

As pessoas não querem apenas comprar computadores pessoais. Elas querem saber o que podem fazer com eles, e nós vamos mostrar-lhes exatamente isso.

STEVE JOBS

CAPÍTULO 12

Estamos aqui para ajudá-lo a crescer

Ao visualizarmos o modelo da Apple, dissemos que as pessoas iriam se conectar com a Apple. Algo bastante simples. A proposta da empresa era de enriquecer vidas. Isso é o que a Apple fez por mais de trinta anos.

ROB JOHNSON, VICE-PRESIDENTE SÊNIOR DA APPLE, OPERAÇÕES DE VAREJO

Não há encarregados de caixa numa Apple Store. Há especialistas, criativos – até gênios –, mas não encarregados de caixa. Também não há vendedores numa Apple Store. Há consultores, *concierges*, especialistas e compradores, mas não vendedores. Embora as Apple Stores não tenham pessoal de vendas comissionado, as lojas geram mais receita por metro quadrado do que a maioria das outras marcas amplamente reconhecidas. A famosa loja da Apple em forma de "cubo de vidro", na Quinta Avenida, em Nova York, gera, segundo informado, maiores vendas por metro quadrado do que as lojas vizinhas: a Saks e a Tiffany – significativamente maiores. A receita da Apple alcançou mais de 43.350 dólares por metro quadrado por ano, enquanto a Tiffany e a Best Buy atingiram, respectivamente, 27.950 dólares e 10 mil dólares por metro quadrado. A Apple tornou-se a melhor rede varejista do mundo pensando diferente da maioria dos lojistas. "As pessoas não estavam dispostas a investir tanto tempo, dinheiro e engenharia em uma loja antes", afirmou Steve Jobs, em 2007, numa entrevista para a revista *Fortune*. "Não é importante que o cliente saiba disso. Eles sentem. Eles sentem algo um pouco diferente."[1]

Em 2001, a Apple abriu sua primeira loja, no Tyson Corner Center, em McLean, na Virgínia. Menos de cinco anos depois, alcançou 1 bilhão de dólares de vendas anuais, atingindo o número mágico mais rápido do que qualquer outra cadeia varejista na história. Atualmente, com 287 lojas em todo o mundo, as Apple Stores faturam mais de 1 bilhão de dólares por trimestre. Os investidores, funcionários e clientes da Apple devem agradecer a Steve Jobs, que se recusou a escutar consultores de varejo, como David Goldstein, que afirmaram que a Apple fracassaria na área. "Dou dois anos para eles antes de reconhecerem esse erro muito doloroso e oneroso", previu Goldstein.[2] E, agora, você sabe por que Jobs não contrata consultores!

Os céticos julgaram mal o sucesso das Apple Stores porque eram somente mastigadores de números. Eles não levaram em consideração o fato de que a Apple não estava entrando no ramo de construir lojas; ela estava no ramo de criar experiências. O erro de Goldstein foi comparar a Apple com outras cadeias varejistas de PCs da época, como a Gateway. Ele considerou o resultado bruto do ramo de varejo de PCs e concluiu que a Apple teria de gerar 12 milhões de dólares por ano para pagar por seu espaço. A Gateway, ele citou como exemplo, estava fazendo somente 8 milhões de dólares por ano em suas lojas. A análise convencional de Goldstein faz sentido no papel. No mundo real, como você aprendeu nos princípios prévios, Steve Jobs não pensa de modo convencional e tampouco subestima o poder de uma experiência emocional que nem sempre se encaixa convenientemente em uma planilha. Jobs criou uma inovação no espaço do varejo exatamente porque tinha uma visão maior do que seus concorrentes. Seus clientes entrariam numa Apple Store para comprar produtos e sair "se sentindo" inspirados.

Enriquecendo vidas

A Apple ingressou no setor do varejo por necessidade. Em 2000, a empresa era dependente das grandes cadeias varejistas de produtos eletrônicos, que simplesmente empurravam produtos, Apple ou outros. Os funcionários de cadeias como a Sears ou CompUSA tinham pouco, ou nenhum, treinamento com os produtos da Apple e do que os tornava únicos. Para Jobs, vender um computador tinha substituído a aquisição de um carro como a experiência de compra mais terrível. Ele percebeu que tinha de melhorar a experiência de varejo ou se arriscaria a perder ainda mais participação de mercado (a participação da Apple no mercado de informática norte-americano permanecia em 3%). "Nós tínhamos de fazer algo ou iríamos ser vítimas das placas tectônicas", Jobs afirmou sobre a sua decisão de ingressar no varejo. "Temos de pensar diferente a respeito disso. Temos de inovar."[3]

Jobs sabe o que não sabe, e ele não conhecia o varejo. Ele pediu para que Mickey Drexler, presidente da GAP, se juntasse ao conselho da Apple, e contratou Ron Johnson, ex-executivo da Target, que compartilhava a visão de Jobs de criar produtos com belo design, mas de preço acessível. Também em sincronia com Jobs, Johnson percebeu que a inovação não podia ocorrer sem uma visão clara e irresistível. "Para ter sucesso em qualquer negócio, você precisa de uma visão excepcionalmente clara", disse Johnson a um grupo de analistas de investimento reunidos em San Francisco, em setembro de 2006. "E, para mim, uma visão é algo que você consegue dizer em uma sentença. Quanto menos palavras, melhor. Quando começamos, o que os varejistas faziam era vender coisas. Assim, se você colocar a visão da Gateway em palavras, era 'vender caixas'. Este é o tipo de prática utilizada com produtos que servem apenas para fazer a roda girar. Ao visualizarmos o modelo da Apple, dissemos que as pessoas iriam se conectar com a Apple. Algo bastante simples. A proposta da empresa era de enriquecer vidas. Isso é o que a Apple fez por mais de trinta anos."[4]

Quando Johnson e Jobs decidiram que a visão para as lojas da Apple seria "enriquecendo vidas" em vez de "fazer a roda girar", isso permitiu que eles rejeitassem o manual convencional de estratégias do varejo, que prescrevia o projeto da loja, a localização e as decisões de provimento de pessoal. A Apple construiria butiques que ofereciam soluções, uma abordagem nova de vender computadores. Jobs, ao dar uma volta pela primeira Apple Store, afirmou: "As pessoas não querem apenas comprar computadores pessoais. Elas querem saber o que podem fazer com eles, e nós vamos mostrar exatamente isso para elas".[5]

Johnson perguntou para sua equipe: "Qual deve ser a aparência de uma loja que enriquece vidas?". Eis uma dica: diferente de tudo. Após estudar os campeões de atendimento ao cliente fora do varejo de informática – como a cadeia hoteleira Four Seasons –, Johnson chegou a diversos critérios que ajudariam as Apple Stores a se destacar:

- **Projete lojas sem bagunça.** As lojas seriam abertas, claras e arejadas e utilizariam somente três materiais (aço inoxidável, vidro e madeira clara). Johnson afirmou que a Target tinha 31 modelos de torradeira. A Williams-Sonoma, especializada em culinária, tinha somente dois. Ele modelaria as Apple Stores com base nesse conceito de minimalismo, reduzindo a quantidade de produtos em oferta. Johnson não tinha muita opção. Quando se encontrou pela primeira vez com Jobs, o iPod ainda não tinha sido criado. Assim, a Apple tinha quatro produtos (dois portáteis e dois desktops) para ocupar 560 metros quadrados. Em vez de entrar em pânico, Johnson considerou isso uma ótima oportunidade. Ele encheria a loja não com produtos, mas sim com a experiência do cliente. Isso deu à Apple o espaço para inovar.
- **Situe as lojas onde as pessoas levam suas vidas.** A maioria das Apple Stores está situada em shopping centers ou distritos comerciais, e não no meio de estacionamentos gigantescos ou locais remotos. "O imóvel era muito mais caro", afirmou Jobs, "mas valia a pena, pois as pessoas não tinham de gastar vinte minutos do seu tempo. Elas só tinham de gastar vinte passos."[6]
- **Permita que os clientes testem os produtos.** Na época, nenhum varejista de informática deixaria o cliente conectar-se à internet e pôr à prova a mercadoria. Visite uma Apple Store e você verá que todos os produtos estão conectados à internet. Os clientes são convidados a navegar pelo tempo que quiserem. Podem ler livros no iPad, disputar jogos num iPad Touch ou escutar música em um iPod Nano.
- **Ofereça uma experiência de *concierge*.** Johnson pediu à sua equipe para lhe descrever a melhor experiência de atendimento ao cliente que já tinham tido. A maioria falou a respeito de hotéis, como o The Four Seasons. Isso deu a Johnson a ideia de construir um "balcão de bar" na loja, onde os clientes podiam pedir ajuda. Em vez de distribuir bebidas, a Apple ofereceria orientação. Quando Steve Jobs visitou a primeira Apple Store, ele disse que todos os produtos deveriam ser expostos nos primeiros 25% da loja, e o resto deveria ser dedicado a soluções. Explicando o Genius Bar, Jobs declarou: "Não seria incrível

se, ao comprar um computador, ou depois de comprar, e tendo uma dúvida, você pudesse consultar um gênio? Esse é o nosso Genius Bar. Haverá alguém ali que presta serviços na loja e também será capaz de responder às perguntas que você tiver. Se a pessoa não souber a resposta [levanta o telefone vermelho], ela terá um canal de comunicação direto para nos chamar, diretamente na sede da Apple, em Cupertino, onde temos alguém que sabe a resposta".[7]

- **Facilite a compra.** Não há espera em longas filas em uma Apple Store para a compra dos produtos ofertados, pois não existem caixas registradoras. Todos os especialistas caminham pela loja com um leitor de cartões de crédito especial sem fio, atendendo aos clientes num piscar de olhos. Um recibo é enviado ao cliente por e-mail. A Apple desestimula o uso de dinheiro em espécie. Algumas lojas impõem um limite de 250 dólares para compras em dinheiro e alguns itens não podem ser comprados em dinheiro, a menos que convertidos em um cartão-presente. Isso pode parecer antipático e atraiu publicidade negativa, mas a opção de compra sem fio facilita o pagamento para a maioria dos clientes da Apple.
- **Ofereça treinamento personalizado.** O cliente que compra um Mac on-line ou na Apple Store pode obter um treinamento personalizado com um "criativo", isto é, um indivíduo que pode ensiná-lo sobre qualquer programa. Em um dado dia, é possível ver jovens e adultos aprendendo a redigir documentos no Pages, criar apresentações no Keynote, organizar fotos no iPhotos ou aprender instrumentos com o GarageBand. Quanto mais pessoas apreciarem os programas oferecidos pela Apple, mais provável será o retorno deles.

A Apple inovou a experiência do varejo mudando as expectativas das pessoas a respeito do que essa experiência podia ser.

Sem filtros de realidade

Certa vez, Johnson afirmou que a ida da Target para a Apple foi uma experiência surpreendente, pois Steve Jobs não tem "filtros de realidade". Foi um insight perceptivo que nos ensina muito a respeito de Jobs, da Apple e da inovação. Para Johnson, desde o nascimento, as pessoas são ensinadas que não podem fazer coisas. De acordo com ele, "a inovação é esse cruzamento incrível entre a imaginação de alguém e a realidade na qual se vive. O problema é que muitas organizações não têm grande imaginação, mas sua visão de realidade lhes diz que é impossível fazer o que imaginam".[8]

Johnson citou uma experiência que teve na Target. Basicamente, a rede vende os mesmos produtos que o Wal-Mart. Johnson solicitou a um famoso designer, Michael Graves, para projetar algo novo e único. Então, Graves projetou uma chaleira que acabou se tornando um grande sucesso. Ele continuou a projetar centenas de produtos populares para a Target. Contudo, no momento do lançamento da chaleira, os executivos da Target sugeriram uma redução da qualidade, para que o produto pudesse ser vendido por 20 dólares, em vez de 40 dólares. Johnson manteve sua posição, acreditando que os clientes da Target apreciariam produtos cotidianos que tivessem um belo design e um preço acessível. Atualmente, o design é o fundamento da Target e seu diferenciador, observou Johnson.

Quando Johnson chegou na Apple, esperava o mesmo tipo de oposição, mas, em vez disso, encontrou um presidente que não tinha "filtro de realidade" em relação ao valor do grande design, dos produtos de alta qualidade e de uma imaginação fervorosa. "Deixamos a imaginação vencer", afirmou Johnson. "Se você perguntar aos clientes a respeito do que gostam em relação a nossas lojas, eles gostam das coisas que imaginamos."[9] A lição que a experiência de Johnson referente à Target em contraste com a Apple nos ensina é que o pensamento convencional conduz a ideias convencionais. Se a Target tivesse tentado sobrepujar o Wal-Mart com base na imitação, não teria conseguido desenvolver uma identidade de marca única. Nos dois casos, as empresas criaram inovações bem-sucedidas no varejo, pois não levaram em conta as normas aceitas pelo setor em relação à inspiração: a Target recorreu ao designer Michael Graves, que era mundialmente famoso por sua arquitetura e não por utilidades domésticas cotidianas, enquanto a Apple recorreu ao The Four Seasons, uma empresa que não tinha nada a ver com computadores e, no entanto, desempenhou um papel central no sucesso da Apple Store.

"Quando era jovem, a única coisa que eu fazia bem era desenhar. Minha mãe sugeriu que eu pensasse a respeito de utilizar o desenho em

uma profissão, como a arquitetura. Eu era mal informado a respeito de arquitetura e o que ela podia significar no domínio cultural até conhecer Roma. Então, compreendi a arquitetura através de um tipo diferente de perspectiva. Quando você observa o trabalho de um antigo templo romano e percebe a função do piso, do teto, da parede, da coluna, do telhado, da janela, isso o impacta de um modo que você diz: 'Ah, esses são os elementos de uma composição arquitetônica'."[10]

MICHAEL GRAVES, SOBRE A IMPORTÂNCIA DE BUSCAR EXPERIÊNCIAS FORA DAS NORMAS CONVENCIONAIS.

Estamos aqui para ajudá-lo a crescer

Em fevereiro de 2010, fui a uma Apple Store para comprar um novo MacBook Pro, por causa de algumas tarefas criativas que precisávamos realizar no nosso escritório. Para constar, não somos obcecados por Macs no Gallo Communications Group. Estamos muito satisfeitos com o desempenho tanto dos PCs da Microsoft quanto dos Macs. Nossos funcionários consideram que as duas plataformas atendem a diferentes propósitos. No entanto, somos realmente influenciados pela experiência de atendimento ao cliente e acreditamos que a Apple faz isso muito bem.

Eu sabia o que queria. Assim, poderia ter feito minha compra on-line com facilidade, sem precisar ir a uma loja, mas quis sentir a plena "experiência Apple". Comecei a jornada on-line, agendando um encontro com um "vendedor pessoal". Da mesma forma que o incrível atendimento aos clientes da Nordstrom possui vendedores pessoais para ajudá-lo a selecionar o produto certo, a Apple possui vendedores pessoais para responder a todas suas perguntas e para ajudá-lo a encontrar o equipamento certo. Depois de selecionar uma Apple Store local, a Apple me enviou um e-mail confirmando o encontro com meu vendedor pessoal.

Cheguei à loja e fui recebido pontualmente por Dominick, um "especialista", que passou as horas seguintes respondendo às minhas perguntas e me mostrando os produtos da Apple. Dominick não trabalhava à base de comissões, o que me revelou logo no início de nossa conversa. "Estamos aqui para ajudá-lo a crescer", ele disse. Ao escutar essa afirmação, percebi que seria uma experiência única. Essa frase – estamos aqui para ajudá-lo a crescer – ensinou-me que a

Apple foi capaz de criar um dos ambientes mais inovadores do setor de varejo. A maioria dos varejistas está no negócio para girar produtos; a Apple está no negócio para ajudá-lo a crescer. Uma grande diferença.

"Dominick, ainda estou na dúvida se compro um Mac ou um PC. Por que devo escolher um Mac?", perguntei. (Embora soubesse a resposta, quis ouvir como meu vendedor pessoal responderia à pergunta.)

"O senhor me disse que faz apresentações", Dominick afirmou. Por esse comentário, constatei que ele estava escutando com atenção minhas observações e avaliando minhas necessidades. "O sistema operacional Mac é uma plataforma baseada em Unix, o que significa que é muito estável e confiável. O senhor não vai querer enfrentar problemas técnicos no meio de uma apresentação para trezentas pessoas, vai?", ele perguntou.

"É claro que não", respondi.

"O iLife vem pré-instalado em todos os novos Macs", Dominick prosseguiu. "O senhor me disse que quer tirar mais proveito de fotos e vídeos. O iLife oferece os melhores programas para organizar, compartilhar e apreciar fotos, filmes e músicas."

"Parece ótimo", disse, "mas teria de aprender todos os novos programas. Já sei como usar um PC e me sinto muito à vontade com isso."

"Tudo bem. Podemos marcar um treinamento personalizado aqui em nossa loja", respondeu Dominick.

A Apple tinha pensado em tudo. Dominick fora treinado para escutar minhas necessidades, para personalizar uma solução e para prever qual seria minha hesitação, e tudo isso de um modo acessível e amigável. Podia ter feito minha compra imediatamente, mas decidi ver o quão longe podia levar a experiência.

"Bem, ainda não tenho certeza", afirmei, balançando minha cabeça negativamente e assumindo minha melhor expressão de "estou confuso".

"Não há pressa", Dominick afirmou. "Se o senhor achar que ajudará, posso colocá-lo em contato com um dos nossos consultores."

Agradeci a Dominick pelo seu tempo e pedi um encontro com um consultor. Dominick anotou meu nome e disse que alguém entraria em contato. Quando um lojista típico diz que alguém entrará em contato, geralmente significa que você não terá notícias desse alguém durantes dias, se tiver. A Apple foi diferente. No momento em que voltei ao escritório, havia uma mensagem de um consultor da Apple Store, que me ajudaria a tomar uma decisão. Alguns dias depois, voltei a Apple Store para o encontro com o consultor. Da mesma forma que Dominick fez, essa pessoa deixou claro que não trabalhava por comissão. "Estou aqui para fazer o senhor se sentir à vontade com nossos produtos. Queremos um cliente para sempre", ele afirmou.

Eu fiz ao consultor as mesmas perguntas que tinha feito ao meu vendedor pessoal. Em geral, as respostas foram as mesmas: todos da Apple estão treinados para falar a partir do mesmo manual. As mensagens são consistentes. O consultor verificou os preços dos produtos que atendiam às minhas necessidades e me entregou um orçamento, que incluía um programa de treinamento personalizado de 99 dólares, dando-me acesso a uma sessão de treinamento uma vez por semana, durante um ano.

"Bem, há mais um problema", revelei. "Tenho um PC com muita coisa e terei de transferir para um Mac. Como faço isso?"

"Traga seu laptop no momento da compra, deixe-o conosco e nós transferiremos tudo", o consultor disse. "Em seguida, agendaremos um encontro para o senhor pegar seu computador antigo e conhecer seu novo. Chamamos isso de Conheça seu Mac."

Novamente, a Apple tinha pensado em tudo. Sempre que eu criava um obstáculo a respeito de mudar para um Mac, um especialista ou consultor da Apple oferecia uma solução. Eles até agendavam uma apresentação amigável e não ameaçadora ao meu novo computador: Conheça seu Mac. Era como se preparar para um encontro amoroso: eu era apresentado ao sistema por alguém que o "conhecia" (um especialista), recebia a garantia de que ela (o computador) teria todas as qualidades que procurava (incluindo manutenção barata!) e podia "encontrá-la" em um ambiente casual. Depois de sermos apresentados, podíamos nos conhecer em sessões de treinamento personalizado todas as semanas, durante o ano todo. Qualquer um envolvido tão profundamente em tal relação acharia difícil uma separação. E esse é o segredo da inovação bem-sucedida da Apple no varejo. Onde a maioria dos varejistas está vendendo produtos, a Apple está desenvolvendo uma relação permanente.

Não compramos pesquisas. Não contratamos consultores. Em meus dez anos, o único consultor que já contratei foi uma empresa para analisar a estratégia de varejo da Gateway, para eu não cometer alguns dos mes-

mos erros cometidos por eles. Mas nunca contratamos consultores propriamente ditos. Só queremos desenvolver produtos incríveis.[11]

STEVE JOBS

Fique avisado de antemão: desenvolver relações emocionais intensas com seus clientes pode levar a algumas consequências estranhas e inesperadas. Em 2010, no Dia dos Namorados, Joshua e Ting Li decidiram se unir e declarar seu amor um ao outro diante dos amigos e das famílias. Casar no Dia dos Namorados não é incomum. Casar no Dia dos Namorados, na Apple Store da Quinta Avenida, em Nova York, é bastante incomum. O "sacerdote" estava vestido como Steve Jobs, com a camiseta preta de manga comprida, calça jeans e tênis. O casal leu seus deveres matrimoniais em um iPhone e o vídeo foi editado e postado no YouTube (provavelmente editado em um Mac).[12]

Sim, coisas estranhas acontecem quando seus clientes se apaixonam por sua marca. Até coisas mais estranhas acontecem quando duas pessoas se apaixonam porque sua marca os uniu!

Como maior acionista da Disney, Steve Jobs é frequentemente convocado para ajudar o gigante da mídia a melhorar seus negócios. Quando um executivo responsável por reinventar as lojas Disney pediu um conselho para Jobs, este disse: "Sonhe grande".

Nenhum conselho melhor poderia ter sido dado.

iDicas

1 Não venda produtos. Em vez disso, enriqueça vidas.

2 Analise com cuidado todo ponto de contato da sua marca com o cliente. Aproveite todas as oportunidades para criar uma relação mais intensa e mais duradoura com os clientes.

3 Visite uma Apple Store quer você queira ou não comprar um produto da Apple. Observe o design da loja e a experiência do atendimento ao cliente. Há técnicas que você pode adotar para melhorar a experiência do cliente com sua marca?

CAPÍTULO 13

Pense diferente sobre a experiência da sua marca

No mundo de hoje, pensar sobre o que deixa seus clientes e funcionários felizes acaba sendo bom para os negócios.

TONY HSIEH, FUNDADOR DA ZAPPOS.COM

Robert Stephens iniciou um empreendimento de 1 bilhão de dólares com um investimento inicial de 200 dólares, uma bicicleta e o sonho de criar uma experiência inovadora para o cliente. Enquanto frequentava a faculdade, Stephens ia de bicicleta à casa das pessoas para consertar seus computadores. Stephens sempre se viu como uma marca. Ele tinha uma central de atendimento (um celular) e uma cadeia de suprimentos (uma bicicleta).

Em 1994, quando chegou o momento de expandir seu império, Stephens não tinha dinheiro para propaganda. Então, ele "roubou" ideias dos especialistas em atendimento ao cliente. Os motoristas da United Parcel Services (UPS) sempre usavam uniformes e, assim, Stephens decidiu que seus especialistas em reparos também usariam uniformes. Como os funcionários eram autodescritos como nerds de informática, os uniformes tinham de se adequar ao papel: camisa de manga curta convencional, gravata preta com prendedor, calça preta, meias brancas e um distintivo metálico ao estilo da polícia, exatamente como um agente especial. De acordo com o tema de agente especial, Stephens comprou Beetles da Volkswagen para seu pessoal e os pintou de preto e branco, semelhante aos carros policiais. Ele gostou da tabela de preços fixos que encontrou em uma rede de troca de óleo e adotou tarifas similares para seus serviços de informática.

A essa altura você deve ter adivinhado que Stephens é o fundador da Geek Squad, empresa prestadora de serviços de informática e reparos de computador, adquirida pela Best Buy em 2002. Desde então, as receitas da Geek Squad cresceram de 3 milhões de dólares para mais de 1 bilhão de dólares por ano. Os departamentos de serviços da Geek Squad estão presentes em todas as 1.143 lojas da Best Buy, nos Estados Unidos, e seus icônicos "geekmóveis" ainda cruzam os bairros das cidades atendendo a chamadas domiciliares. Os 24 mil "agentes" da Geek Squad ainda se vestem com os uniformes de nerds que Stephens adotou inicialmente para ajudar sua marca a se destacar.

A Geek Squad nunca teria se tornado sinônimo de Best Buy se não fosse o progressista vice-presidente da Best Buy, Sean Skelley. À medida que os componentes eletrônicos, os computadores e os dispositivos ficavam mais complexos e mais difíceis de montar, Skelley pensava no modo de se aproximar mais dos clientes e de criar uma conexão mais gratificante com eles. A Geek Squad tinha construído uma reputação superior de atendimento ao cliente, que Skelley sabia que complementaria a rede Best Buy.

Uma busca na internet por "reparos de computador" retorna 27 milhões de links. Imagine a dificuldade para as empresas de reparo de computador se diferenciarem. Robert Stephens, da Geek Squad, poderia ter sido um dos milhares de especialistas em reparo de computador do país, que consegue através do esforço ganhar a vida atendendo a alguns clientes. Mas ele sonhava grande. Materializar esse sonho exigiu que ele pensasse de modo diferente sobre a experiência que os clientes tinham com sua marca.

Proporcionando felicidade

Tony Hsieh, fundador da loja on-line de sapatos e roupas zappos.com, tem muito em comum com Steve Jobs. Os dois começaram seus negócios bem-sucedidos a partir de um quarto de hóspedes, os dois se empenharam em melhorar a experiência do atendimento ao cliente e os dois mudaram o significado daquilo que os produtos de uma marca podem ter para seus clientes. Ao reinventar a experiência do cliente, a Zappos alcançou um sucesso extraordinário (adquirida pela Amazon por 1,2 bilhão de dólares em 2009) e foi considerada pela revista *Fortune* como um dos melhores lugares para se trabalhar do país.

Depois que entrevistei Hsieh para um artigo da *BusinessWeek*, ele me convidou para visitar a sede da Zappos, na região de Las Vegas. (A Zappos fica em Henderson, Nevada, a cerca de quinze minutos da Las Vegas Strip.) Fiz isso em dezembro de 2009. Nunca vivenciei algo como a cultura da Zappos, ao menos na América corporativa. Seus funcionários sentem empolgação legítima com o trabalho e os clientes são aficionados radicais (75% das transações da zappos.com são compras repetidas). O "segredo" do sucesso da zappos.com é que Hsiej nunca planejou vender sapatos. Sua visão era desenvolver uma cultura empresarial inovadora, que proporcionasse felicidade tanto aos funcionários quanto aos clientes.

Um olhar por dentro da experiência da Zappos

"O senhor diz. Eu faço acontecer", afirmou Roz Searcy, depois que lhe perguntei o que ela fazia na Zappos.[1] Roz, que é motorista, recepcionista e *go-go girl*, pegou-me no meu hotel, em Las Vegas, para o curto traslado até Henderson, onde conheci o mundo maluco, divertido e diferente da zappos.com. A Zappos criou uma reputação para si mesma de um dos melhores lugares do país para se trabalhar. É fácil ver por quê. Todos – do presidente à recepcionista – vivem os valores da marca. A seguir, há cinco princípios que tornam a Zappos o padrão ouro do atendimento inovador ao cliente.

1. TRATE TODOS COMO MEMBROS DA FAMÍLIA

A visita começou com o ônibus de traslado da Zappos chegando pontualmente no meu hotel. Eu era o único passageiro do ônibus. Ninguém sabia que eu estava ali para redigir um artigo para a BusinessWeek.com. Não acho que importaria. O que importava para a maioria dos funcionários da Zappos era que eu queria estudar a cultura deles e eles estavam ansiosos em compartilhá-la.

"Por que você veio me buscar no hotel?", perguntei para Roz.

"Tratamos nossos clientes como membros da família. Se um familiar do senhor resolvesse visitar sua cidade, o senhor não o pegaria no hotel ou no aeroporto? É o que fazemos em relação aos clientes ou a qualquer pessoa que quer aprender mais sobre nossa cultura."

Lembre-se sempre de que todos em sua empresa – *todos* – representam sua marca. Entre em uma Apple Store e você será saudado por uma equipe amigável e instruída. O mesmo ocorre na Zappos. Desde a motorista do traslado até a recepcionista, passando pelos operadores da central de atendimento, todos na Zappos representam a cultura da empresa.

2. CONTRATE DE ACORDO COM A COMPATIBILIDADE CULTURAL

Todas as pessoas que conheci na Zappos tinham uma personalidade sociável. Nosso guia da visita, Jonathan Wolske, expressava paixão e entusiasmo. Ele se divertia contando a história da Zappos. O pessoal da central de atendimento fazia uma pausa, nos cumprimentava, dava assobios e nos saudava com entusiasmo à medida que entrávamos em seus cubículos. (Falo "cubículos", mas são mais parecidos com centros de criatividade, pois os funcionários podiam expressar sua individualidade nos seus espaços individuais de trabalho.) Hsieh me disse que a empresa contrata de acordo com a compatibilidade cultural. Por exemplo, um dos dez valores básicos da empresa é "criar diversão e um pouco de esquisitice". Assim, os recrutadores formulam aos candidatos a um emprego a seguinte pergunta: "Em uma escala de 0 a 10, o quão esquisito você é?". Se a pessoa responder 1, ela provavelmente é muito austera para a Zappos, e se responder 10, pode ser um pouco excêntrica demais. O número não é importante, mas sim como as pessoas reagem a isso. A Zappos procura pessoas que se divertem com os outros. Recebi um "livro da cultura" no final da visita, incluindo observações não editadas de centenas de funcionários. Provavelmente, a palavra *amor* é o termo mais comum utilizado para descrever a experiência de trabalho. Contrate pessoas que adoram sua marca e que a defendem. Você pode ensinar o resto para elas.

3. CONFIE NA SUA EQUIPE

Hsieh inovou no setor das centrais de atendimento, contestando o *status quo*. Em vez de seguir um roteiro, como a maioria dos atendentes de uma central de atendimento é obrigada a fazer nas outras empresas com grande presença on-line, os da Zappos não têm roteiros nem limites de tempo. Sua única missão é impressionar os clientes e criar uma conexão emocional com eles. Todos os atendentes possuem um estoque de cartões-postais perto do telefone. Eles são estimulados a desenvolver uma relação com cada cliente e enviar ao autor da chamada uma carta manuscrita. Por exemplo, um atendente perguntou a uma cliente por que ela estava comprando sandálias de dedo. A cliente afirmou que estava indo para Fiji. O funcionário da Zappos enviou-lhe uma carta: "Aproveite sua viagem!"

Esses são gestos simples que ajudam a atrair um cliente para sempre. Em outro exemplo, Hsieh me revelou que um atendente tinha, certa vez, passado quatro horas no telefone com um cliente. Ele nunca perguntou ao funcionário: "Por que você despendeu tanto tempo?". Em vez disso, perguntou: "O cliente ficou impressionado?" Entendeu? O atendimento ao cliente inovador não é neurocirurgia. É simplesmente cortesia, bom-senso e o desejo de tratar todas as pessoas – clientes, parceiros e funcionários – como membros da família.

4. COMPARTILHE TUDO

Todas as informações financeiras e de desempenho são compartilhadas diariamente com os funcionários: tempos médios das chamadas, números das vendas, lucros etc. De fato, a Zappos é tão aberta com suas informações de desempenho que os resultados são afixados em um quadro para todos verem. A equipe até me estimulou a gravar um vídeo do quadro e compartilhá-lo no meu blog. Profissionais de relações públicas, atenção: não havia nenhuma pessoa de relações públicas me monitorando durante a visita. Fiquei completamente livre para tirar fotos, gravar vídeos e conversar com os funcionários. A Zappos não tem nada a esconder. A empresa alcançou mais de 1 bilhão de dólares em vendas anuais durante o pior ambiente de vendas de varejo em décadas. Conseguiu isso porque confia que seus funcionários farão a coisa certa em relação aos clientes.

5. DIVIRTA-SE

Na nossa visita, um funcionário interrompeu o guia para gravar alguns minutos para o blog da empresa. Todas as pessoas estavam eufóricas e fazendo gestos de aprovação. Nunca tinha visto outro grupo de pessoas se divertindo tanto. Os funcionários da Zappos não têm medo de se divertir porque seus chefes podem encará-los com desprezo. A diversão é estimulada. A diversão só vira um problema quando os funcionários da Zappos não estão se divertindo.

Em diversos setores, o atendimento ao cliente de alto nível é a única vantagem sustentável. Agora pense nas lições básicas que a Zappos nos ensina sobre o atendimento ao cliente: contrate de acordo com a compatibilidade cultural, trate bem seus funcionários, confie neles, estimule relações mais intensas com os clientes e se divirta. Isso é ficção científica? Não, não é. No entanto, acontece tão raramente no espaço do varejo atual que a Zappos é considerada uma das culturas empresariais mais inovadoras dos Estados Unidos.

A semelhança mais importante entre a Zappos e a Apple é que as duas mudaram o significado que seus clientes associam a suas marcas. A fim de criar uma cultura dedicada a proporcionar uma experiência inovadora de atendimento ao cliente, você deve começar se perguntando: "O que estou vendendo de verdade?". Por exemplo, a Apple não está no negócio de vender computadores; a Apple "enriquece vidas". A Zappos não está no negócio de vender sapatos; a Zappos "proporciona felicidade".

Você está em que negócio?

Um toque de Las Vegas nos subúrbios de Chicago

Em Glenview, um subúrbio de Chicago, você encontrará clientes que percorrem mais de 150 quilômetros para adquirir computadores, tevês, tocadores de MP3, câmeras digitais ou máquinas de lavar e secar na Abt Electronics. Em Chicago, há diversos outros lugares para comprar aparelhos eletrônicos, incluindo a Best Buy. No entanto, mesmo a experiência referente à Geek Squad não se compara com a experiência única que acolhe os clientes na Abt.

Mike Abt, um dos quatro irmãos que dirigem a loja, revelou-me que a visão da Abt Electronics é criar uma experiência única para as pessoas que compram produtos eletrônicos.[2] Se sua visão for oferecer uma experiência inovadora em seu negócio, então você deverá olhar para fora do seu setor em busca de inspiração. Da mesma forma que Ron Johnson, da Apple, buscou inspiração no The Four Season, e Robert Stephens olhou para a UPS, Mike Abt também procurou insight fora do seu setor. No caso de Abt, olhou para Las Vegas.

No momento em que vi pela primeira vez o saguão da Abt – seu átrio –, lembrei-me do impressionante hotel Bellagio, em Las Vegas. (Ver a Figura 13.1.) A Abt Electronics tem palmeiras, fachadas atraentes (lojas dentro de uma loja, parecido com o que se encontra em um shopping center sofisticado) e uma fonte de água musical. Como o famoso show da fonte acompanhado pela música de Andrea Bocelli no Bellagio, os shows da fonte da Abt são programados a cada meia hora. "Isso parece realmente familiar", disse para mim mesmo. De fato, soube que Mike Abt também havia visitado o Bellagio e decidiu trazer um toque de Las Vegas para Glenview.

FIGURA 13.1
Átrio da Abt Electronics

Abt sabia que para concorrer contra as grandes varejistas, tais como Best Buy, Wal-Mart e Sears, tinha de oferecer uma experiência única, muito mais empolgante e atraente do que qualquer outra. O show da fonte é apenas um aspecto da experiência da Abt que atrai compradores de lugares distantes. A loja oferece arquitetura e decoração exclusivas, que aprazem o olhar, enquanto biscoitos recém-assados agradam o olfato. As atrações são variadas. As crianças e os adultos adoram o aquário de 285 mil litros de água; outra atração inspirada em Las Vegas, baseada no aquário gigante atrás do balcão de recepção do hotel Mirage (Ver a Figura 13.2). Um mergulhador limpa o grande tanque, que, como o show da fonte, se tornou uma atração obrigatória para os clientes da loja. O aquário é posicionado perto das câmeras de vídeo de alta definição. Assim, os clientes que testam as câmeras têm algo belo e colorido para enfocar. As escolas locais até agendam visitas ao aquário da Abt.

FIGURA 13.2
Aquário da Abt Electronics

A Apple, a Geek Squad e a Abt proporcionam uma lição sobre inovação em torno da experiência de atendimento ao cliente: tudo bem "roubar" ideias de especialistas em atendimento ao cliente de outros setores e adaptar essas ideias ao seu negócio. Roubar ideias dos concorrentes pode funcionar no curto prazo, mas é improvável que transforme sua empresa numa líder em inovação. Você está simplesmente copiando a líder. Isso não é inovação. Inovação é ver o que existe em outro setor e aplicar o que você aprendeu para melhorar a experiência do cliente.

Uma pizzaria que não pode ser superada

Os norte-americanos adoram pizza. Nos Estados Unidos, a pizza é um setor de 30 bilhões de dólares ao ano, dominado por gigantes como Little Caesar's, Domino's, Pizza Hut e Papa John's. Quem em sã consciência abriria uma pizzaria diante dessa concorrência acirrada? Alguém que pensa como Steve Jobs.

Pergunte a qualquer pessoa entre 18 e 34 anos em Madison, Wisconsin, o nome da sua pizza favorita e provavelmente a resposta será Toppers. Sediada na cidade vizinha de Whitewater, a Toppers Pizza abriu 26 lojas na região do Meio Oeste, muitas vezes conquistando participação de mercado das redes de pizza estabelecidas nas cidades onde decidiu instalar uma nova franquia. Também apresenta uma receita maior por metro quadrado do que as pizzarias afiliadas a redes nacionais de pizza. A Toppers supera em desempenho a concorrência criando uma experiência inovadora do cliente.

A essa altura, sabemos que a inovação começa com uma visão. "Nosso propósito básico era desenvolver uma empresa incrível, que reunisse famílias, amigos e fanáticos por comida e diversão", disse-me Scott Iversen, diretor de marketing da Toppers.[3] *Diversão* é a palavra-chave. Se a visão da Toppers tivesse sido "fazer uma grande pizza", a empresa teria tido dificuldades para atrair um grupo de adeptos radicais. Primeiro, a Toppers possui um mercado-alvo muito específico em mente. Como as redes nacionais de pizza apelam a todas as pessoas, a Toppers soube que tinha de conseguir um nicho para si mesma. Assim, seus fundadores enfocaram o mercado jovem, abrindo lojas nas cidades universitárias de Wisconsin. A Apple serviu de inspiração. Embora os produtos da Apple sejam apreciados por pessoas de todas as idades, eles são considerados "descolados" entre os jovens. Os fundadores da Toppers perguntaram-se: "Como podemos atrair os jovens universitários?". Entre as respostas inovadoras, incluem-se:

- **Utilize ingredientes frescos.** As redes nacionais de pizza distribuem sua massa para as lojas. Cada loja da Toppers prepara sua massa fresca diariamente. O segredo é comunicar essa diferença constantemente no marketing e nas promoções da empresa.
- **Proporcione variedade no cardápio.** A Toppers oferece sabores únicos de pizza, que conquistam seguidores fanáticos entre os jovens, que frequentemente compartilham suas experiências nas

redes sociais. Entre suas criações mais populares, incluem-se a pizza Mac 'N Cheese e uma que "cura a ressaca", isto é, uma pizza que inclui ingredientes ao estilo omelete.

- **Demonstre empatia com seu cliente.** A maioria dos universitários tem um orçamento limitado. Eles podem estar com muita vontade de experimentar a famosa pizza Mac 'N Cheese, mas podem se sentir relutantes em gastar 17 dólares pela grande. A Toppers cuidou disso, oferecendo a MyZa, pizzas individuais vendidas por 7 dólares. A Toppers também percebeu que os jovens gostam de compartilhar itens do menu. Assim, criou o ToppersStix, grissinis com cobertura de queijo, que custam menos de 10 dólares.
- **Fique na companhia de seus clientes.** A Toppers abraça a mídia social e mantém perfis no Facebook e no Twitter. Embora tenha somente 26 lojas, possui 11 mil aficionados no Facebook e sua própria página no YouTube, onde posta vídeos divertidos dos seus clientes parodiando outras redes de pizza. A Toppers se diverte com seus clientes, envolvendo-se em suas vidas.
- **Divirta-se.** Quando um entregador da Toppers se apresenta na sua casa, ele entrega tudo que você precisa para apreciar sua pizza, incluindo pratos, guardanapos e pacotes de pimenta. Ah, e mais uma coisa: pirulitos e soldadinhos de plástico. "Por que vocês fazem isso?", perguntei para Iversen. "Por que não? É divertido. É inesquecível. E nossos clientes falam sobre isso!" A Toppers é divertida e irreverente em cada ponto da interação com o cliente.
- **Contrate de acordo com a compatibilidade cultural.** Como a Zappos e a Apple, a Toppers contrata pela personalidade. Os instrutores podem ensinar qualquer um a preparar uma pizza, mas não conseguem ensinar cordialidade. Você pode ser capaz de preparar uma pizza excelente, mas, se você for um grosso, a Toppers não o quer. Como a Apple, todos são treinados para conhecer os produtos. Todo funcionário da Toppers pode descrever qualquer item do menu e fazer sugestões baseadas nas preferências do cliente. Essa abordagem cria um ambiente em que as pessoas se sentem bem-vindas e não como apenas outra "transação".

De acordo com Iversen, "enquanto as grandes redes oferecem qualidade medíocre e não se importam com você como pessoa, queremos que nossos clientes saibam que oferecemos um produto superior em termos de qualidade e frescor, mas também queremos ter uma relação pessoal com eles. As pessoas adoram marcas que se conectam com elas pessoalmente". A Toppers não pode concorrer sendo apenas querida. Ela precisa ser amada e de modo fanático. Com base nos seguidores radicais que a rede parece gerar em seus mercados – e na sua receita recorde em 2009, um dos piores anos para os restaurantes do país –, a Toppers está nos primeiros estágios de um caso de amor duradouro.

Inovação que não quebra o negócio

Como vimos até aqui, a inovação não precisa custar muito. Contudo, os jornais de negócios estão cheios de artigos sobre quanto as empresas gastam com pesquisa e desenvolvimento, como se gastos e inovação andassem de mãos dadas. Como Steve Jobs afirmou, a inovação não tem nada a ver com quanto você gasta. Na realidade, trata-se de criar grandes produtos, serviços ou experiências que seus clientes vão adorar. Numa visita à Vancouver, na Colúmbia Britânica, durante os Jogos Olímpicos de Inverno de 2010, entrei numa loja que foi elogiada pela revista *Fast Company* por seu atendimento ao cliente inovador: a Everything Wine. Paul Clinton, o fundador, quis encontrar uma maneira de concorrer com as megalojas de vinho, tais como Costco e BevMo. Essas redes apresentam margens de lucro muito pequenas, sendo quase impossível concorrer em termos de preços se você quiser permanecer no negócio. Clinton decidiu inovar em relação à experiência.

Na Everything Wine, todos os funcionários são especialistas em vinhos. Da mesma forma que não há encarregados de caixa na Apple Store, também não há nessa loja de vinhos única. Todos são treinados para ser especialistas e para responder às perguntas sobre vinhos específicos e sugerir sua harmonização com os alimentos. Os clientes precisam se sentir estimados. Eles não se sentirão estimados se ao formular uma pergunta obtiverem essa resposta: "Não sei. Só trabalho aqui". O que mais me surpreendeu foi o fato de que a Everything Wine ganhou um prêmio da Câmara de Comércio de Vancouver como a empresa local mais inovadora. Esse prêmio me lembrou o quão poucas empresas existem que realizam bem o atendimento ao cliente:

quando uma loja faz algo básico como treinar todos seus funcionários para ser especialistas, ela é reconhecida como uma líder da inovação. A inovação não precisa ser onerosa, mas requer o compromisso de atender ao cliente.

Na mesma viagem para Vancouver, conversei com uma jovem que trabalhava no hotel Westin, onde estava hospedado. A paixão dela era design gráfico. Como eu soube? Sua paixão estava escrita em seu crachá. Ao descobrir esse pequeno item sobre a sua vida, conversamos e soube que ela estava fazendo um curso de design em computador. Tive conversas parecidas com funcionários da rede Westin em outros hotéis. Conversei acerca de experiências de viagem com um garçom em Dallas e de filmes com um porteiro em Kansas City.

Em 2008, a rede Westin Hotel and Resorts decidiu criar uma iniciativa de inovação idealizada para estimular relações mais próximas entre os funcionários do hotel e os hóspedes. A ideia brilhante: novos crachás. O truque estava sob o nome da pessoa; o crachá incluía esta frase: "Minha paixão é ________________". Os executivos da Westin me revelaram que os "crachás de paixão" abrem um diálogo entre os 50 mil funcionários da rede hoteleira e seus hóspedes. Quando os hóspedes começam a falar, eles estão muito mais disponíveis sobre quaisquer assuntos que os preocupam durante sua estada. No ramo hoteleiro, se um hotel só "atende" às necessidades do cliente, o estabelecimento recebe uma boa avaliação em termos de lealdade daquele cliente específico. Por outro lado, se o hóspede tem um problema e este é solucionado de modo satisfatório, a "intenção de retorno" do hóspede, um importante indicador para o hotel, cresce de modo expressivo. Uma simples frase em um crachá estimula os hóspedes a falar e se envolver, e eles tendem a guardar uma experiência agradável na lembrança. Não sei qual é o custo padrão em relação aos crachás, mas, como inovação, custa, sem dúvida, muito menos do que a reforma de um lobby de hotel.

Uma experiência de cliente inovadora pode ser simples, barata e de adoção relativamente fácil. Quer seja a Apple, a Geek Squad, a Abt Electronics, a Toppers, a Everything Wine ou a Westin, a visão é a mesma: aumentar e enriquecer a conexão entre a marca e seus clientes.

iDicas

1 Olhe para fora do seu setor em busca de ideias para se destacar em relação aos seus concorrentes.

2 Contrate de acordo com a compatibilidade cultural e treine cada funcionário para ele ser um especialista nessa "cultura".

3 Divirta-se. A paixão é contagiante. Se os seus funcionários não estiverem se divertindo, seus clientes também não estarão.

PRINCÍPIO 7

Domine a mensagem

Você fez um bolo maravilhoso, mas, em seguida, usou cocô de cachorro como cobertura.

STEVE JOBS

CAPÍTULO 14

O maior contador de histórias empresariais do mundo

Steve Jobs é o showman supremo, que mantém a plateia eletrizada até a revelação final.

DAVID BLAINE, MÁGICO

Em 27 de janeiro de 2010, Steve Jobs lançou outra inovação da Apple e concluiu a apresentação resumindo o produto em uma única frase: "Nossa tecnologia mais avançada em um produto mágico e revolucionário, por um preço incrível". Ele tinha acabado de revelar o iPad, oferecendo à plateia um passeio completo sobre os recursos do tablet, que abarca vídeo, música, jogos, e-mail, jornais, livros etc. E, da mesma forma que Jobs faz para cada novo produto, proporcionou à sua plateia uma descrição em uma única frase, à la Twitter, que posiciona o produto exatamente como a Apple quer que o mundo o veja.

Se você perdeu a apresentação, sem problemas. A Apple postou imediatamente o link do vídeo em seu site e divulgou um press release no final da apresentação. O título do press release dizia: "A Apple lança o iPad, um produto mágico e revolucionário, por um preço inacreditável". Se você não viu o press release, pode visitar a homepage do site da Apple, que trazia uma foto do iPad, junto com o seguinte texto: "O iPad está aqui, um produto mágico e revolucionário, por um preço inacreditável". Se você não tivesse visto a apresentação, o press release e o site, a Apple tinha outra plataforma para alcançá-lo: a Apple Store. A entrada de cada loja tinha um cartaz com uma foto do iPad. Junto com a foto, havia o seguinte texto: "Um produto mágico e revolucionário, por um preço inacreditável." O posicionamento do produto pela Apple era onipresente e inequívoco.

Se você buscar na internet usando as palavras iPad + "mágico e revolucionário", a resposta serão quase 9 milhões de links! E a maioria desse links não o leva de volta ao site da Apple. Uma manchete da CNN clamava: "A Apple revela o mágico iPad". Uma manchete da ZDNet dizia: "Jobs tinha razão: o iPad é mágico e revolucionário". Um blogueiro conhecido escreveu: "Três motivos pelos quais o iPad é mágico e revolucionário". A Apple tornou a descrição do produto tão concisa, convincente e consistente que ela foi captada por milhares de analistas, jornalistas e clientes que estavam buscando um modo de falar do novo aparelho.

Convencendo os outros de que sua grande ideia é realmente uma grande ideia

A apresentação do iPad e as mensagens de marketing comprovaram novamente que Steve Jobs é o maior contador de histórias empresarial do mundo. Por mais de três décadas, ele transformou o lançamento de produtos em uma forma de arte. Embora os slides de Jobs sejam elegantemente criados, suas apresentações vão muito além da exibição de slides. Elas têm o propósito de informar, educar e entreter.

Em 2009, a McGraw-Hill publicou *Faça como Steve Jobs*, que revelou as técnicas exatas que tornam uma apresentação de Jobs tão impressionante. A apresentação do iPad ocorreu após o lançamento do livro, mas os blogueiros que estavam familiarizados com seu conteúdo escreveram acerca de quão rigorosamente a apresentação seguiu o modelo esquematizado no livro.

Esse fato sublinha um ponto importante: se Steve Jobs é capaz de seguir o mesmo modelo para suas apresentações, então você pode adotar as mesmas técnicas para destacar suas ideias, tornar-se notícia e gerar alvoroço. E não diga para mim: "Meu produto não é tão sedutor quanto um iPad". Tolice. Desde que você tenha uma ideia que melhore a vida de alguém ou faça a sociedade avançar, então tem uma história para contar. Cabe a você comunicar sua história de um modo que inspire, estimule e empolgue seus ouvintes.

Gregory Berns, professor de neurociências da Emory University, afirmou: "Uma pessoa pode ter a melhor ideia do mundo – totalmente original e inovadora – mas, se ela não for capaz de convencer as outras pessoas, a ideia não terá a menor importância".[1] A arte de contar histórias sempre teve importância para Steve Jobs. Ele pensa de modo diferente sobre sua mensagem e de como apresentá-la para seus funcionários, investidores, clientes e público em geral.

Em todo mundo, as empresas, os executivos e os empreendedores estão tentando desconstruir a magia por trás do sucesso da Apple. Eles desmontam os produtos da Apple para descobrir indícios acerca dos seus designs únicos. Eles estudam Steve Jobs em busca de indícios do seu pensamento. Cada um dos componentes é uma parte da história – uma das sete partes –, mas a última parte, o sétimo princípio subjacente ao sucesso revolucionário, pode ser a mais importante. Steve Jobs controlou a mensagem, comunicando suas ideias de modo tão brilhante que convence investidores, funcionários e clientes a apostar em sua visão e a se juntar a ele em sua jornada.Inúmeras ideias nunca verão a luz do dia e muito menos farão a sociedade avançar se não forem contadas de forma eficaz. Desde o início, Steve Jobs tem pensado de modo diferente sobre o ato de contar a história da Apple; no mínimo desde 1981, quando ele era um empreendedor de 26 anos com um grande sonho e faro para articular esse sonho.

O autor Jeffrey Young considera o ano de 1981 um divisor de águas para a Apple. No início daquele ano, menos de 10% dos norte-americanos tinham ouvido falar da Apple. No final daquele mesmo ano, o reconhecimento do nome Apple tinha subido para 80%. A Apple gerou essa publicidade se posicionando como a única concorrente real da IBM, que havia ingressado no mercado dos computadores pessoais. Para Young, a entrada da IBM foi uma das melhores coisas que podiam ter acontecido à Apple, pois o movimento legitimou o mercado dos computadores pessoais.

A Apple publicou um audacioso anúncio de página inteira no *Wall Street Journal* e no *The New York Times* "saudando" a IBM e lembrando-lhe (e aos leitores) que a Apple havia criado o sistema do computador pessoal:

> IBM: SEJA BEM-VINDA. SÉRIO.
>
> Bem-vinda ao mercado mais estimulante e importante desde que a revolução da informática começou há 35 anos. E congratulações pelo seu primeiro computador. Colocar o poder do computador real nas mãos do indivíduo já está melhorando o modo pelo qual as pessoas trabalham, pensam, aprendem, comunicam-se e gastam suas horas de lazer... Nós aguardamos ansiosamente a concorrência responsável, no esforço gigantesco de distribuir essa tecnologia norte-americana para o mundo. E apreciamos a magnitude do compromisso. Pois o que estamos fazendo é aumentar o capital social, elevando a produtividade individual. Bem-vinda à missão.[2]

Embora o anúncio de tevê "1984" da Apple para o Macintosh, que foi veiculado uma vez durante a final do Super Bowl daquele ano, figure entre os anúncios mais famosos da história da tevê, alguns analistas sustentaram que o anúncio de jornal de 1981 da Apple foi seu mais eficaz e influente, pois ela se posicionou com sucesso como a concorrente legítima da IBM, uma empresa que era dez vezes maior do que a empresa recém-criada. (Atualmente, a capitalização de mercado da Apple é maior do que a da IBM, e a Apple vale mais do que a Intel e a Hewlett-Packard juntas.)

A imaginação humana sempre se inspirou pela história de Davi e Golias; o rapaz que enfrenta adversidades terríveis e consegue vencer o vilão usando a perspicácia, a habilidade e uma crença inabalável em si mesmo. Todo grande romance ou filme possui um herói e um vilão, como a narrativa da Apple. E ninguém a conta melhor do que Steve Jobs.

"Se, por algum motivo, cometermos algum grande erro e a IBM vencer, minha sensação pessoal é de que entraremos em uma Idade Média da informática por cerca de vinte anos", Steve Jobs declarou em uma entrevista para a *Playboy*. "Se a IBM conquistar o controle de um setor do mercado, deterá a inovação; impedirá a inovação de acontecer... A Apple está proporcionando a alternativa."[3]

Um plano de negócios que despertou o entusiasmo da diretoria

Em 1981, além do anúncio relativo à IBM, a Apple apresentou seu primeiro plano de negócios real, que o próprio Jobs elaborou. No plano, Jobs introduziu a metáfora do Macintosh como o computador sem "manivela", como discutido no Capítulo 6. A descrição a seguir apareceu no plano de negócios da Apple e, de acordo com Young, a linguagem "inflamou" a sala da diretoria quando Jobs a apresentou; o excerto demonstra a maestria de Jobs como contador de uma história:

> Atualmente, os computadores pessoais estão em um estágio em que os carros estavam quando era necessário girar uma manivela para dar a partida... Os computadores pessoais não estão completos, como os carros não estavam no estágio da manivela. A manivela relativa aos computadores pessoais é a interface humana inadequada. Os usuários precisam aprender diversos comandos e operações não naturais, a fim de fazer o computador executar o que eles desejam. Na virada dessa década, diversos fabricantes, alguns muito grandes, embarcaram na onda do computador pessoal. Alguns computadores pessoais possuem mais memória do que os outros, outros têm mais capacidade de armazenamento, outros dispõem de mais colunas, mas todos precisam ser acionados por manivela.[4]

A comunicação eficaz é um elemento-chave para a comercialização de inovações de sucesso. Steve Jobs teve uma ideia para um computador acessível, que teria a interface de linha de comando substituída por ícones e um mouse, mas tinha de "vender" a ideia para a diretoria da Apple. De acordo com Young, o poder da visão de Jobs prevaleceu, e a equipe executiva e a diretoria da empresa deram luz verde ao projeto. É interessante perguntar: as ideias de Steve Jobs teriam se transformado em inovações que mudam o mundo se não fosse sua capacidade de comunicar de forma persuasiva a visão subjacente às suas ideias? Claro que nunca saberemos realmente a resposta, mas eu sustentaria que essas ideias teriam menos probabilidade de nascer sem a existência de um contador de histórias extraordinário.

E demos o nome de... iPad

Na manhã nevoenta de janeiro da apresentação do iPad por Steve Jobs, no Yerba Buena Events Center, em San Francisco, eu estava do lado de fora do edifício esperando o início da apresentação, compartilhando meus insights ao vivo com os telespectadores da Fox Business News. Poucas pessoas não pertencentes à Apple sabiam exatamente o que Jobs revelaria naquela manhã (embora os rumores do lançamento de um tablet tivessem sido divulgados durante muito tempo) e eu não tinha nenhuma informação privilegiada para dividir com a repórter da tevê, apesar dos seus esforços de obter um furo de reportagem. No entanto, eu podia, e consegui, prever exatamente como Jobs apresentaria o novo produto, independentemente do que poderia ser. Consegui prever a apresentação perfeitamente porque as apresentações anteriores de Jobs tinham nos dado uma bola de cristal que revelava sua abordagem. As seções a seguir destacam diversos ingredientes que Steve Jobs incorporou para apresentar o iPad. Desse modo, ele vendeu à plateia a visão, os benefícios e a excitação referentes à última inovação da Apple. E se tiver de apostar, diria que Jobs incluirá esses mesmos elementos nos futuros lançamentos de produto.

UM SLOGAN À LA TWITTER

Como descrito no início deste capítulo, Steve Jobs posicionou o iPad em uma única frase, chamando-o de um produto "mágico e revolucionário". Ele disse a frase duas vezes. Foi uma das primeiras coisas que ele disse depois que apareceu no palco e foi a última mensagem que deixou para sua plateia. As ideias inovadoras são, por definição, novas. Em geral, os clientes requerem alguma ajuda para entender onde o produto se encaixa em suas vidas. Steve Jobs sempre fornece uma descrição de uma única frase, que é tão concisa que facilmente se encaixa em um post de 140 caracteres do Twitter. O que é o iPod? "São mil músicas no seu bolso." O que é o MacBook Air? "É o notebook mais fino do mundo." Uma frase diz muito.

UM ANTAGONISTA

Toda apresentação de Steve Jobs possui um herói e um vilão; tanto um antagonista quanto um protagonista. A apresentação do iPad não foi diferente. Embora a IBM desempenhasse o papel de antagonista no início da década de 1980, um vilão não precisa necessariamente ser um concorrente. E frequentemente não é. Em inúmeros casos, Jobs introduzirá o vilão como um problema em busca de uma solução. Claro que, na narrativa de Jobs, a Apple sempre representa o herói.

Na apresentação do iPad, a categoria dos produtos denominada netbooks desempenhou o papel de vilão. Jobs exibiu um slide com duas imagens: um iPhone, no lado esquerdo, e um notebook, no lado direito. Um ponto de interrogação apareceu entre as duas imagens. Jobs apresentou o problema do seguinte modo:

> A fim de criar uma nova categoria, esse produto terá de ser muito melhor na execução de algumas tarefas importantes. Melhor do que um laptop, melhor do que um smartphone. Que tipo de tarefas? Bem, coisas como navegar na internet. Receber e enviar e-mails. Apreciar e compartilhar fotos. Ver vídeos. Escutar músicas. Disputar games. Ler livros eletrônicos. Se for para existir uma terceira categoria de produto, terá de ser melhor na execução desses tipos de tarefas que um laptop ou um smartphone. Caso contrário, não há motivo para existir. Bem, algumas pessoas podem ter pensado: isso é um netbook. O problema é que os netbooks não são melhores do que nada. São lentos, possuem telas de baixa qualidade e processam antigos e pesados softwares de PC. Eles são apenas laptops baratos. Não achamos que são uma terceira categoria de produto. Porém, achamos que conseguimos algo que é e gostaríamos de mostrar esse produto hoje para vocês pela primeira vez. Demos o nome de iPad a ele.[5]

A REGRA DE TRÊS

Os neurocientistas estão descobrindo que os seres humanos são capazes de processar somente três ou quatro blocos de informação na memória de curto prazo. Assim, por que transmitir dez pontos de mensagem quando três pontos são provavelmente todo o conteúdo que sua plateia pode absorver em uma sessão? Frequentemente, Job explica novos produtos e ideias enfocando três pontos básicos e nada mais. Ele utilizou essa abordagem durante a apresentação do iPad, como ilustrado no Quadro 14.1.

SIMPLICIDADE VISUAL

Steve Jobs entende que sua plateia guarda as informações de modo mais eficaz quando as ideias são apresentadas em palavras e imagens e não somente em palavras. Por exemplo, não havia marcadores em nenhum dos slides da apresentação do iPad. Havia palavras e imagens – muitas imagens –, mas nenhum marcador. Observemos o Quadro 14.2. Na primeira coluna, podemos ler o que Jobs disse durante uma parte da apresentação do iPad. A segunda coluna descreve o slide que acompanhava suas palavras.

QUADRO 14.1
Conteúdo da apresentação do iPad dividido em três pontos-chave[6]

CONTEÚDO DE APRESENTAÇÃO DO IPAD	**1**	**2**	**3**
A Apple obtém sua receita de três linhas de produto	iPhones	iPods	Macs
A Apple possui três concorrentes na categoria de celulares	Nokia	Samsung	Sony
Os netbooks apresentam três problemas	**Lentos**	**Telas de baixa qualidade**	**Softwares pesados de PC**
Os clientes terão acesso a três lojas no iPad	iTunes	App	iBookstore
O iPad será oferecido em três opções de capacidade e níveis de preços	16 GB (499 dólares)	32 GB (599 dólares)	64 GB (699 dólares)

Palavras superempolgantes

O entusiasmo de Steve Jobs pelos produtos da Apple se reflete nas palavras emotivas que utiliza para descrever os recursos do produto. Ela evita o jargão e os lugares-comuns tão prevalecentes nos negócios hoje: palavras vazias, sem sentido, que são vagas e não emocionais. Enquanto muitos marqueteiros enchem suas conversas com absurdos, frases como *melhor da categoria*, *mudança de paradigma* e *nível de exposição* não são encontradas no vocabulário de Jobs. Poucos profissionais do mundo dos negócios têm a confiança de expressar ideias à la Jobs. Certa vez, ele disse que os botões na tela de um computador Apple pareciam tão gostosos que "vocês vão querer lambê-los". Jobs descreveu a velocidade do iPhone 3GS como "superempolgante". Aqui estão alguns outros exemplos de modos superempolgantes que Jobs escolheu para descrever o iPad:

QUADRO 14.2
Palavras de Jobs com as descrições dos slides correspondentes referentes à apresentação do iPad[7]

PALAVRAS DE JOBS	DESCRIÇÃO DO SLIDE CORRESPONDENTE
O iPad é realmente fino. Tem apenas 13,4 mm de espessura.	Vista lateral do iPad. Texto: "13,4 mm de espessura".
Tem uma tela brilhante de 9,7 polegadas, com tecnologia IPS. É maravilhosa.	Foto da tela do iPad. Texto: "Tela IPS de 9,7 polegadas".
O iPad é equipado com nosso próprio silício customizado. Temos um chip denominado A4, o chip mais avançado que já produzimos. Ele é impressionante.	Foto do iPad. Texto: "Chip Apple A4 de 1 GHz".
Fomos capazes de criar uma bateria com autonomia de dez horas, o que significa que você pode viajar de San Francisco a Tóquio e assistir a vídeos durante todo o voo sem recarga.	Desenho artístico da bateria totalmente carregada. Texto: "Dez horas".

- "É muito mais amigável que um laptop e tem muito mais capacidade que um smartphone."
- "É a melhor experiência de navegação que você já teve."
- "É um sonho para digitar."
- "É muito simples."
- "É impressionante."
- "É sensacional."[8]

Independentemente das palavras que Jobs emprega, dos slides que cria, ou das mensagens que transmite, ele não aceita nada como verdade absoluta ao contar uma história sobre um novo produto. Mesmo o "cenário" real é idealizado. Quando Jobs lançou o iPad, ele dividiu o palco com dois itens. Nenhum dos quais era um púlpito. Uma cadeira de couro confortável e uma mesinha circular eram os únicos "objetos cênicos" que Jobs precisou. Ele sentou-se na cadeira, pegou o iPad que estava sobre a mesinha e, enquanto a plateia observava, começou a demonstrar os recursos do iPad. A apresentação foi brilhante. O iPad não tem o objetivo de ser um terceiro produto, que você carrega em sua bolsa ou pasta, junto com o laptop e um celular. Ele tem o objetivo de tornar sua vida mais confortável e divertida, como naqueles momentos em que você está na cozinha e quer ler resenhas de filmes na internet ou comprar ingressos de cinema em um site, ou quando você quer afundar na sua aconchegante poltrona para recomeçar a ler o livro que estava lendo. Embora Jobs nunca tenha indicado explicitamente o cenário, a apresentação serviu como uma indicação sutil de como a Apple enxerga o papel do iPad na sua vida.

Steve Jobs é um dos contadores de história mais importantes do mundo. Ele sabe que design e atendimento ao cliente excelente não são tudo. A inovação requer agitação positiva, e essa agitação é difundida por entusiastas inspirados, que entendem a visão e compartilham o entusiasmo de modo emocional e eficaz.

iDicas

1 Veja uma apresentação de Steve Jobs. Acesse o YouTube e procure "Steve Jobs + keynote".

2 Leia *Faça como Steve Jobs* para uma discussão mais detalhada das habilidades de comunicação de Jobs.

3 Tenha uma história para contar antes de abrir o PowerPoint ou o Keynote (aplicativo de apresentação da Apple).

CAPÍTULO 15

Pense diferente a respeito da sua história

As ideias não estão realmente vivas se ficam confinadas na mente de uma pessoa.

NANCY DUARTE, AUTORA DO LIVRO, *SLIDE:OLOGY*

Jack Welch, ex-presidente da General Electric, contou certa vez sobre uma história ocorrida nos primeiros tempos da sua liderança, quando tentava conhecer um pouco mais sobre cada departamento da GE. Durante uma apresentação particularmente confusa, Welch ergueu a mão para formular uma pergunta, pois não tinha entendido alguns dos termos que o palestrante estava usando. O palestrante virou-se para Welch e disse: "Como o senhor espera que eu lhe ensine em cinco minutos o que eu levei 25 anos para aprender?".[1] De acordo com Welch, o gerente não durou muito tempo.

O mundo está cheio de pessoas brilhantes e inovadoras, cujas ideias não são ouvidas porque elas não conseguem comunicar essas ideias de modo efetivo. O cérebro não presta atenção a coisas maçantes, e, se sua história for enfadonha, terá menos probabilidade de convencer.

De acordo com os autores de *Innovation*, "As ideias sempre foram baratíssimas, mas nunca mais do que hoje, na economia exponencial. Todos nós somos bombardeados com a nova coisa 'nova'. Obter a atenção necessária para o sucesso requer que você diferencie suas ideias por meio da objetividade e do valor. Se você for o defensor de uma nova inovação, um dos seus trabalhos será levantar os recursos financeiros e humanos para materializar seu projeto. Isso sempre significa que você deve convencer alguém – o presidente de uma empresa, uma diretoria, um capitalista de risco ou um gerente de programa governamental – que tem uma boa ideia".[2]

Essa observação me lembra uma conversa que tive com o gerente de uma empresa relacionada na lista das quinhentas maiores empresas norte-americanas da revista *Fortune*. Esse gerente tinha uma das pessoas mais brilhantes da empresa em sua equipe, mas o funcionário não estava ascendendo profissionalmente de modo tão rápido quanto se poderia esperar.

"Por que ele não tem mais sucesso na empresa?", perguntei ao gerente.

"Porque ele não é capaz de fazer uma apresentação", o gerente afirmou. "Ele é entediante e confuso; no entanto, ele é de longe o sujeito mais brilhante na sala!"

Infelizmente, habilidades de apresentação insatisfatórias podem liquidar uma carreira. A comunicação conta. Se você não acreditar nisso, haverá diversos concorrentes que tirarão proveito, não necessariamente porque dispõem de melhores produtos ou ideias, mas porque compreendem a importância de contar uma história melhor. Steve Jobs sabe disso, e as habilidades de comunicação foram importantes para ele nas últimas três décadas.

Difundindo a mensagem da computação em nuvem

Marc Benioff, fundador da salesforce.com e pioneiro da computação em nuvem, considera a arte de contar histórias uma das contribuições principais para o rápido sucesso da sua empresa. Em uma entrevista para um artigo da *BusinessWeek*, Benioff me disse: "Provavelmente, a comunicação é a parte mais essencial do meu trabalho".[3]

Depois de criar a salesforce.com no quarto de um apartamento em San Francisco, Benioff transformou a empresa em um empreendimento de 1 bilhão de dólares por ano em menos de uma década. Nesses dez anos de crescimento, Benioff entendeu que para ser notado teria de fazer amizade com jornalistas e blogueiros, que o ajudariam a difundir a mensagem da computação em nuvem.

Apesar de uma agenda frenética, Benioff sempre respondeu rápida e diretamente aos jornalistas. Poucos pedidos da mídia ficaram alguma vez sem resposta. Embora trabalhasse com uma assessoria de imprensa, Benioff muitas vezes lidava com os pedidos diretamente. (Soube por experiência própria porque ele infalivelmente retornava meus e-mails quando eu trabalhava como jornalista de negócios, em geral no dia seguinte.) Benioff decidiu cedo em sua carreira que não trataria a mídia como adversária. Em vez disso, ele a trataria como parte essencial da sua estratégia de marketing. "Os jornalistas imediatamente pensam em mim como fonte para uma citação ou um comentário, pois sabem que estarei disponível para oferecer insights originais e satisfazer seus prazos de fechamento", Benioff me revelou.[4]

Segundo ele, a mídia social transformou os clientes em "criadores de conteúdo". Isso significa que empreendedores de sucesso devem alimentar a necessidade por conteúdo e insights originais. De acordo com Benioff, "o futuro da comunicação com os clientes está no envolvimento com eles mediante todos os canais possíveis: telefone, e-mail, chat, internet e redes sociais. Os clientes estão discutindo os produtos e a marca de uma empresa em tempo real. As empresas precisam se juntar à conversa".[5]

Três chaves para comunicar o valor

Benioff e Steve Jobs são muito parecidos quando se trata de comunicar uma história da marca. Aqui estão três técnicas que os dois empreendedores utilizaram com sucesso e que podemos adotar hoje para melhorar o modo pelo qual comunicamos o valor subjacente à ideia.

CONTAR HISTÓRIAS CLÁSSICAS

A maioria dos jornalistas nunca se interessa acerca de uma minúscula empresa recém-criada, no quarto de algum rapaz, e eis por que Benioff nunca se posicionou dessa maneira. Ele contou a clássica história de Davi contra Golias. "Demos a mídia algo diferente. Demos a eles algo novo. Sempre nos posicionamos como revolucionários. Nós fomos atrás do maior concorrente do setor ou do próprio setor. Criamos nossa história a respeito de mudança. Tratamos aquilo como algo novo e diferente, que era bom para os clientes e bom para a comunidade. Falamos acerca do futuro."[6]

MANTENHA TODOS ALINHADOS

A constância da mensagem é decisiva. Todos da organização devem falar a partir do mesmo manual de estratégia. Na salesforce.com, Benioff se certificou de que os funcionários poderiam transmitir efetivamente o que faziam e o que representavam em uma única frase. Ele criou um cartão laminado, com uma frase na frente e os benefícios do serviço no verso. Os funcionários e os parceiros da salesforce.com receberam treinamento sobre o assunto, para que pudessem transmitir a mensagem de modo eficaz e consistente. Na maior parte da história da salesforce.com, a frase era simplesmente: "O fim do software".

ESTIMULE O DESENVOLVIMENTO DAS HABILIDADES DE APRESENTAÇÃO

Quer um emprego na salesforce.com? Ser um bom apresentador ajuda. Alguns candidatos são solicitados a realizar uma apresentação, além de responder perguntas difíceis. "As habilidades de apresentação são fundamentais", afirma Benioff. "As pessoas que trabalham para você representam sua marca. De certo modo, você as quer para que se apresentem – e o representem. Quer os funcionários percebam ou não, todos em uma empresa interagem com os clientes, de um modo ou de outro, e a atitude deles afetará a marca. Eis por que trabalhamos tão duro, para nos certificar de que temos as pessoas certas representando nossa marca, e que todos estão alinhados assim que entram aqui."[7]

Ao apresentar as técnicas de Marc Benioff, fiz um ligeiro desvio para reforçar o ponto de que a maioria dos empreendedores bem-sucedidos compartilha o compromisso de Steve Jobs de contar uma história da marca cativante. Eles também utilizam técnicas muito parecidas para contar histórias.

Sete diretrizes para vender suas ideias ao estilo Steve Jobs

Desde o lançamento de *Faça como Steve Jobs*, as empresas e os indivíduos de todo o mundo mudaram o modo pelo qual apresentam a visão e os benefícios da sua marca, produto, serviços ou ideias. Escutei isso diretamente dos executivos de praticamente todos os setores: automobilístico, de assistência médica, manufatureiro, de produtos farmacêuticos, tecnológico e até de armas nucleares. Se você tiver uma ideia, terá uma probabilidade muito maior de persuadir as outras pessoas a adotá-la se utilizar algumas das técnicas que tornaram Steve Jobs um grande contador de histórias. Aqui estão sete técnicas que você pode usar hoje para vender suas ideias ao estilo Steve Jobs.

1. CRIE UM MOMENTO INESQUECÍVEL

Toda apresentação de Steve Jobs tem um momento que deixa as pessoas estupefatas: o momento inesquecível. Esses momentos são roteirizados antecipadamente para complementar os slides, o site da Apple, os press releases e os anúncios publicitários. Muitas vezes, esses momentos ocorrem como anexos à apresentação formal do produto. Por exemplo, em 2008, Jobs tirou o MacBook Air de um envelope pardo para mostrar a todos o quão fino ele era. Os blogueiros "enlouqueceram", e a imagem de Jobs e do envelope se converteram na foto mais divulgada do evento.

Em 9 de setembro de 2009, o assunto do momento inesquecível não foi um produto. Foi o próprio Steve Jobs caminhando pelo palco após uma longa ausência provocada por um problema de saúde relativo a um transplante de fígado. Ele disse à plateia que agora tinha um fígado de uma pessoa jovem, que morreu em um acidente de carro e foi generosa o suficiente para doar órgãos vitais. "Não estaria aqui se não fosse por essa generosidade", ele afirmou.

Quer você utilize o aplicativo de apresentação PowerPoint da Microsoft ou o Keynote da Apple, **roteirize o momento inesquecível antecipadamente**, antes mesmo de você abrir o aplicativo.

Por exemplo, eu estava trabalhando com cientistas em um conhecido laboratório de armas. Eles estavam criando apresentações para conseguir financiamento para "armas de letalidade específica", isto é, armas mais avançadas, que podem localizar alvos com grande precisão, poupando a vida de pessoas inocentes em zonas de guerra. (A informação é pública e, assim, sinto-me à vontade ao documentar isso, embora omitindo os nomes da organização e dos seus participantes.) Uma arma desse tipo mataria soldados inimigos em uma área muito pequena, deixando ilesa a família que mora ao lado. Nós decidimos criar um momento inesquecível fora dos slides do PowerPoint, colocando um círculo de fita adesiva colorida sobre o piso e outro círculo de fita adesiva de outra cor a alguns metros de distância. Em um momento-chave da apresentação, o palestrante apontaria para a fita adesiva e diria que todos sentados no interior do primeiro círculo teriam sido mortos pela bomba, enquanto todos fora do segundo círculo escapariam ilesos. Qual você acha que será a lembrança da plateia: os slides ou a fita adesiva?

Pense além do slide. Pergunte-se: "Como faço para que esse conteúdo salte da página (ou do slide)?". Crie eventos carregados de emoção para convencer seus ouvintes a abraçar sua causa.

2. NÃO LARGUE A REGRA DE TRÊS

A regra de três é um dos conceitos mais poderosos na redação de texto. É o motivo pelo qual Cachinhos Dourados* encontrou os três ursos. É o motivo pelo qual a maioria das peças teatrais é escrita em três atos. A mente humana, como mencionado anteriormente, consegue reter somente três ou quatro "blocos" de informação, e Jobs tem bastante consciência desse princípio. Geralmente, uma apresentação de Steve Jobs é dividida em três partes. Em 9 de setembro de 2009, Jobs entrou no palco e disse para a plateia que abordaria três categorias de produto: o iPhone, o iTunes e o iPod. Jobs reconhecidamente diverte-se com o princípio. Na Macworld 2007, ele apresentou "três produtos revolucionários": um tocador de MP3, um telefone e um comunicador de internet. Após falar dos três produtos diversas vezes, Jobs fez a grande revelação: os três seriam reunidos em um único produto: o iPhone. A regra de três converteu-se no momento inesquecível.

Pergunte-se: "Quais são as três coisas que minha plateia quer saber?". Não vinte coisas, apenas três. Você pode se dar bem com mais ideias na forma escrita, mas se aferre a três nas apresentações públicas e na forma verbal.

3. DIVIDA O PALCO

Raramente, Jobs realiza uma apresentação inteira sozinho. Em geral, ele se cerca de um elenco de apoio. Em janeiro de 2010, Jobs teve um grande elenco de apoio na apresentação do iPad. Após apresentar os recursos do produto à plateia, Jobs chamou alguns executivos da Apple para discutir outros elementos, incluindo Scott Forstall, vice-presidente sênior do software do

---

* *Cachinhos dourados e os três ursos* é uma história muito popular no mundo inteiro, com origem no folclore europeu. (N.T.)

iPhone, e Phil Schiller, vice-presidente sênior de marketing do produto. Em seguida, os executivos chamaram palestrantes não pertencentes ao quadro de funcionários da Apple, como desenvolvedores de game. No total, Jobs dividiu o palco com sete pessoas, em uma apresentação de uma hora e meia. Se você puder dividir sua apresentação com um membro da equipe (ou um cliente), faça isso, sem dúvida. Lembre-se, contudo, de que, como em relação a qualquer tipo de performance, os apresentadores devem ensaiar, para assegurar a execução perfeita de todas as transições e "mudanças de cena".

4. APRESENTE HERÓIS E VILÕES

Todo grande drama possui um herói e um vilão. Como ilustrado no capítulo anterior com a discussão sobre a apresentação do iPad, Steve Jobs é um mestre na criação do drama. Observamos essa técnica já em 1984, quando a Apple lançou o Macintosh. Jobs organizou o lançamento do produto pintando um quadro da IBM – a *big blue* – como empenhada na "dominação mundial". A Apple, ele disse, seria a única empresa a se opor. A plateia "enlouqueceu". Também podemos interpretar os conhecidos anúncios "Eu sou Mac". "Eu sou PC" como vinhetas herói *versus* vilão veiculadas em trechos de trinta segundos. A apresentação fora de série possui um antagonista – um inimigo comum – e, dessa maneira, a plateia pode torcer pelo herói. Sua marca e seus produtos desempenham o papel do herói.

5. PENSE VISUALMENTE

As apresentações da Apple são muito simples e visuais. Como também discutimos no capítulo anterior, há muito pouco texto num slide de Steve Jobs, e não há marcadores. Essa técnica utiliza o que os psicólogos denominam "superioridade da imagem", o que significa simplesmente que as ideias são mais facilmente lembradas quando apresentadas em texto e imagem e não só em texto. Esse conceito possui implicações profundas para suas apresentações. Não encha seus slides com informações irrelevantes, que atrapalham sua mensagem. Às vezes, tudo o que precisamos é uma palavra ou uma fotografia para atingir nosso objetivo. Lembre-se de que os slides em si têm o propósito de complementar sua mensagem. Sua história deve ocupar o centro do palco. Não utilize seus slides como anotações de leitura. Se você quiser mais insights sobre a criação de apresentações visualmente envolventes, leia *Faça como Steve*

Jobs e livros de especialistas em design, como Nancy Duarte, Garr Reynolds e Cliff Atkinson.

6. CRIE SLOGANS À LA TWITTER

A Apple facilita a apresentação dos seus produtos pelos seus clientes: a empresa escreve os slogans para eles. O que é o MacBook Air? "É o notebook mais fino do mundo." Se você não conseguir descrever sua empresa, produto, serviço ou ideia em uma única frase que caiba em um post do Twitter, volte à prancheta. Não divulgue até você conseguir.

7. VENDA SONHOS EM VEZ DE PRODUTOS

Steve Jobs está apaixonadamente comprometido em mudar o mundo, e sua paixão é visível em todas as apresentações. Todas as pessoas podem aprender as técnicas específicas que ele utiliza para elaborar slides visualmente criativos, mas eles fracassarão se exibidos sem paixão e entusiasmo. Em 2001, quando Jobs lançou o iPod, afirmou que a música era uma experiência transformadora e que, a seu pequeno modo, a Apple estava mudando o mundo. Onde a maioria dos analistas enxergou um tocador de música, Jobs viu a oportunidade de criar um mundo melhor para seus clientes. Essa é a diferença entre Jobs e a grande maioria de líderes medíocres; Jobs está verdadeiramente comprometido em mudar o mundo, e ele não tem medo de dizer isso.

Nenhuma das suas ideias se transformará em inovações que mudam o mundo se ficarem confinadas dentro da sua cabeça. Em certo momento, você terá de convencer alguém a investir, comprar, participar, associar-se ou partilhar o entusiasmo. Você se espantaria com a quantidade de pessoas que não conseguem entender a importância dessa etapa. Essas pessoas parecem crer que suas ideias mudarão o mundo independentemente de quão difíceis elas sejam para se compreender. Infelizmente, você nunca ouvirá falar sobre a maioria delas. Frequentemente me pergunto quantas ideias realmente revolucionárias nunca tiveram chance de ter êxito porque a mente brilhante que as geraram não conseguiu narrar a história por trás dela.

Você tem ideias brilhantes para compartilhar. Não deixe a comunicação insatisfatória sabotar o sucesso final dessas ideias. Uma grande apresentação pode transformar mentes, desencadear movimentos e desenvolver empresas. Comece a construir seu império hoje. Deixe Steve Jobs lhe mostrar como.

iDicas

1 Conte sua história desde o início e com frequência. Torne a comunicação um fundamento da sua marca todos os dias.

2 Torne a história de sua marca constante em todas as plataformas: apresentações, site, propaganda, materiais de marketing, mídia social.

3 Pense diferente acerca do seu estilo de apresentação. Analise Steve Jobs, leia livros de design e preste atenção em apresentações impressionantes e o que as diferenciam da exposição padrão em PowerPoint. Todos têm espaço para elevar o nível das apresentações, mas o desafio requer um compromisso especial para a melhoria e uma mente aberta.

Mais uma coisa...
Não se deixe desanimar pelos tolos

A autoconfiança é o modo mais seguro de obter o que você quer. Se souber em seu coração que será alguma coisa, você a será. Não deixe que sua mente pense de outra maneira. É fatal.

GENERAL GEORGE S. PATTON

A inovação é um local solitário, pois pouquíssimas pessoas têm a coragem de apresentar novas ideias e a autoconfiança de não abandonar suas convicções. A inovação exige confiança, audácia e disciplina para ignorar as vozes negativas. Poucas pessoas dispõem dessa coragem, que é o motivo pelo qual poucos podem ou serão capazes de inovar em uma grande escala à la Steve Jobs. As próximas grandes ideias, empresas e movimentos virão daqueles raros indivíduos que têm a coragem de acreditar em seus princípios e de lutar por eles diante das grandes adversidades.

Em 1977, quando a Apple começou a vender um novo computador pessoal, o Apple II, Ken Olsen, fundador da Digital Equipment, afirmou: "Não há nenhum motivo para que alguém queira um computador em sua casa". Graças a Deus, Steve Jobs teve a fé de acreditar em sua visão de colocar computadores nas mãos das pessoas comuns.

Quase todos os empreendedores de sucesso batalharam contra sua cota de céticos. Imagine o quão difícil deve ter sido para um jovem em particular escutar o seguinte:

"Não precisamos de você. Você não chegou ao final da faculdade".

"Tire seus pés da minha mesa. Saia daqui. Você fede e não vamos comprar seu produto."

"Suas lojas não vão dar certo. Talvez seja o momento de você parar de pensar diferente."

"Seu problema é que você ainda acredita que a forma de crescer é servir caviar para um mundo que parece muito satisfeito com queijo e bolachas."

Esses comentários foram todos dirigidos, em um momento ou outro, a um homem que depois seria reconhecido como o mestre da inovação: Steve Jobs. Ele e Woz enfrentaram diversos tolos, que não valorizaram o que eles estavam tentando fazer: criar ferramentas de fácil utilização para pessoas que queriam mudar o mundo. Eles se recusaram a dar ouvidos aos "do contra". Em 2005, Jobs deu esse conselho para os recém-formados da Universidade de Stanford: "Não deixem que as opiniões dos outros abafem sua voz interior".

Woz resumiu o segredo do sucesso em seu livro, *iWoz*. Quando perguntado "Como você começou a mudar o mundo?", Wozniak respondeu:

> Primeiro, você precisa acreditar em si mesmo. Não hesite. Haverá pessoas – e estou falando acerca da grande maioria de pessoas, praticamente todas que você encontrar – que pensam em preto e branco... Talvez elas não entendam por que são incapazes de imaginar ou talvez não entendam por que alguém já lhes disse o que é útil ou bom, e o que elas escutaram não inclui sua ideia. Não deixe essas pessoas abatê-lo. Lembre-se de que elas estão simplesmente assumindo o ponto de vista que corresponde à visão cultural popular do momento. Elas só percebem aquilo ao qual são expostas. É um tipo de preconceito que é absolutamente contra o espírito da invenção.[1]

É muito difícil para a maioria das pessoas abraçar o desconhecido, ainda que o desconhecido seja o mundo em que os inovadores se sentem mais em casa. De acordo com o analista Tim Bajarin, que compreende a Apple melhor do que quase qualquer outra pessoa do planeta, a maioria dos especialistas não compartilha a abordagem de Steve Jobs em relação aos negócios. "A maioria das empresas procura prever o que os clientes querem em um prazo de doze a dezoito meses. Steve Jobs está mais interessado no que a tecnologia permitirá que as pessoas façam daqui a dez anos", afirma Bajarin.[2]

Inevitavelmente, as pessoas que pensam tão a longo prazo se deparam com o vento contrário das mentalidades empresariais de curto prazo; o tipo de pressão que Bajarin acredita ser muito predominante na América corporativa atual. Jobs enfrenta esse vento contrário, encarando os obstáculos e os céticos com paixão, convicção e uma crença inabalável na sua visão de longo prazo.

Um dos maiores elogios já recebidos por Steve Jobs veio de uma fonte improvável: Bill Gates, cofundador da Microsoft. Em maio de 2007, Gates e Jobs dividiram o palco em uma rara aparição conjunta, em D: All Things Digital. Gates foi indagado a respeito da maior contribuição da Apple para o setor de informática. Ele respondeu:

> O que Steve tem feito é incrível, e remonta a 1977 e ao computador Apple II e à ideia de que seria uma máquina para o consumo de massa. A aposta que foi feita pela Apple foi que isso poderia ser um fenômeno incrível e fortalecedor. A Apple perseguiu esse sonho. Uma das coisas mais incríveis foi o Macintosh. *Esse foi arriscado.* As pessoas podem não se lembrar de que a Apple realmente apostou a empresa nele. Certa vez, Steve fez um discurso que foi um dos meus favoritos. Ele disse: "desenvolvemos produtos que nós mesmos queremos usar". Ele tem perseguido isso com gosto e elegância incríveis, e isso tem tido um enorme impacto no setor, na inovação e na assunção de risco.[3]

"Eu creio que há uma coisa como sonhar o sonho de uma grande visão", Bajarin me disse. "Os grandes empreendedores enfocam o hoje, mas os mais inovadores possuem um roteiro de onde estarão amanhã. Steve Jobs cuida do curto prazo e satisfaz o que o cliente quer hoje, mas ele sonha e antecipa o que o cliente vai querer no futuro."[4]

Em 1997, quando a Apple estava à beira da falência, Jobs convocou uma reunião com seus funcionários. Vestindo um calção e uma camiseta preta, ele fez um discurso estimulante, lembrando a todos o motivo pelo qual a Apple não deveria falir. Jobs afirmou: "O trabalho de vocês não é fabricar caixas. Acreditamos que as pessoas com paixão podem mudar o mundo para melhor".[5] Jobs esteve afastado por mais de dez anos da empresa que fundou, mas sua visão nunca hesitou. Nada parecia impossível.

Steve Jobs revela que olha para o espelho todas as manhãs e se pergunta: "Se hoje fosse o último dia da minha vida, eu iria querer fazer o que tenho de fazer hoje?".[6] Se a resposta for "não" por muitos dias seguidos, Jobs sabe que é momento de mudar alguma coisa. Você tem dito "não" por muito tempo? Em caso afirmativo, o que você acha que Steve Jobs faria em seu lugar? Espero que os sete princípios apresentados neste livro lhe ofereçam alguma orientação.

Nos Estados Unidos, entre 1980 e 2005, praticamente todos os novos empregos foram gerados por empresas que tinham cinco anos ou menos, de acordo com Thomas Friedman, colunista do *The New York Times*. De acordo com Friedman, para o país prosperar, ele precisa de mais novas empresas e não de socorros financeiros. "Se quisermos reduzir o desemprego de modo sustentável, nem o salvamento da General Motors nem o financiamento da construção de mais estradas farão isso. Precisamos criar muitas novas empresas, e rapidamente... Mas não dizemos isso com suficiente frequência: os empregos bem remunerados não resultam dos socorros financeiros. Eles resultam das novas empresas. E de onde as novas empresas surgem? Elas surgem a partir de pessoas inteligentes, criativas e inspiradas que assumem riscos."[7]

Talvez a lição derradeira que Steve Jobs nos ensinou seja de que assumir riscos requer coragem e um pouco de loucura. Veja a genialidade em sua loucura. Acredite em si mesmo e na sua visão e se prepare para defender constantemente essas crenças. Só então a inovação prosperará e você será capaz de levar uma vida totalmente incrível.

Referências

INTRODUÇÃO

1 Thomas L. Friedman, "More (Steve) Jobs, Jobs, Jobs, Jobs," *The New York Times*, 24 de janeiro de 2010, nytimes.com/2010/01/24/opinion/24friedman.html?pagewanted=print (acesso em: 23 de janeiro de 2010).

2 Bill Gates, "The Key to a Bright Future Is Innovation," *Financial Times*, 29 de janeiro de 2010, ft.com/cms/s/2/a4810bb2-0c75-11df-a941-00144feabdc0.html?catid=11&SID=google (acesso em: 29 de janeiro de 2010).

3 Barry Jaruzelski and Kevin Dehoff, "Profits Down; Spending Steady," Strategy + Business, Inverno de 2009, p. 46.

4 Barry Jaruzelski and Richard Holman, "Innovating Through the Downturn: A Memo to the Chief Innovation Officer," Booz & Company, Inc., study, 2009, booz.com/media/uploads/Innovating_through_the_Downturn.pdf (accessed May 22, 2010).

5 Rick Hampson, "In America's Next Decade, Change and Challenges," *USA Today*, sec. 1A, 5 de janeiro de 2010.

6 Tapan Munroe, Ph.D., economist (autor, What Makes Silicon Valley Tick?), em conversa com o autor, 5 de fevereiro de 2010.

7 Ibid.

8 Curtis Carlson e William Wilmot, *Innovation*. (Nova York: Crown Business, 2006), p. 17.

9 Munroe, em conversa com o autor.

10 Robert Kiyosaki, "We Need Two School Systems," *USA Today*, The Forum, sec. 1, 9 de fevereiro de 2010.

11 Michael Moritz, *Return to the little kingdom* (Nova York: The Overlook Press 2009), p. 106.

12 Stanford University, "'You've Got to Find What You Love,' Jobs Says," *Stanford Report*, 14 de junho de 2005, http://news.stanford.edu/news/2005/june15/jobs061505.html?view=print (acessado em: 22 de janeiro de 2010).

CAPÍTULO 1

1 Rob Walker, "The Guts of a New Machine", *The New York Times Magazine*, 30 de novembro de 2003, nytimes.com/2003/11/30/magazine/30IPOD.html?pagewanted=all (acesso em: 23 de maio de 2010).

2 Curtis Carlson e William Wilmot, *Innovation* (Nova York: Crown Business, 2006), p. 13.

3 Paul Krugman, "The Big Zero", *The New York Times*, 27 de dezembro de 2009, nytimes.com/2009/12/28/opinion/28krugman.html (acesso em: 23 de maio de 2010).

4 Adam Lashinsky, "Why Him?", *Fortune*, 23 de novembro de 2009, p. 90.

5 Morten T. Hansen, Herminia Ibarra e Urs Peyer, "The Best Performing CEOs in the World", *Harvard Business Review*, janeiro-fevereiro de 2010, http://hbr.org/2010/01/the-best-performing-ceos--in-the-world/ar/1 (acesso em: 23 de maio de 2010).

6 Michael Arrington, "What if Steve Jobs Hadn't Returned to Apple in 1997?", *TechCruch*, 26 de novembro de 2009, http://techcruch.com/2009/11/26/steve-jobs-apple-1997 (acesso em: 23 de maio de 2010).
7 Junior Achievement Study, "Steve Jobs Bigger than Oprah!", 13 de outubro de 2009, ja.org/files/pools/Teens-Entrepreneurship-Part-2.pdf (acesso em: 23 de maio de 2010).
8 Peter Burrows, "The Seed of Apple's Innovation", *BusinessWeek*, 12 de outubro de 2004, businessweek.com/bwdaily/dnflash/oct2004/nf20041012_4018_db083.htm (acesso em: 23 de maio de 2010).
9 YouTube, "Apple – Crazy Ones", YouTube, youtube.com/watch?v=XufH-BEMMoY (acesso em: 23 de maio de 2010).
10 Nancy Koehn, "His Legacy", *Fortune*, 23 de novembro de 2009, p. 110.
11 Michael Moritz, *Return to the little kingdom* (Nova York: The Overlook Press, 2009), 293.
12 Lee Brower e Jay Paterson, "Money Talks, Meaning Whispers", *Motivated,* primavera de 2010, 65.
13 Moritz, *Return to the Little Kingdom*, (Nova York: The Overlook Press, 2009) p. 153.

CAPÍTULO 2

1 Stanford University, "'You've Got to Find What You Love', Jobs Says", *Stanford Report*, 14 de junho de 2005, http://news.stanford.edu/news/2005/june15/jobs-061505.html?view=print (acesso em: 22 de janeiro de 2010).
2 Ibid.
3 Ibid.
4 Ron Baron, "Ron's Conference Speech: Eigthteenth Annual Baron Investment Conference", *Baron Funds Quarterly Report*, 30 de setembro de 2009.
5 Ibid.
6 Daniel Morrow, "Excerpts from an Oral History Interview with Steve Jobs", americanhistory.si.edu/collections/comphist/sj1.html (acesso em: 23 de maio de 2010).
7 Steve Wozniak com Gina Smith, *iWoz* (Nova York: W. W. Norton & Company, 2006), p. 150.
8 Michael Moritz, *Return to the Little Kingdom* (Nova York: The Overlook Press, 2009), p. 106.
9 Leadership, "Steve Wozniak – Apple Innovation: Innovation Inspiration with the Co-Founder of Apple Computer, Inc.", *London Business Review,* primeiro de outubro de 2008, londonbusinessforum.com/events/apple_innovation (acesso em: 5 de janeiro de 2010).
10 Morrow, "Excerpts from an Oral History Interview with Steve Jobs".
11 Stanford University, "'You've Got to Find What You Love', Jobs Says".
12 Ibid.
13 Jessica Livingston, *Founders at Work: Stories of Startups' Early Days* (Berkeley: Apress, 2008), 57.
14 Wikipedia, "Steve Jobs", Wikiquote, http://en.wikiquote.org/wiki/Steve_Jobs (acesso em: 23 de maio de 2010).

CAPÍTULO 3

1 Bill Strickland, presidente e CEO, Manchester Bidwell Corporation, em conversa com o autor, 16 de fevereiro de 2010.
2 Ibid.
3 Hanna Clark, "James Dyson Cleans Up", *Forbes*, Face Time, primeiro de agosto de 2006, forbes.com/2006/08/01/leadership-facetime-dyson-cx_hc_0801dyson_print.html (acesso em: 19 de fevereiro de 2010).
4 Chuck Salter, "Failure Doesn't Suck", *Fast Company*, 19 de dezembro de 2007, fastcompany.com/node/59549/print (acesso em: 19 de fevereiro de 2010).
5 Clark, "James Dyson Cleans Up".
6 Sharon Aby, fundadora da Beyond Ideas, em conversa com o autor, 13 de janeiro de 2010.
7 RachaelRayShow.com, "Maria Shriver's Women's Conference" (vídeo), 28 de outubro de 2008, rachaelrayshow.com/show/segments/view/rachel-maria-shrivers-womens-conference (acesso em: 23 de maio de 2010).
8 Ibid.

9 Carmine Gallo, "From Homeless to Multimillionaire", *Bloomberg BusinessWeek*, 23 de julho de 2007, businessweek.com/smallbiz/content/jul2007/sb20070723_608918.htm (acesso em: 22 de maio de 2010).
10 Ibid.
11 Ibid.
12 Ken Robinson, *The element: how finding your passion changes everything* (Nova York: Viking Press, 2009), p. 1.
13 Ibid.
14 Ibid, p. 20.
15 Darren Vader, "Biography: Steve Jobs", The Apple Museum, theapplemuseum.com/index.php?id=49 (acesso em: 23 de maio de 2010).
16 Jonathan Mahler, "James Patterson Inc.: How a Genre Writer Has Transformed Book Publishing", *The New York Times Magazine*, 24 de janeiro de 2010.
17 Ibid.
18 Michael Moritz, *Return to the little kingdom* (Nova York: The Overlook Press 2009), p. 72.
19 Wikipedia, "Intrapreneurship", inclui a citação de Jobs, http://en.wikipedia.org/wiki/intrapreneurship (acesso em: 23 de maio de 2010).
20 Craig Escobar, presidente da Show America, em conversa com o autor, 14 de janeiro de 2010.

CAPÍTULO 4

1 Rob Campbell, presidente da Voalté, em conversa com o autor, 5 de fevereiro de 2010.
2 Ibid.
3 Jeffrey S. Young, *Steve Jobs: the journey is the reward* (Glenview, IL: Scott, Foresman and Company, 1988), p. 176.
4 Computer History Musem, "The Computer History Museum Makes Historic Apple Documents Available to Public", press release, 2 de junho de 2009, computerhistory.org/press/Apple-IPO--and-Macintosh-Plans-html (acesso em: 22 de maio de 2010).
5 Ibid.
6 Ibid.
7 Steve Wozniak com Gina Smith, *iWoz* (Nova York: W. W. Norton & Company, 2006), p. 150.
8 Bloomberg, "Voices of Innovation: Steve Jobs", *Bloomberg BusinessWeek*, 11 de outubro de 2004, businessweek.com/print/magazine/content/04_41/b3903408.htm?chan=gl (acesso em: 15 de fevereiro de 2010).
9 Leander Kahney, *Inside Steve's brain* (Nova York: Portfolio, 2008), p. 7.
10 Ibid.
11 Bobbie Johnson, "The Coolest Player in Town", *The Guardian*, 22 de setembro de 2005, guardian.co.uk/technology/2005/sep/22/stevejobs.guardianweeklytechnologysection (acesso em: 22 de maio de 2010).
12 Wozniak com Smith, *iWoz*, p. 151.
13 Alltop, "1994 *Rolling Stone* interview of Steve Jobs", Alltop, 5 de fevereiro de 2010, http://holykaw.alltop.com/1994-rolling-stone-interview-of-steve-jobs (acesso em: 23 de maio de 2010).
14 *Triumph of the Nerds*, documentário do canal PBS, escrito e apresentado por Robert X. Cringley (1996, Nova York).
15 Ibid.
16 Ibid.
17 Gui Kawasaki, *The Macintosh way* (Glenview, IL: Scott, Foresman and Company, 1990), 18.
18 Ibid.
19 Sharon Aby, fundadora da Beyond Ideas, em conversa com o autor, 13 de janeiro de 2010.
20 The Pixar Touch, "Steve Jobs Thinks Different, 1997", The Pixar Touch History of Pixar, 8 de novembro de 2009, http://thepixartouch.typead.com/main/2009/11/steve-jobs-shareholder-letter-1997.html (acesso em: 3 de março de 2010).
21 Ibid.

22 YouTube, "Steve Jobs Introduces the 'Digital Hub' Strategy at Macworld 2001", YouTube, youtube.com/watch?v=9046oXrm,7f8 (acesso em: 22 de maio de 2010).

23 Microsoft News Center, "Gates Showcases Tablet PC, Xbox at COMDEX; Says New 'Digital Decade' Technologies Will Transform How We Live", news press release, 11 de novembro de 2001, microsoft.com/presspass/press/2001/Nov01/11-11Comdex2001KeynotePR.mspx (acesso em: 23 de maio de 2010).

24 Dick Brass, "Microsoft's Creative Destruction", *The New York Times*, 4 de fevereiro de 2010, nytimes.com/2010/02/04/opinion/04brass.html (acesso em: 22 de maio de 2010).

25 Tim Bajarin, presidente, Creative Strategies, em discussão com o autor, 4 de fevereiro de 2010.

26 Young, *Steve Jobs: The journey is the reward*, p. 187.

27 Ibid., p. 121.

28 Apple.com, "Macworld San Francisco 2007: Keynote Address", apple.com/quicktime/qtv/mwsf07 (acesso em: 23 de maio de 2010).

CAPÍTULO 5

1 YouTube, "John F. Kennedy's Moon Speech to Congress – May 25, 1961", YouTube, youtube.com/watch?v=Kza-iTe2100 (acesso em: 23 de maio de 2010).

2 Ibid.

3 YouTube, "1983 Apple Keynote – The '1984' Ad Introduction", YouTube, youtube.com/watch?v=ISiQA6KkyJo (acesso em: 22 de maio de 2010).

4 Gui Kawasaki, *The Macintosh way* (Glenview, IL: Scott, Foresman and Company, 1990), 100.

5 Ibid.

6 Ibid.

7 Nancy Mann Jackson, "Wanted: Fully Engaged Employees", *Entrepreneur,* 26 de abril de 2010, entrepreneur.com/humanresources/managingemployees/article206318.html (acesso em: 23 de maio de 2010).

8 Jeffrey S. Young, *Steve Jobs: The journey is the reward* (Glenview, IL: Scott, Foresman and Company, 1988), 328.

9 Gary Hamel, "The Hole in the Soul of Business", *Wall Street Journal*, 13 de janeiro de 2010, http://blogs.wsj.com/management/2010/01/13/the-hole-in-the-soul-of-business (acesso em: 23 de maio de 2010).

10 Lev Grossman, "How Apple Does It", *Time*, 16 de outubro de 2005, time.com/time/printout/0,8816,1118384,00.html (acesso em: 15 de fevereiro de 2010).

11 Carmine Gallo, *Fire them up! 7 Simple secrets to: inspire colleagues, customers, and clients; sell yourself, your vision, and your values; communicate with charisma and confidence* (Hoboken, NJ: John Wiley & Sons, Inc., 2007), 41.

12 Ibid.

13 Ibid., p. 193.

14 Jacqueline Edelberg, doutora (autora de *How to walk to school*), em conversa com o autor, 22 de fevereiro de 2010.

15 Ibid.

16 Ibid.

17 David Sheff, "*Playboy* Interview: Steve Jobs", *Playboy*, fevereiro de 1985, 58.

18 Roberto Verganti, "Having Ideas Versus Having a Vision", *Harvard Business Review* blog, primeiro de março de 2010, http://blogs.hbr.org/cs/2010/03/having_ideas_versus_having_a_vision.html (acesso em: 23 de maio de 2010).

19 Americas's Most Admired Companies, "Steve Jobs Speaks Out" (Strategy), *Fortune*, 7 de março de 2008, http://money.cnn.com/galleries/2008/fortune/0803/gallery.jobsqna.fortune/3.html (acesso em: 23 de maio de 2010).

CAPÍTULO 6

1 Steve Wozniak com Gina Smith, *iWoz* (Nova York: W. W. Norton & Company, 2006), 173.

2 Jeffrey H. Dyer, Hal Gregersen e Clayton Christensen, "The Innovator's DNA", *Harvard Business Review*, Spotlight on Innovation (Reprint R0912E), 3 de dezembro de 2009.

3 Ibid.
4 Ibid.
5 Ibid.
6 Leander Kahney, *Inside Steve's brain* (Nova York: Penguin Group, 2008), 73.
7 Ibid., 74.
8 You Tube, "Steve Jobs: Good Artists Copy Great Artists Steal", YouTube, youtube.com/watch?v=CW0Dug63qU (acesso em: 22 de maio de 2010).
9 Gregory Berns, *Iconoclast* (Boston: Harvard Business Press, 2008), 8.
10 Ibid.
11 Ibid., 33.
12 Ibid., 54.
13 Wikipedia, "Steve Jobs", inclui citação sobre Bill Gates, htpp://en.wikiquote.org/wiki/Steve_Jobs (acesso em: 23 de maio de 2010).
14 Jeffrey S. Young, *Steve Jobs: The Journey Is the Reward* (Glenview, IL: Scott, Foresman and Company, 1988), pp. 236-37.
15 David Sheff, "*Playboy* Interview: Steve Jobs", *Playboy*, fevereiro de 1985, p. 58.
16 Young, *Steve Jobs: The Journey is the reward*, p. 226.
17 Ibid., p. 227.

CAPÍTULO 7

1 Jeffrey H. Dyer, Hal Gregersen e Clayton Christensen, "The Innovator's DNA", *Harvard Business Review*, Spotlight on Innovation (Reprint R0912E), 3 de dezembro de 2009.
2 Brigham Young University, "Innovators Practice 5 Skills the Rest of Us Don't, Says BYU, INSEAD and Harvard B-School Study", press release, 19 de janeiro de 2010, http://news.byu.edu/archive09-Dec-dyerinnovation.aspx (acesso em: 21 de março de 2010).
3 Ibid.
4 Dyer et al., "The Innovator's DNA", p. 4.
5 Gary Wolf, "Steve Jobs: The Next Insanely Great Thing", *Wired*, wired.com/wired/archive/4.02/jobs_pr.html (acesso em: 23 de maio de 2010).
6 Michael Moritz, *Return to the little kingdom* (Nova York: The Overlook Press, 2009), p. 98.
7 Ibid., 118.
8 Steve Wozniak com Gina Smith, *iWoz* (Nova York: W. W. Norton & Company, 2006), p. 290.
9 Gregory Berns, *Iconoclast* (Boston: Harvard Business Press, 2008), p. 21.
10 Dyer et al., "The Innovator's DNA", p. 3.
11 Adriana Herrera, diretora e fundadora, ERA Communications, em discussão com o autor, 11 de março de 2010.
12 Ken Robinson, *The element: how finding your passion changes everything* (Nova York: Viking Press, 2009), p. 50.

CAPÍTULO 8

1 YouTube, "MacWorld Boston 1997 – Full Version", YouTube, youtube.com/watch?v=PEHNrqPkefl (acesso em: 23 de maio de 2010).
2 *Wired* News Staff, "The Best of *Wired* on Apple", *Wired*, 30 de março de 2003, wired.com/gadgets/mac/news/2006/03/70538 (acesso em: 23 de maio de 2010).
3 YouTube, "MacWorld Boston 1997 – Full Version".
4 YouTube, "Apple – Crazy Ones", YouTube, youtube.com/watch?v=XufH-BEBMoY (acesso em: 23 de maio de 2010).
5 Steven Levy, *The perfect thing: how the ipod shuffles commerce, culture, and coolness* (Nova York: Simon & Schuster, 2006), p. 118.
6 Wikipedia, "TheGlobe.com", inclui a citação de Stephan Paternot, http://en.wikipedia.org/wiki/TheGlobe.com#cite_note-5 (acesso em: 23 de maio de 2010).

7 America's Most Admired Companies, "Steve Jobs Speaks Out (Strategy), *Fortune*, 7 de março de 2008, http://money.cnn.com/galleries/2008/fortune/0803/gallery.jobsqna.fortune/3.html (acesso em: 2 de janeiro de 2010).

8 Ibid. (iPhone).

9 Rob Enderle, "When You Should Never Listen to Your Customers", *ITBusinessEdge*, 9 de abril de 2010, itbusinessedge.com/cm/blogs/enderle/when-you-should-never-listen-to-your-customers/?cs=40585 (acesso em: 23 de maio de 2010).

10 The Creative Leadership Forum, "The Cultural Importance of the Leader Around Innovation – Robert Verganti – Author of *Design-driven innovation*", 26 de março de 2010, the creativeleadershipforum.com/creativity-matters-blog/2010/3/26/the-cultural-importance-of-the-leader-around-innovation-robe.html (acesso em: 14 de abril de 2010).

11 Ibid.

12 YouTube, "Apple Music Event 2001 – The First Ever iPod Introduction", YouTube, youtube.com/watch?v=kN0SVBCJqLs (acesso em: 23 de maio de 2010).

13 Idib.

14 Ibid.

15 Ibid.

16 Robert Verganti, *Design-driven innovation* (Boston: Harvard Business Press, 2009), 76.

17 Ibid., p. 51.

18 Lev Grossman, "Invention of the Year: The iPhone" [The Best Inventions of 2007], *Time*, primeiro de novembro de 2007, time.com/time/specials/2007/article/0,28804,1677329_1678542,00.html (acesso em: 23 de maio de 2010).

19 Apple.com, "Macworld San Francisco 2007: Keynote Address", apple.com/quicktime/qtv/mwsf07 (acesso em: 23 de maio de 2010).

20 Americas's Most Admired Companies, "Steve Jobs Speaks Out" (iPhone), *Fortune*, 7 de março de 2008, http://money.cnn.com/galleries/2008/fortune/0803/gallery.jobsqna.fortune/index.html (acesso em: 2 de janeiro de 2010).

21 Nick Spence, "Apple's Woz: iPad Great for Students, Grandparents", *PCWorld*, 3 de abril de 2010, pcworld.com/article/193329/apples_woz_ipad_great_for_students_grandparents.html (acesso em: 23 de maio de 2010).

22 Dan Lyons, "Think Really Different", *Newsweek*, 26 de março de 2010, newsweek.com/id/235565 (acesso em: 23 de maio de 2010).

23 Jesus Diaz, "iPad is the Future", Gizmodo blog, 2 de abril de 2010, http://gizmodo.com/5506692/ipad-is-the-future (acesso em: 23 de maio de 2010).

24 YouTube, "Apple iPad: Steve Jobs Keynote January 27, 2010 – Part 1", YouTube, youtube.com/watch?v=ObhYxj2SvRI (acesso em: 23 de maio de 2010).

25 Ibid.

26 Katherine M. Hafner e Richard Brandt, "Steve Jobs: Can He Do It Again?", *BusinessWeek*, 27 de agosto de 1988, businessweek.com/1989-94/pre88/b30761.htm (acesso em: 23 de maio de 2010).

27 Sharon Aby, fundadora da Beyond Ideas, em discussão com o autor, 13 de janeiro de 2010.

28 Leander Kahney, "How Apple Got Everything Right by Doing Everything Wrong", *Wired*, 18 de março de 2008, wired.com/techbiz/it/magazine/16-04/bz_apple?currentPage=2 (acesso em: 30 de março de 2010).

29 Leander Kahney, *Inside Steve's Brain* (Nova York: Portfolio, 2008), p. 63.

CAPÍTULO 9

1 Adrian Salamunovic, cofundador da DNA 11, em conversa com o autor, 7 de abril de 2010.

2 Alain Breillat, "You Can't Innovate like Apple", *Pragmatic Marketing* 6, no. 4, pragmaticmarketing.com/publications/magazine/6/4/you_cant_innovate_like_apple (acesso em: 23 de maio de 2010).

3 Matthew Boyle, "The Accidental Hero", *Bloomberg BusinessWeek*, 5 de novembro de 2009, businessweek.com/magazine/content/09_46/b4155058815908.htm (acesso em: 23 de maio de 2010).

4 Carmine Gallo, *10 simple secrets of the world's greatest business communicators* (Naperville, IL: Sourcebooks, 2005), p. 19.

5 David Meerman Scott, *Worldwide rave* (Hoboken, NJ: John Wiley & Sons, Inc., 2009), p. 24.

6 Ibid.

7 Carmine Gallo, *Fire them up! 7 simple secrets to: inspire colleagues, customers, and clients; sell yourself, your vision, and your values; communicate with charisma and confidence* (Hoboken, NJ: John Wiley & Sons, Inc., 2007), p. 23.

CAPÍTULO 10

1 YouTube, "Steve Jobs Keynote Macworld 1998 – Part 2", YouTube, youtube.com/watch?v =LwuR88AIKLg (acesso em: 23 de maio de 2010).

2 Ibid.

3 Peter Burrows, "The Seed of Apple's Innovation", *BusinessWeek*, 12 de outubro de 2004, businessweek.com/bwdaily/dnflash/oct2004/nf200421012_4018_db083.htm (acesso em: 23 de maio de 2010).

4 YouTube, "Objectified-Jonathan Ive Talks About Mac Design", YouTube, youtube.com/watch?v=t0fe800C2CU (acesso em: 23 de maio de 2010).

5 YouTube, "Oct. 14-Apple Notebook Event 2008-New Way to Build-2/6", YouTube, youtube.com/watch?v=7JLjldgjuKl (acesso em: 23 de maio de 2010).

6 Ibid.

7 YouTube, "Objectified-Jonathan Ive Talks About Mac Design".

8 Ibid.

9 Sheryl Garratt, "Jonathan Ive: Inventor of the Decade", *The Observer,* 29 de novembro de 2009, guardian.com.uk/music/2009/nov/20/ipod-jonathan-ive-designer/print (acesso em: 4 de janeiro de 2010).

10 Ibid.

11 Rob Walker, "The Guts of a New Machine", *The New York Times*, 30 de novembro de 2003, nytimes.com/2003/11/30/magazine/30IPOD.html?pagewanted=all (acesso em: 23 de maio de 2010).

12 Ibid.

13 Steven Levy, *The perfect thing: how the ipod shuffles commerce, culture, and coolness* (Nova York: Simon & Schuster, 2006), 77-78.

14 Ibid., p. 74.

15 Ibid.

16 Om Malik, "User Experience Matters: What Entrepreneurs Can Learn from 'Objectified'", Gigaom blog, 3 de janeiro de 2010, http://gigaom.com/2010/01/03/objectified-design (acesso em: 23 de maio de 2010).

17 YouTube, "Introducing the New iPhone – Part 1", YouTube, youtube.com/watch?v=ftf4riVJyqw (acesso em: 23 de maio de 2010).

18 Ibid.

19 Matthew E. May, *In pursuit of elegance* (Nova York: Broadway Books, 2009), p. 79.

20 David Pogue, "Buzzing, Tweeting and Carping", *The New York Times*, 17 de fevereiro de 2010, nytimes.com/2010/02/18/technology/personaltech/18pogue.html?pagewanted=all (acesso em: 23 de maio de 2010).

21 Malik, "User Experience Matters".

22 Todd Lappinm "What My 2.5-Year-Old's First Encounter with an iPad Can Teach the Tech Industry", bNet, 7 de abril de 2010, http://industry.bnet.com/technology/10006827/what-my-25--year-olds-first- encounter-with-an-ipad-can-teach-the-tech-industry (acesso em: 23 de maio de 2010).

23 Andy Ihnatko, "Review: iPad Is Pure Innovation – One of Best Computers Ever", *Chicago Sun--Times*, 31 de março de 2010, suntimes.com/technology/ihnatko/2134139,ihnatko-ipad-apple--review-033110.article (acesso em: 5 de abril de 2010).

24 Steve Chazin, "Apple: Do One Thing Better", MarketingApple.com, 23 de fevereiro de 2010, marketingapple.com/marketing_apple/2010/02/apple-do-one-thing-better.html (acesso em: 23 de maio de 2010).

25 Dan Frommer, "Apple COO Tim Cook: "We Have No Interest in Being in the TV Market", *Business Insider*, 23 de fevereiro de 2010, businessinsider.com/live-apple-coo-tim-cook-at-the-goldman--tech-conference-2010-2 (acesso em: 23 de maio de 2010).

26 Noah Robischon, "Steve Jobs' Advice to Nike: Get Rid of the Crappy Stuff" (vídeo), *Fast Company*, 26 de abril de 2010, fastcompany.com/video/mark-parker-nike-and-steve-jobs-apple (acesso em: 23 de maio de 2010).

27 Leander Kahney, *Inside Steve's brain* (Nova York: Portfolio, 2008), p. 61.

28 Americas's Most Admired Companies, "Steve Jobs Speaks Out" (on Apple's focus), *Fortune*, 7 de março de 2008, http://money.cnn.com/galleries/2008/fortune/0803/gallery.jobsqna.fortune/6.html (acesso em: 23 de maio de 2010).

29 Jeffrey S. Young, *Steve Jobs: the journey is the reward* (Glenview, IL: Scott, Foresman and Company, 1988), p. 153.

30 May, *In pursuit of elegance*, p. 23.

CAPÍTULO 11

1 Carmine Gallo, "Lessons in Simplicity from the Flip", *Bloomberg BusinessWeek*, 17 de fevereiro de 2010, businessweek.com/smallbiz/content/feb2010/sb20100217_244373.htm (acesso em: 23 de maio de 2010).

2 Ibid.

3 Mick Mountz, fundador e presidente da Kiva Systems, em conversa com o autor, 21 de janeiro de 2010.

4 The Creative Leadership Forum, "The Cultural Importance of the Leader Around Innovation – Robert Verganti – Author of *Design-Driven Innovation*", 26 de março de 2010, thecreativeleadershipforum.com/creativity-matters-blog/2010/3/26/the-cultural-importance--of-the-leader-around-innovation-robe.html (acesso em: 14 de abril de 2010).

5 Arik Hesseldahl, "Senuous Sound Machine", *Bloomberg BusinessWeek*, 3 a 9 de maio de 2010, 78.

6 Elisabeth Bumiller, "We Have Met the Enemy and He is PowerPoint", *The New York Times*, 27 de abril de 2010, nytimes.com/2010/04/27/world/27/powerpoint.html (acesso em: 23 de maio de 2010).

7 Jim Collins, "Best New Year's Resolution? A Stop Doing List", *USA Today*, 29 de dezembro de 2003, usatoday.com/news/opinion/editorials/2003-12-30-collins_x.htm?loc=interstitialskip (acesso em: 23 de maio de 2010).

8 Ibid.

9 Ibid.

CAPÍTULO 12

1 Jerry Useem, "Apple: America's Best Retailer", *Fortune*, 8 de março de 2007, http://money.cnn.com/magazines/fortune/fortune_archive/2007/03/19/8402321/index.htm (acesso em: 23 de maio de 2010).

2 Cliff Edwards, "Commentary: Sorry, Steve: Here's Why Apple Stores Won't Work", *BusinessWeek*, 21 de maio de 2001, businessweek.com/magazine/content/01_21/b3733059.htm (acesso em: 23 de maio de 2010).

3 Jerry Useem, "Apple: America's Best Retailer".

4 IfoAppleStore.com, "Think Equity Conference 2006", inclui a citação de Ron Johnson, 13 de setembro de 2006, ifoapplestore.com/stores/thinkequity_2006_rj.html (acesso em: 23 de maio de 2010).

5 YouTube, "Steve Jobs Introduces the First Apple Store Retail 2001", YouTube, youtube.com/watch?v=OJtQeMHGregc (acesso em: 23 de maio de 2010).
6 IfoAppleStore.com, "Think Equity Conference 2006".
7 YouTube, "Steve Jobs Introduces the First Apple Store Retail 2001".
8 IfoAppleStore.com, "Think Equity Conference 2006".
9 Ibid.
10 YouTube, "Autodesk (corporate documentary)", YouTube, youtube.com/watch?v=Hz8-WfBW3qU (acesso em: 23 de maio de 2010).
11 Americas's Most Admired Companies, "Steve Jobs Speaks Out" (for choosing strategy), *Fortune*, 7 de março de 2008, http://money.cnn.com/galleries/2008/fortune/0803/gallery.jobsqna.fortune/7.html (acesso em: 23 de maio de 2010).
12 UPI.com, "Couple Enjoys Weeding with Apple Theme", 20 de fevereiro de 2010, upi.com/Odd_News/2010/02/20/Couple-enjoys-weeding-with-Apple-theme/UPI-44951266688299 (acesso em: 23 de maio de 2010).

CAPÍTULO 13

1 Carmine Gallo, "An Inside Look at the Zappos Experience", Talking Leadership blog, 11 de janeiro de 2010, http://carminegallo.com/talking-leadership/an-inside-look-at-the-zappos-experience (acesso em : 23 de maio de 2010).
2 Mike Abt, coproprietário, Abt Electronics, em discussão com o autor, 7 de maio de 2010.
3 Scott Iversen, diretor de marketing da Toppers, em discussão com o autor, 6 de maio de 2010.

CAPÍTULO 14

1 Woodruff Health Sciences Center, Emory University, "Neuroscientist Reveals How NonConformists Achieve Success", press release, 25 de setembro de 2008, http://whsc.emory.edu/press_release2.cfm?announcement_id_seq=15766 (acesso em: 23 de maio de 2010).
2 Jeffrey S. Young, *Steve Jobs: the journey is the reward* (Glenview, IL: Scott, Foresman and Company, 1988), p. 237.
3 David Sheff, "*Playboy* Interview: Steve Jobs", *Playboy*, fevereiro de 1985, p. 70.
4 Young, *Steve Jobs: the journey is the reward*, p. 236.
5 Apple.com, "Apple Special Event January 2010", apple.com/quicktime/qtv/specialevent0110 (acesso em: 23 de maio de 2010).
6 Ibid.
7 Ibid.
8 Ibid.

CAPÍTULO 15

1 Jack Welch com John A. Byrne, *Straight from the gut* (Nova York: Warner Business Books, 2001), p. 72.
2 Curtis Carlson e William Wilmot, *Innovation* (Nova York: Crown Business, 2006), p. 129.
3 Carmine Gallo, "Storytelling Tips from Salesforce's Marc Benioff", *Bloomberg BusinessWeek*, 3 de novembro de 2009, businessweek.com/smallbiz/content/nov2009/sb20091112_279472.htm (acesso em: 23 de maio de 2010).
4 Ibid.
5 Ibid.
6 Ibid.
7 Ibid.

MAIS UMA COISA...

1 Steve Wozniak com Gina Smith, *iWoz* (Nova York: W. W. Norton & Company, 2006), p. 289.
2 Tim Bajarin, presidente, Creative Strategies, em conversa com o autor, 4 de fevereiro de 2010.
3 YouTube, "Steve Jobs and Bill Gates Together – Part 1", YouTube, youtube.com/watch?v=_5Z7eal4uXI&feature=fvw (acesso em: 23 de maio de 2010).
4 Bajarin, em conversa com o autor.

5 YouTube, "Steve Jobs on Marketing and Passion", YouTube, youtube.com/watch?v=c2cDQw--Cmd4 (acesso em: 23 de maio de 2010).

6 Stanford University, "'You've Got to Find What You Love', Jobs Says", *Stanford Report*, 14 de junho de 2005, http://news.stanford.edu/news/2005/june15/jobs06150.html/view=print (acesso em: 22 de janeiro de 2010).

7 Thomas L. Friedman, "More (Steve) Jobs, Jobs, Jobs, Jobs", *The New York Times*, 24 de janeiro de 2010, nytimes.com/2010/01/24/opinion/24friedman.html?pagewanted=print (acesso em: 25 de janeiro d.

Leia outras obras da Lua de Papel

Cativar o público durante uma apresentação de produto é o momento crucial que define o sucesso ou o fracasso de um projeto que consumiu meses de trabalho. Por isso, empresários do mundo inteiro procuram se espelhar no CEO que mais causa admiração ao falar em público: Steve Jobs. Dono de um estilo vigoroso e direto, seu carisma e poder de convencimento muitas vezes são atribuídos a influências sobrenaturais, mas o processo é extremamente natural, e agora as técnicas podem ser acessadas por todas as pessoas. Em *Faça como Steve Jobs*, o especialista em comunicação Carmine Gallo esclarece o magnetismo do líder mais admirado do mundo, destrinchando cada momento de suas apresentações em técnicas simples que você pode aplicar imediatamente.

Leia outras obras da Lua de Papel

Um livro indispensável da série de sucesso sobre a Buffettologia escrito por Mary Buffett e David Clark, *Faça como Warren Buffett* está repleto de histórias e citações que mostram como as filosofias de vida de Buffett se refletem em suas decisões empresariais e no modo como administra pessoas e negócios.

A visão interna das técnicas administrativas de Warren Buffett apresenta soluções simples para o sucesso de buffettologistas principiantes e iniciados, além de ilustrar como e por que o sucesso, tanto na vida profissional quanto na pessoal, normalmente, caminham lado a lado.

Os autores apresentam um guia único e acessível para compreender e reproduzir o modo brilhante como Buffett administrou sua vida, os negócios e as pessoas que gerenciam os 233 mil funcionários da Berkshire Hathaway em todo o mundo. Mesmo no atual cenário econômico, em que tantos investidores e as maiores empresas enfrentam uma grave crise, ele continua a ter sucesso em todas as facetas de sua vida.

Este livro foi composto em Bembo Std
para Texto Editores Ltda.
em outubro de 2011.